大决战

威震华东

长篇战争纪实文学

史振洪 陈广相 苗生 董恒峰◎著

长征出版社

责任编辑：武　将
装帧设计：大象设计工作室
版式制作：北京大汉方圆图文设计制作中心

图书在版编目（CIP）数据

威震华东/史振洪等著．—北京：长征出版社，2007.4
ISBN 978-7-80204-270-4

Ⅰ.威...　Ⅱ.史...　Ⅲ.纪实文学—中国—当代
Ⅳ.I25

中国版本图书馆CIP数据核字（2007）第047560号

长征出版社出版发行
（北京阜外大街34号　邮编：100832）
电话：68586781
北京市京北制版厂印刷　　新华书店经销
2007年4月第1版　2007年4月北京第1次印刷
开本：787×1092　1/16　20印张　260千字
定价：28.00元

ISBN 978-7-80204-270-4

前言

历史，是不能忘记，也不该忘记的。

20世纪中叶，中国人民解放军的第一、二、三、四野战军坚决执行毛泽东主席、朱德总司令的命令，分别向西北、西南、华东、中南进军，以摧枯拉朽之势，追歼国民党军在大陆上的残余部队，剿灭各地的土匪武装，为新中国的建立和巩固而英勇战斗，谱写了人民解放军作战史上的光辉篇章。《大决战》丛书采用文学手法，全景式地记述了4个野战军在历史转变时期大征战的光辉历程。

那是一个壮丽的年代，是一幅壮丽年代描绘的壮丽画卷。从黄土浑厚的广袤西北大地，到峰峦连绵的西南雪域高原，从富饶美丽的江浙平原，到波涛汹涌的东海、南海，人民解放军的广大指战员高举红旗，高唱战歌，“向最后的胜利，向全国的解放”，气吞万里；而国民党军队和一切反动武装，则势穷途末，如同疾风中的枯叶，凄然飘逝。领导层的决策与将士的拼搏遥相辉映，战场冲杀与谈判交锋相互配合，乘胜奋勇追击与化装深入匪穴相得益彰……形成了地域广阔、错综复杂、色彩多姿的奇特景观，勇与智、谈与打、理与情、起义与被俘、公开与隐秘，都表现得淋漓尽致。五星红旗冉冉升起，高高飘扬；反动派的孤舟仓惶远去，逃居孤岛。真是“天若有情天亦老，人间正道是沧桑”。

那动人心魄的一页，早已经烙印在历史的巨册上，它不仅仅是令人咀嚼过去辉煌和骄傲的光荣，同时也是思考和肩负新世纪的责任。先辈们用心血和生命修筑起来的巍巍共和国大厦，还须用心血和生命去描绘去保卫。过去，不但能告诉今天，也能告诉未来。

有了人民的军队，就有了人民的一切。

强国，必须强军；强军，为了强国。

2007年4月

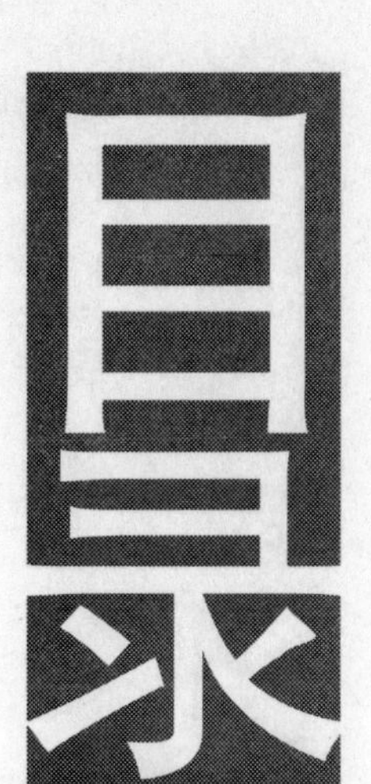

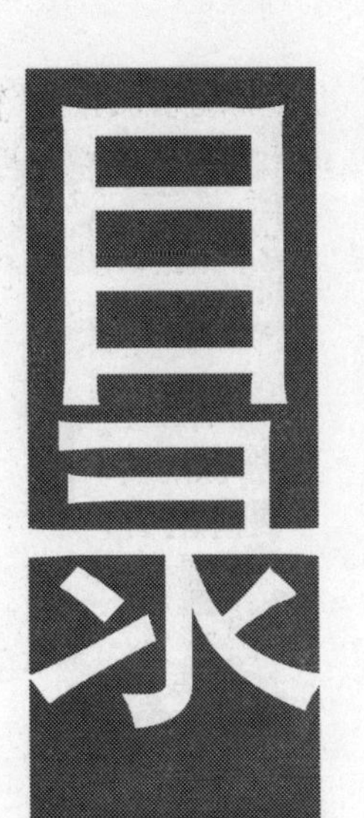

目录

目录

目录

第一章 风雨下钟山

国民党总统府里，内外交困的蒋介石心烦意乱，寝食难安——回想三年前内战发起时，兵多将广的国民党军计划用三个月时间把共产党全部消灭，没料到三年过去了，共产党不仅未能消灭，相反越战越强；而国军却越打越弱，到如今竟将主力丧失殆尽。眼下，长江以北广大地区已落入共军之手，锦绣江南亦岌岌可危。瞻前顾后，蒋介石不由得打了一个寒战。

1 毛泽东亲撰《将革命进行到底》

虎踞龙盘的南京城，长江环绕，钟山屏障，向有“吴头楚尾”之称。自三国东吴以来，曾有12个朝代建都于此。封建帝王们指望凭借南京独特的地理位置长治久安，但是无一能逃脱覆灭的命运。

历史推进到公元1949年，这里又将发生一场惊天动地的苍黄巨变。

国民党总统府里，内外交困的蒋介石心烦意乱，寝食难安——回想3年前内战发起时，兵多将广的国民党军计划用3个月时间把共产党全部消灭，没料到3年过去了，共产党不仅未能消灭，相反越战越强；而国军却越打越弱，到如今竟将主力丧失殆尽。眼下，长江以北广大地区已落入共军之手，锦绣江南亦岌岌可危。瞻前顾后，蒋介石不由得打了一个寒颤。

在这穷途末路的形势下，蒋介石决定玩弄求和的伎俩，阻滞人民解放军渡江南进，以便赢得时间，依托长江以南半壁河山重整军力，伺机反扑，卷土重来。

于是，在1949年元旦到来之际，华夏大地上出现了两种截然不同的声音——

蒋介石在元旦文告中宣称：愿与中共商讨停止战争、恢复和平的具体方法，但国民党政府的一切体制和制度都不能改变……

而中共中央毛泽东主席在为新华社撰写的新年献词《将革命进行到底》中则庄严宣布：“一九四九年将要召集没有反动分子参加的以完成人民革命任务为目标的政治协商会议，宣告中华人民共和国的成立，并组成共和国的中央政府。”……

毛泽东发出的这一铿锵有力的时代强音，犹如滚滚春雷回荡在中国上空，极大地鼓舞了全党、全军和广大人民群众，也极大地震撼着国民党反动派。

蒋介石这类蛇一样的恶人，继续煞费苦心地变换着反革命的手法，力图阻挡历史前进的步伐。

为了迫使中共同意停战和谈，蒋介石授意外交部分别照会美、苏、英、法，请求这4个大国施加影响，从中调停。

国内的一些人也被蒋介石的虚伪欺骗所迷惑，希望中共“得饶人处且饶人”。

中国的前途正处在十字路口，是坚决将革命进行到底，还是半途而废？这一重大问题亟待中国共产党人作出抉择。

人们都将期待的目光转向了太行山东麓柏坡岭下一个叫做西柏坡的村子——这里，是中共中央的驻地。

1949年1月6日至8日，毛泽东主持召开了中共中央政治局会议，研究决定将革命进行到底的大政方针。

于是，在会议通过的《目前形势和党在一九四九年的任务》的决议中，明确提出了人民解放军向全国进军的战略任务：1949年夏、秋、冬3季，我们应当争取占领湘、鄂、赣、苏、皖、浙、闽、陕、甘等9省的大部或全部；各大野战军于平津、淮海、太原、大同诸战役以后，应抓紧时机休整至少两个月，完成渡江南进的诸项准备工作，然后有步骤地、稳健地向南方进军。

南进！南进！坚定不移地向长江以南进军！打倒蒋介石，解放全中国！这就是中国共产党人的最后抉择！

一场决定中国命运的大决战，将在长江下游的千里江面上全线展开！

这一光荣而艰巨的历史使命，理所当然地赋予了英勇无敌的华东、中原两大野战军。

2 陈毅挂帅领雄兵

早春二月，乍暖还寒。

在位于徐州贾汪的华东野战军指挥部里，却是一派热气腾腾的景象，野战军的高级将领们济济一堂，正在商讨部队改编的大计。

陈毅首先传达了中央政治局会议精神，然后宣布了中央军委关于部队整编的决定："为了适应向全国进军的需要，军委决定于1949年春季对全军陆续进行整编，将西北、中原、华东和东北4大野战军，依次改编为第一、第二、第三和第四野战军。"

粟裕站起来插话："军委考虑到二野今后将与三野协力经营东南，故决定陈毅同志不再继续担任二野的领导职务，专任我们三野司令员兼政治委员。我们热烈欢迎陈老总回来主持全局！"

掌声骤起，经久不息。

陈毅笑着摆了摆手："我可是马上又要走的哟，华东局、华东军区那边还等着我呢，下一步三野的军事指挥，还是请粟裕同志多操点心吧。"

粟裕急忙说道："哎，那怎么行？三野可离不开你陈老总。"

陈毅笑道："你就不要谦虚啦，能者多劳嘛。"

粟裕正要再说什么，陈毅一把将他按住，拿起一份命令，朗声宣读起来：

"第三野战军，陈毅任司令员兼政治委员，粟裕任副司令员兼第二副政治委员，谭震林任第一副政治委员，张震任参谋长，唐亮任政治部主任，下辖第7、第8、第9、第10兵团和特种兵纵队。”

陈毅继续宣布道：“第7兵团，由王建安任司令员，谭启龙任政治委员，辖第21、第22、第23、第35军；”

“第8兵团，由陈士榘任司令员，袁仲贤任政治委员，辖第24、第25、第26、第34军；”

“第9兵团，由宋时轮任司令员，郭化若任政治委员，辖第20、第27、第30、第33军；”

“第10兵团，由叶飞任司令员，韦国清任政治委员，辖第28、第29、第31军。”

……

宣读完命令，陈毅又说道：“经过整编，三野全军已达到58.1万余人，加上华东军区的地方武装，超过100万。同志哥，这百万雄师发起威来可了不得呐，蒋介石的那些残兵败将只怕经不住我们打哟!”

粟裕接茬道：“中央军委已经决定，以第二、第三野战军的7个兵团24个军及一部分地方武装，于4月间发起渡江作战，歼灭布防于长江沿线的国民党军，夺取国民党的政治、经济中心宁沪杭地区，为以后向华东南等地进军创造条件。我三野全体将士，要在党中央、毛主席的领导下，在陈老总的直接指挥下，坚决完成渡江作战的光荣任务!”

说到这里，粟裕大声问道：“同志们，有没有信心?”

“有!”台下的将领们齐声回答。

雷鸣般的掌声再次响起。

不几天，邓小平、陈毅、谭震林等人联袂前往西柏坡，参加中共中央七届二中全会。粟裕因病未能与会。

会议期间，毛泽东多次找陈毅、邓小平等人谈话，商谈渡江南进、经营华东南的重大问题。

邓小平说：“渡江作战问题不大，更值得重视的还是如何经营的问题，宁、沪、杭是蒋介石的老巢，我们要接管好建设好可不容易呀。”

陈毅说：“对头，特别是上海……”

“上海没问题，中央已选好了一个挺有学问的上海市长。”毛泽东笑着打断了陈毅的话。

“哦，谁呀?”

“远在天边，近在眼前!”毛泽东和邓小平笑嘻嘻地望着陈毅。

陈毅一愣，随即会意地跟着笑了起来。

“小平说得对，我们夺取宁、沪、杭后，接管和经营的任务十分繁重，所以华东局的力量得加强，”毛泽东说到这里，指了指邓小平：“中央考虑，

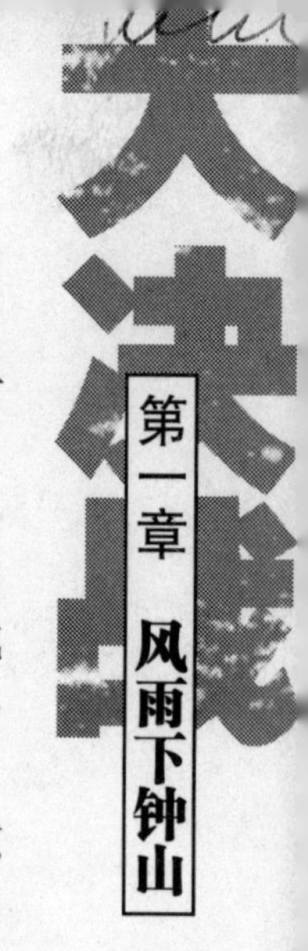

让你这位中原局第一书记加入华东局，担任华东局第一书记，饶漱石为第二书记，陈毅为第三书记。”

“照你这么说，我就只能恭敬不如从命啰?”

“是啊，小平同志，你还有一副重担呢!”毛泽东接着说，“中央不是已于2月11日决定，你，陈毅、伯承、粟裕、震林5人在淮海战役期间组成的总前委嘛！总前委在渡江作战中照旧行使领导军事及作战的职权，你为书记，陈毅、伯承为常委。华东局和总前委均直属中央。”

这就意味着，党中央、中央军委经过周密考虑，把夺取宁沪杭，经营华东南的重任全权交给了邓小平！他将统帅第二、第三两大野战军，挥师渡长江，夺取国民党的政治经济中心宁沪杭地区，接管中国最富饶的东南半壁河山。

毛泽东紧紧握着邓小平和陈毅的手说：“渡江作战，进军江南的重任就交给你们了!”

“请主席放心，坚决完成任务!”邓小平和陈毅异口同声地说。

3 邓小平亲拟渡江方略

安徽蚌埠往南11公里，有一个只有几十户人家的小村叫做孙家圩子。

3月下旬的一天早晨，这个默默无闻的小村落突然间热闹起来了。马达轰鸣，喇叭声声，几十辆吉普车、卡车组成的车队，浩浩荡荡地开了进来。村民们以好奇的目光，打量着远道来客。只见前面吉普车上下来的军人，一个个态度和蔼，却又气度非凡。

“大官，肯定是共产党的大官。”几个见过世面的村民小声议论着，再悄悄一打听，顿时惊愕不已：“了不得，了不得，来者中有邓小平、陈毅、粟裕、谭震林、张震……全是大名鼎鼎的解放军高级将领啊！听说他们个个能征善战，无往不胜，蒋介石几百万大军被他们打得落花流水，一败涂地。今日突然到此……看来，准是又有大仗要打了!”

不错，又有大仗要打了，而且是史无前例的大仗！为了打好这一大仗，中共中央华东局第一书记、总前委书记邓小平，决定在此召开第三野战军高级干部会议，研究制定渡江作战部署。

一间宽敞的民房，成了临时会议室；两张红漆方桌并在一起，权当主席台。大家刚刚落座，机要参谋便送来一份电报，邓小平接过一看，立刻喜上眉梢：“好消息，好消息，毛主席、党中央昨天下午进北平了!”

大家知道，毛泽东进了北平，意味着建立新中国这件大事已经摆上日程。会场内顿时沸腾起来。

会议在笑声中转入正题。三野参谋长张震首先介绍了国民党军的江防情况："蒋军布防于长江沿线的兵力，主要为京沪杭警备总司令汤恩伯部和华中'剿匪'总司令白崇禧部共40个军约70万人，以及海防第2舰队、江防舰队，空军4个大队担任。具体部署是：汤恩伯部25个军，约45万人，在上海至湖口段沿江地区及浙赣线以北地区布防，组成两道防线。沿江为第一道防线，共18个军；第二道防线布设于浙赣线及浙东地区，共部署7个军。白崇禧部15个军约25万人，在湖口至巴东段沿江地区布防。此外，敌海防第2舰队，辖各种舰艇89艘，位于长江下游；江防舰队，辖各种舰艇44艘，位于长江中游；配置在沪、宁、汉等地的空军4个大队，共有飞机300余架……"

陈毅说："蒋军正在加紧强化其长江防御，我军渡江南进无疑将会遇到严重抵抗，历史上曾有不少渡江失利的先例，但我们是胜利之师、文明之师，完全有决心、有信心也有能力突破天堑，消灭敌人。"

根据国民党军的江防部署，粟裕提出整个渡江战役分为3个作战阶段的设想：第一阶段，突破江防，达成渡江任务，实行战役展开；第二阶段，割裂和包围敌人，确实控制浙赣路一段，断敌退路；第三阶段，分别歼灭被包围之敌，完成全战役。

"对头。"邓小平接着说："在战役第一阶段，二、三两大野战军分成3个突击集团：以二野3个兵团9个军共35万人组成西集团，在枞阳镇至望江段以安庆东西地段为重点实施突破，该集团由刘伯承、张际春、李达指挥；三野第8、第10兵团8个军及地方部队共35万人组成东集团，除以一部于战役发起时攻占浦口、瓜洲等地，钳制南京、镇江之敌外，主力由张黄港至口岸段实施渡江，得手后迅速向沪宁铁路挺进，控制该路一段，有依托地向宜兴方面扩张战果，切断宁杭公路，会同中集团聚歼南京、镇江地区之敌，该集团由粟裕、张震指挥；三野第7、第9兵团7个军共30万人组成中集团，由裕溪口至枞阳镇段实施渡江，得手后除以足够兵力寻歼沿江当面之敌外，主力迅速东进，截断宁杭公路，与东集团会合，围歼南京、镇江地区之敌，该集团由谭震林指挥。"

邓小平端起茶杯，喝了一口茶，继续说道："为便于渡江后部队的统一行动，中、东两集团突破江防后归粟裕、张震指挥。"

粟裕补充道："我军突破江防后，三野两个突击集团的东西对进十分关键，只要迅速封闭合围口，南京及其周围的敌人就会成为瓮中之鳖，下一步解决杭州、上海之敌也就容易一些。"

在集思广益的基础上，邓小平于3月31日亲自拟定了《京沪杭战役实施纲要》，然后又交给陈毅、粟裕、谭震林、张震等人讨论修改，大家都觉得这个纲要高屋建瓴，言简意赅，写得很好。

毛泽东收到总前委电呈的纲要后，于4月3日亲自复电："同意京沪杭战役实施纲要。"

随后，邓小平、陈毅率总前委、华东局机关移驻合肥附近的瑶岗，粟裕、张震率三野指挥机关进驻泰州东南的白马庙，谭震林前往第7兵团指挥部所在地庐江，实施靠前指挥。

长江北岸，百万雄师厉兵秣马，准备迎接横渡天堑这个前所未有的挑战！

在国民党军盘踞的长江南岸，同样也在紧锣密鼓地备战。

蒋介石虽于1月下旬宣布引退，由李宗仁代总统，但回归老家溪口的他却不甘寂寞，仍以国民党总裁身份总揽军政大权，躲在幕后调兵遣将，进行垂死挣扎的准备。

代总统李宗仁，则做着"南北分治"的美梦，指望通过和谈保存国民党的残余势力，利用长江阻隔与中共分庭抗礼，伺机东山再起。

但在长江防御的具体部署上，蒋、李两方面却勾心斗角，争吵不休。

这天，参谋总长顾祝同在南京主持召开江防紧急会议。佩戴中将军衔的国防部作战厅厅长蔡文治，站在江防部署图前侃侃而谈："我江防军主力应自南京向上、下游延伸。因为这一段长江江面较狭，北岸支流甚多，共军所征集预备渡江的民船多藏于这些河湾之内。至于江阴以下之长江，因江面极阔，江北又无支河，共军不易偷渡，可以不必用重兵防守。"

代总统李宗仁、行政院长何应钦等人点头称道，坐在一旁的京沪杭警备总司令汤恩伯却连连冷笑。

"汤总司令，你因何发笑？"顾祝同有些不悦。

汤恩伯："哼！这套方案大违总裁意旨，行不通！依我看，应把江防的主力集中于江阴以下，以上海为据点，集中防守。至于南京上、下游，只留少数部队以为应付即可。"

"你的意思，是只守上海而不守长江？"

"不错，这也是总裁的方案，我必须执行！"

蔡文治听得满脸通红："就战略、战术来看，我想不论中外军事家都不会认为放弃长江而守上海是正确的。现在代总统、何院长、顾参谋总长都同意我们的作战方案，为什么你独持异议？"

汤恩伯有恃无恐地说："我不管别人，总裁吩咐怎么做就怎么做！"

"汤总司令，"蔡文治生气地责问道："总裁已经下野了，你还拿大帽子来压人，违抗国防部的作战计划，这是什么意思？如果共军过江，你能守得住上海吗？"

汤恩伯恼羞成怒，猛然把桌子一拍，大声嘶吼着："你蔡文治是什么东西！竟敢说我违抗国防部的作战计划，我枪毙你再说，我枪毙你再说……"

蔡文治毫不退让："我是政府任命的国防部作战厅长。倒是你这败军之将，若没有老头子这个靠山庇护，早已为党国所不齿，焉能有今日？"

汤恩伯被蔡文治的一阵反诘气得快要发疯，可他那只抓住手枪的右手却一直没有拔出来。毕竟，他还不敢在李宗仁、何应钦等上司面前过于放肆。他既无奈于蔡文治，便把文件一推，大步冲出会场，扬长而去。

蔡文治也气呼呼地把文件收起来，连说："这还能干下去？这还能干下去？我辞职了！"

李宗仁一脸无奈地望着何应钦和顾祝同："你们看这局面如何收拾？"

何、顾二人苦笑道："汤总司令手握重兵，又有老头子在幕后指挥，那又有什么办法？"

4 英国皇家海军损兵折将

4月20日。渡江作战即将发起。就在这时，英国军舰横生枝节，突然闯进中国内河长江，为国民党政府助威打气。于是，一场震动世界的炮击英舰之战在江上首先打响了。

这天早晨，英国皇家海军远东舰队的"紫石英"号军舰悄悄地从长江南岸的江阴起航，朝着上游解放军渡江部队控制的江面疾驶而来。

"紫石英"号是一艘护航驱逐舰，排水量约2000吨，装备有4英寸前后主炮6门和数门高射炮。渡江作战在即，江面上突然出现一艘全副武装的英国军舰，其用心何在？立刻引起北岸我军的严重关注。

上午9时许，"紫石英"号进入泰州以南口岸附近江面。这里江身向北突出，成为一个硕大的弧形。在这弧形江身的北岸，是三野第8兵团第20军的渡江出发阵地。配属20军渡江作战的三野特纵炮3团7连观察所发现这艘军舰后，随即向团部作了报告。

团首长指示：各连做好战斗准备，如英舰向我挑衅，应即坚决还击。

"紫石英"号继续旁若无人地前行。过了口岸，又向炮3团阵地三江营方向驶来。当它通过炮3团7连第三炮位后，竟突然向我军炮阵地开炮射击。

有来无往非礼也！我炮兵立即以猛烈炮火进行还击，平静的江面上水柱突起，波涛翻滚，英舰甲板及炮台、司令台、机轮舱等均被击中。

英舰万没想到我军炮火如此厉害，慌忙加速折向南岸，企图依托南岸国民党军炮兵阵地向我射击。炮3团1连与7连协同作战，对该舰实施追踪射击。

英舰慌不择路，在靠向南岸时搁浅，这就增加了北岸我军炮兵射击的准确性，炮弹一发接一发落在舰上，打得英军抱头鼠窜，无处躲藏，舰长斯金勒少校毙命，副舰长威士敦上尉负伤，英舰不得不挂起白旗乞降，完全失去了当初的威风。

江面的炮声传到南京，英国大使馆立即命令驱逐舰“伴侣”号及“黑天鹅”号分别从南京、上海两地驶往出事地点救援“紫石英”号。

“伴侣”号、“黑天鹅”号两舰同“紫石英”号一样，均是排水量约2000吨的护航驱逐舰，其火力配备也与“紫石英”号相当。英国大使馆试图依靠这两艘军舰挽救败局，这显然是一个失着，只能导致事态的进一步恶化，落得个自讨没趣的结局。

下午1时半，由南京下行增援的英舰“伴侣”号耀武扬威地驶向三江营附近江面。江北我军同仇敌忾，随即做好迎战准备。不一会儿，“伴侣”号进入炮3团的火力范围，1连、7连立即开火阻击。

“伴侣”号十分狡猾，边开炮边快速顺水下驶，很快就脱离我军火力控制区，然后突然转过头来，靠近江北岸，利用我军野炮死角地带对三江营阵地实施抵近射击，致使炮3团7连2门90野炮被击毁。“伴侣”号以为解放军的炮火已丧失威力，便洋洋得意地转往南岸试图援救“紫石英”号。

“兔崽子，别太猖狂!”炮3团官兵怒火中烧，以榴弹炮连续开火，一下子将“伴侣”号的司令塔击中，接着舰首炮塔被贯穿，尾炮亦被击毁，舰长罗伯臣中校也中弹负伤。

“伴侣”号见势不妙，只好丢下同伴带着满身创伤仓皇向江阴逃去。

香港。英国皇家海军远东舰队的总司令部得知其两艘军舰在长江受重创的消息后，急忙向上报告，其总司令、海军上将布朗特正在伦敦，他一面与外交大臣和海军大臣紧急磋商对策，一面令副总司令梅登海军中将立即乘坐正在上海进行例行访问的旗舰“伦敦”号沿江上溯，会同先期到达江阴的“黑天鹅”号驰援“紫石英”号。

与此同时，英国皇家海军的一艘重巡洋舰“贝尔法斯特”号，也于20日晚奉命离开香港，急速驶往上海。

形势，似乎突然严重起来。

江南的国民党军闻此消息，则在暗中感到高兴。

“伦敦”号是一艘排水量约7000吨的轻型巡洋舰，装备6英寸前后主炮12门，4英寸副炮8门，40毫米高射炮10余门。当晚8时，梅登中将率“伦敦”号在江阴与“伴侣”号、“黑天鹅”号会合，当他看到“伴侣”号弹痕累累的惨状时，不由得倒吸了一口凉气，想不到解放军的炮火竟如此了得，看来此行定然凶多吉少。鉴于“伴侣”号已经失去战斗能力，梅登命令“伴侣”号急赴上海抢修，他自己率领其余两舰等候天明再作行动。

21日早晨，梅登经过一夜的思考，对“伴侣”号的惨败已经淡忘，自认为“伦敦”号无论吨位、火力都比“紫石英”号和“伴侣”号强得多，又有“黑天鹅”号掩护，加上自己作为中将副总司令亲自督阵，谅你共军未必能拿我怎么样。于是，他一早起来就率领“伦敦”号与“黑天鹅”号离开江阴，沿着江北一侧航道神气活现地向上游进发。

如果说20日英国大使馆命令“伴侣”号和“黑天鹅”号由宁沪两地增援“紫石英”号是一个失着的话，那么，今天梅登中将赤膊上阵更是不自量力的愚蠢之举。

上午8时许，这两艘英舰进入泰兴县境我第10兵团第23军控制的江面，并在七圩港正西方向忽然停了下来，巨大的舰炮虎视眈眈地对着北岸。

北岸，配属第23军渡江作战的三野特纵炮6团严阵以待。炮手们将一枚枚反坦克破甲弹和延期引信榴弹推上了膛，随时准备反击英舰的挑衅。

突然，“轰”的一声，“黑天鹅”向我阵地打了一炮。

“他奶奶的!”炮6团7连连长蔡延捷把帽子一扔，大声喝道：“开炮，让洋鬼子瞧瞧咱们的厉害!”

顷刻间，大炮怒吼起来，炮弹雨点般朝英舰打去，接二连三地在甲板上开花。猛烈的炮火将“黑天鹅”号打得多处起火，死伤多人；旗舰“伦敦”号更为狼狈，其舰舷被洞穿12处，司令塔被击中，舰长卡扎勒上校负了伤，梅登中将的将军服也被弹片划了好几个口子。

这一阵猛揍，直把趾高气扬的梅登吓得魂飞魄散，慌忙带着两舰掉头拼命逃窜。

当英舰驶至下游靖江一线江面时，又遭到我28军炮兵和三野特纵炮4团和炮5团的打击，“伦敦”号主桅上悬挂的米字旗也被打掉，坠落于江中。

在两天来的炮击作战中，4艘英舰伤亡惨重，据当时初步统计：“紫石英”号亡17人，重伤20人；“伴侣”号亡10人，伤12人；“伦敦”号亡15人，伤13人；“黑天鹅”号伤7人。另据英国海军部公布，有103名官兵失踪。

当4月21日早晨梅登中将率“伦敦”号和“黑天鹅”号军舰进入渡江部队控制的江面时，粟裕、张震便接到了报告。他们感到此事关系重大，即于8时20分急电报告中央军委并总前委：“我23军七圩港口外本晨到外舰2只，一大一小，因我已实行渡江，均已下令封锁江面，请示对该舰如何处理？是否给予轰击？并建议新华社立即广播，告外舰离开长江，退回上海停泊，战区范围船舰损失，由其自行负责。是否妥当，请即示复。”

傍晚时分，粟裕、张震发出的电报摆到了毛泽东的办公桌上。毛泽东阅毕，立即提笔为中央军委起草了一份指示电：“你们所说的外舰可能是国民党伪装的，亦可能是真的，不管真假，凡擅自进入我战区，妨碍我渡江作战的兵舰，均可轰击”，“但如该外舰对我渡江在实际上无妨碍，则可置之不理，暂时不去打他。”

写完，毛泽东又在右上角的“电报等级”后面标了4个“A”，指示立即发出。

当毛泽东的这份指示电到达第三野战军司令部时，炮击英舰的战斗已经结束，梅登中将带着“伦敦”号和“黑天鹅”号也已逃出长江，只留下一艘弹痕累累的“紫石英”号搁浅在镇江附近江面。

第二天，毛泽东鉴于外电对此事件已经大量报道，遂决定亲自为新华社撰写一篇新闻稿，披露事件的真相，谴责英舰的暴行。深夜，毛泽东在灯下挥笔疾书，不一会儿，一篇题为《人民解放军战胜英帝国主义国民党军舰的联合进攻》的事件新闻稿跃然纸上。

红色电波很快将这一重要新闻传向四面八方，人民群众无不对英舰的暴行表示愤慨，对我军的正义行动感到欢欣鼓舞。我三野广大指战员也强烈地感受到，此战维护了民族尊严和国家主权，宣告了大英帝国炮舰政策在中国的破产，表明鸦片战争以来帝国主义列强侵略、奴役中华民族的历史从此结束了。

5 聂凤智用最快的速度向毛泽东报捷

烟波浩淼的长江，素以天堑著称。1000多年前的魏丞相曹操亲率83万大军南征，就惨败在这大江之上；100多年前的太平天国翼王石达开，带领反清将士转战数省，最后在长江上游的大渡河畔全军覆没。如今，国民党反动派凭借这一天然屏障作垂死挣扎，指望历史重演。

长江阻隔的历史决不会重演！英勇无畏的人民解放军必将改写天堑难渡的历史！党中央、中央军委对前线将士寄予了殷切希望。

毛泽东在给总前委的电报中号召：“此次我百万大军渡江南进，关系全局胜利极大。希望我二野、三野全军将士，同心同德，在总前委及二野、三野两前委领导下完成伟大任务。”

阳光和暖，清风徐来，这是一个不错的天气。往日喧闹的长江，此刻宛如一条安详入睡的巨龙，显得格外平静，似乎也在耐心地期待，期待着一个伟大时刻的到来。

在渡江中集团控制的枞阳至裕溪口一线，由第9兵团第25、第27军和第7兵团第24、第21军组成的第一梯队，已悄悄地在江北岸边摆开了阵势。指战员们摩拳擦掌，急切地盼望着渡江的命令早点下达。

指挥所里，受命统率中集团渡江的三野副政委谭震林，要通了第9兵团司令员宋时轮的电话：“老宋啊，今天是4月20日了，国民党政府还未在

《国内和平协定》上签字，看来，他们仍然顽固坚持其反动立场，和平谈判必然破裂，用战斗方式渡江已成定局。你们准备得怎么样了?”

“一切准备就绪，只等一声令下，我们就打过长江去，推翻蒋家王朝!”

“好，告诉部队的同志们，”谭震林提高了声音：“今天晚上，毛主席和朱总司令等中央领导都不睡觉，在总部等候我们的捷报!”

这个消息，立刻从兵团传到军，又从军传到师，一级一级地传到最后，就变成：毛主席、朱总司令在北平等候咱们连、咱们排、咱们班的胜利捷报!

指战员们热血沸腾，斗志高昂，本来已炽热的情绪又添上一团火：“请转告毛主席、党中央，我们一定能打过长江去!”“我们保证迅速打过长江，让毛主席早一点休息!”……

夕阳西下，渐渐地落进了地平线，天色昏暗下来，渡江的时刻越来越近了! 整装待发的指战员们更加心绪难平，因为大家都在暗中较着劲，都想成为光荣的渡江第一船。

在第27军渡江出发阵地上，第79师235团7连指导员迟浩田一再给战士们鼓劲：“我们一定要发扬英雄连队的光荣传统，在具有伟大历史意义的渡江战役中立新功，立头功!”

在该团另一个主攻连3连，连长王凤奎也不甘示弱：“咱3连要与7连比一比高低，看谁先过江。”说话间，王凤奎已带着全连把渡船全部抬入江中。

按照渡江作战部署，开船起渡的时间是晚上8点半。8时许，团首长下达指示：各连检查登船情况，待命开船。这时，3连的战船早已在江中一字儿排开了阵势。听到上级指示，王凤奎立即让通信员到各排传达。

此时的人们，实在是太紧张太激动了，通信员在传令时，竟把“待命”二字丢掉了，变成了“检查登船情况，开船!”

紧张等待着信号的2排长林显信一听此令，大喊一声“开船了!”率领全排3只战船当先驶了出去。

3连一动，7连紧跟着也动，其他连队当然沉不住气了，也立即开船启渡，一条条战船犹如离弦的利箭向江中疾进。好家伙，竟然比预定的出发时间早了半个小时。

正在岸上指挥的1营营长董万华突然见到船队开动了，急得直跺脚：“命令未下，谁让开船的?”

“营长，顾不上了，咱们渡过去再说。”副教导员宋玉明见状建议道。

董万华连忙给团长王景昆打电话，只说了一句：“我们出发了!”就上船向江中赶去。

再说王景昆接到董万华的电话，连忙报给师长肖镜海，肖镜海又立马向军长聂凤智报告。聂凤智一听笑了：“这个‘济南第一团’，比我还急呢，又想争第一呀。”他果断地把手一挥说：“提前就提前，全线启渡！”

于是，以第235团主攻连的抢先启渡为开端，震惊中外的渡江战役终于拉开了序幕。

滔滔大江之中，桅樯林立，白帆如云，无数只战船劈波斩浪，以排山倒海之势向着长江南岸挺进！

船过江心，敌人发觉了，立即集中所有的火力猛烈地打过来。顿时，江面上弹飞如雨，火光冲天。

“前进，只有前进，没有后退！”

“上岸就是胜利！”

突击部队不顾敌人的疯狂阻击，互相鼓舞着奋勇前进。

不到20分钟，第235团的先头部队已经登上南岸。就这样，聂凤智率领的27军抢了个渡江第一船的头功。

聂凤智看到了突击部队胜利登陆的信号，心中大喜，立即带上精干的指挥班子，登上一只轻巧的小船，飞快地向南驶去。

这时，一轮明月拨开云雾，高悬在空中，把江面照得波光粼粼。聂凤智不由得心潮起伏，思绪万千：古老的长江，向来大军难渡，历史在这里演出过多少惊心动魄的活剧，留下多少英豪壮士深深的遗恨和惋惜。今天，毛泽东领导下的人民军队，一举突破敌人苦心经营的长江防线，不仅从此改写了长江天堑的历史，而且正在改写整个中国的历史！

“军长，靠岸了！”

“哦！”聂凤智收回思绪，当即下令：“用最快的速度，给党中央、毛主席发电报捷。嗯，写什么呢？干脆，一句话——我们已胜利踏上江南的土地！”

大伙儿一听，都觉得这句话寓意深刻，又富有诗意，便打趣地说，“哟，聂军长在做诗了！”

直到几十年后，聂凤智将军仍对这份简明扼要的电报十分满意，他回忆道：“这份只有12个字的电报，在我的军事生涯中，算得上是文字最短而且措词奇特的一份电报了。但它所包含的喜悦和豪情，又该用多少文字才能容纳得下呢？”

经过一夜激战，第7、第9兵团已有10个师28个团进抵江南，建立了东西120多公里，纵深20多公里的稳固阵地。国民党军苦心经营3个多月的千里江防，被我所向无敌的英雄战士拦腰斩断。

胜利的捷报通过电波传到北平香山的双清别墅，毛泽东格外高兴：“蒋介石和李宗仁的美梦还是破灭了，长江天堑终究挡不住历史前进的步伐！”

周恩来笑道：“主席，这下该睡个好觉了吧？”

“慢来，慢来，”站在一旁的朱德打趣道：“主席，你许诺的那碗红烧肉可别忘了兑现哟。”

毛泽东边笑边点头："没问题，没问题，睡觉马上落实，至于红烧肉嘛，等革命胜利了，一定宰头大肥猪，让大家吃个够！不过，现在得先办一件要紧的事。"说完，他走到办公桌前，铺开稿纸，饱蘸墨汁，挥笔给邓小平和陈毅写下这样一句电文：

"庆祝七、九兵团渡江胜利！"

6 叶飞、韦国清误入敌营

在谭震林率领中集团30万大军渡过长江之后，粟裕、张震指挥的东集团35万雄兵于21日晚也向长江南岸之敌发起强大攻击。

晚上7时许，东集团一梯队第20、第23、第28军、第29军，在三江营至张黄港一线首先南渡。此段为敌军江防重点，战况空前激烈。广大指战员在毛主席、朱总司令关于《向全国进军的命令》鼓舞下，舍生忘死，前仆后继，以压倒一切的英雄气概直扑对岸。

激烈的战斗进行到22日晨，我东集团全线突破国民党军防御，巩固和扩大了滩头阵地。此时，经我地下党长期工作争取的国民党江阴要塞7000名官兵宣布战场起义，并掉转炮口轰击国民党守军阵地。我军乘胜扩张战果，切断了宁沪铁路，控制了沿江广大地区，并继续向纵深猛烈攻击前进。

战斗中，各级指挥员身先士卒，勇往直前。在第10兵团指挥部，司令员叶飞刚得知先头部队登上敌岸的消息，便对政委韦国清说："你留下随兵团部行动，我先过江指挥。"

韦国清当然不同意："让陈庆先参谋长带着兵团部就行了，我同你一起走。"说完，与叶飞一同上了木船。

登上南岸时，天还未亮，四周枪炮声不断。由于没带电台，无法与第28军前指取得联系，叶飞和韦国清便带领一行人向该军预定的指挥位置走去。

不多一会儿，来到一个村子前，里面有没有我们的部队？叶飞让身边一个外号叫"小广东"的参谋前去联络，以免发生意外。

"小广东"进村后，发觉情况不对，再一侦察，这里全是国民党兵，而且是敌人的一个团部！身处敌营的"小广东"急中生智，装成国民党军官的模样，走到一个哨兵跟前说："师长前来巡视，有话问你。"

正等得焦急的叶飞见"小广东"带着一个国民党兵走了过来，十分诧异："你怎么在这个村庄？"

"报告长官，我们在这里驻防已有好几个月了。"

"哦，这里情况怎么样？共军打过来了吗？"

"打了一晚上的炮，还没发现共军，团长要我们加强防范。"

"好险！"叶飞暗暗心惊："原来28军的部队还没有赶到这个村子，刚才如冒冒失失地进村，后果真是不堪设想。"他立即带着众人迅速向另一个方向疾进，约摸赶了里把路，才找到了28军的先头部队。

在我百万大军的强大攻势下，国民党政府借以苟延残喘的千里江防彻底崩溃，渡江战役第一阶段全线获胜。

4月22日晨，南京政府代总统李宗仁、行政院长何应钦、参谋总长顾祝同、空军总司令周至柔、海军总司令桂永清、华中军政长官公署长官白崇禧、国民党中央秘书长张群、国民政府秘书长吴忠信等人分乘3架专机飞往杭州，与先期由溪口抵此的蒋介石紧急会商应变计划。

李宗仁哭丧着脸对蒋介石说："你当初把我推出来，为的是与中共和谈，现在和谈已经破裂，首都南京只怕难以守住，你看怎么办？"

蒋介石冷笑着说："怎么办？你是一国之主，该你拿主意才是，反倒问起我来了？"

"谁不知道我这个代总统是徒有虚名？现在这种政出多门、一国三公的情形，我如何能领导?!"李宗仁回敬道。

蒋介石艰难地笑了笑："你还是继续领导下去，我一定支持你到底，不必灰心！"

蒋、李二人明争暗斗一番之后，便开始谋划最后挣扎之策，其结果是：彻底坚持"剿共"政策，不能再有和谈；在政治方面，联合全国"民主自由人士"共同奋斗；在军事方面，由何应钦兼任国防部长，统一指挥陆、海、空军，与中共对抗到底；采取紧急有效步骤，加强党内团结及党与政府之联系。

当日傍晚，李宗仁心神疲惫地回到南京。他在城里几条主要街道转了转，平时比较繁华的太平路和中山路，如今黑灯瞎火，行人绝迹。

李宗仁叹了口气，驱车前往总统府。车刚停下，汤恩伯便迎了上来，李宗仁忙问道："今天战况如何？"

"共军已经迫近城郊，今晚或可无事，但务必请代总统至迟于明天早晨撤离，以策安全。"

尽管南京不保已是意料中事，但李宗仁还是为之一震，连连长叹："真没想到我们的防线竟如此不济！"

入夜，南京四郊的枪炮声不绝于耳，李宗仁听得心惊肉跳，他躺在床上辗转反侧，通宵未眠。

次日一早，李宗仁草草洗漱了一下，便带着少数随从，急急忙忙地赶往明故宫机场。不一会儿，"追云号"专机腾空而起，在总统宝座上只坐了3

个月的李宗仁，丢下他的“臣民”逃命去了。

李宗仁一溜，其他大小军政官员纷纷仿效，争相逃窜。南京城里顿时乱了套，车站、码头、机场，以及大街小巷，到处是没命奔逃之人。

当时从南京出逃的孔祥熙的大公子孔令侃后来描述了这一幕：“南京城内乱得一塌糊涂，这些带兵的、吃政界饭的都是饭桶，共军还远在隔江，他们便飞的飞，跑的跑。国防部那些人逃到了上海，首都卫戍司令张耀明也甩开司令部逃到了杭州。他妈的，从南京到吴兴，一路上翻了不少汽车。共产党还没来，自己倒是先乱了，真是树倒猢狲散……”

再说由陈士榘、袁仲贤指挥的第8兵团第35军，在扫清南京对岸的江浦、浦镇、浦口等地之敌后，于4月23日晚南渡长江。第103师从西路进入南京，迅速占领清凉山、水佐岗、五台山等制高点，控制了下关江面；第104师由东路向南京城迂回前进，在占领紫金山、中山陵等要点之后，挥戈西向，占领了“总统府”；第105师由中路直插南京市区，占领了新街口、中山门一线街区。至此，被国民党统治了22年的古城南京，终于喜获新生。

风雨下钟山，南京苍黄巨变。人们以各种方式，欢庆蒋家王朝的覆灭！

春天的溪口，剡水澄碧如鉴，两岸姹紫嫣红，山林鸟语花香，一派江南好风光。蒋介石却无心欣赏这人间美景，他正丧魂落魄地沿着剡溪转悠着。接连不断的失利消息，强烈地刺激着他：

“江阴要塞失守，要塞司令戴戎光被共军俘虏！”

“镇江、常州、无锡失守！”

“安庆、芜湖、贵池失守！”

“首都南京失守！”

“海防第2舰队司令林遵，带着舰艇部队在南京东北笆斗山江面叛变，投向共军！”……

“丧师失地，丢盔弃甲，真是兵败如山倒啊，没想到几十年的惨淡经营，竟消失在转眼之间！”蒋介石喃喃自语，陷入难言的痛苦之中。

步履蹒跚的蒋介石来到武岭之巅，环顾四周：“家园虽好，也非久留之地了。”他有气无力地对其子蒋经国说，“把船只准备好，明天我们要走了。”

4月25日，对蒋介石来说恐怕是终身难忘的一天。上午，他先到其母墓上辞别，再走上飞凤山顶，极目四望，溪山无语，悲痛之情，难以言宣……黯然神伤的蒋介石最后望了一眼故土，随后乘车直奔象山港，在那里，他登上早已准备好的“太康号”军舰，走上了漫漫逃亡之路。

蒋经国在当天记述逃亡的经过时写道：“天气阴沉，益增伤痛。大好河山，几至无立锥之地！且溪口为祖宗庐墓所在，今一旦抛别，其沉痛之心情，更非笔墨所能形容于万一……”

7 邓小平、陈毅“总统府”里笑谈换人间

香山，双清别墅。毛泽东正饶有兴致地阅读着报纸上关于南京解放的消息，这消息他已读过几遍了，仍是那么有滋有味。

“主席，南京已经解放了，您该好好休息一下啦。”站在身后的卫士李银桥提醒道。

毛泽东笑着摇了摇头：“可不能松懈麻痹哟，我不是说过吗，夺取全国革命的胜利，只是万里长征走完了第一步，何况我们还没有完全胜利，还有许多大事要做呢。就拿南京来说，它曾是国民党的统治中心，中外瞩目，弄得不好，就会出乱子。”

说到这里，毛泽东忽然想起了什么，当即提笔起草了一份给总前委的指示电：邓小平、陈毅二人应即前往南京主持一切。

遵照毛泽东的指示，陈毅、邓小平率总前委和华东局机关于 4 月 27 日下午由瑶岗到达南京浦口，然后换乘小火轮，在下关中山码头上了岸，再登上一辆江南汽车公司的公共汽车，直奔长江路上的“总统府”。

傍晚时分，陈毅与邓小平终于来到了“总统府”门前。抬头看去，昔日门楼上的青天白日旗早已被扯下，鲜红的军旗在晚风中飘扬。

他俩相视一笑，踏进了“总统府”的大门，但见一根根朱红油漆的柱子拔地而起，宽敞的长廊华丽而气派。

邓小平若有所思：“谁能想到，这里曾是蒋介石祸国殃民的罪恶策源地？曾是一个上演了一幕幕丑剧的历史舞台？”

“是啊，想当年蒋介石在此发出号令，说什么‘捉到陈毅者赏大洋 10 万’，没想到我今日不请自到。”说到这里，陈毅对着长廊大声喊道：“蒋大总统，被你悬赏 10 万大洋的陈毅来了！”

邓小平笑笑说：“蒋大总统和李代总统早已被你吓跑了，我们还是去看看他们的宝座吧。”

说话间，二人走进最里头的一座房子，那便是蒋介石长期住过、李宗仁也过了几个月瘾的总统办公室。只见写字台的日历还停留在“四月二十三日”上，显然，此间的主人只翻到这一天便匆匆逃离了。

这个日历，无疑成了蒋家王朝末日的历史见证！

陈毅伸手摇了摇柔软的皮面转椅：“来，体会体会总统宝座的滋味。”便一屁股坐了下去，只见他在“总统”座椅上摇头晃脑，口中念念有词，忽然一拍桌子，“有了!”当即吟成七绝一首：

旌旗南指大江边，
不尽洪流涌上天；
直下金陵澄六合，
万方争颂换人间。

邓小平笑道：“好嘛，我们的将军诗人又有大作了!”

如果说陈毅的这首诗是一位前线高级将领身临其境，触景生情的话，那么，毛泽东写就的《七律·人民解放军占领南京》，则展现了一位深谋远虑的战略家改天换地的气魄和将革命进行到底的决心。

毛泽东的诗曰：

钟山风雨起苍黄，
百万雄师过大江。
虎踞龙盘今胜昔，
天翻地覆慨而慷。
宜将剩勇追穷寇，
不可沽名学霸王。
天若有情天亦老，
人间正道是沧桑。

陈毅得知毛泽东的诗后，脱口赞道：“你这首诗大气磅礴，作得实在好啊。特别是‘宜将剩勇追穷寇，不可沽名学霸王’两句，更是意境深远，发人深思。我们一定不学西楚霸王……”

邓小平也连连赞叹：“这样沉着劲遒，这样濡染大笔，除非是胸中自有雄兵百万的伟大战略家，除非是料事如神、指挥若定的革命导师，谁能发出这等警策的叮嘱呢?”

“是呀，主席这首宏阔诗篇，不仅是抒情的佳句，而且也是继续进军的伟大号令啊!”

前进！前进！第三野战军广大指战员坚决响应毛泽东主席关于将革命进行到底的伟大号召，奋勇追歼由南京、镇江、芜湖等地向南逃窜的敌人，取得了一个又一个重大胜利。随后，他们又向着杭州，向着上海，向着宁波、舟山，向着福州、厦门……英勇无畏地继续向前挺进!

决胜上海滩

解放上海，接管工作是绝不可忽视的。如果没有平稳有序的接收，解放上海即使在军事上取得胜利，也可能会出现全市性的混乱和瘫痪。此前已有居心叵测的人预言，『解放军进得了上海，却管不了上海！』总前委对此已有足够的认识。

1 三野直指"东方巴黎"大上海

4月的江南，春色浓郁，万物复苏，生机盎然。

1949年的春天，阳光特别明媚。人民解放军百万雄师于4月21日强渡长江后，继续南进，攻势之锐猛，战线推进之迅速，连中央军委的决策者们也感到惊讶：

三野主力第9、第10兵团各一部，于4月27日会师吴兴，将芜湖、南京、镇江地区溃逃来的国民党军之第4、28、45、51、66军的8万余人包围于安徽郎溪、广德山区，经两天激战，一举全歼；二野部队从5月4日到5月7日，先后占领了上饶、贵溪、横峰、金华、衢州等地，控制了浙赣线，切断了汤恩伯集团与华中白崇禧集团的联系；配合渡江作战的第四野战军一部和中原军区部队，先后占领了孝感、黄陂，逼近武汉，完成了军委赋予的牵制白崇禧集团的任务。

第三野战军各部马不停蹄，继续向东南卷击。第7兵团王建安、谭启龙部在谭震林指挥下，于4月28日占领宁国，5月1日占领孝丰，5月2日夺取余杭，5月3日占领杭州。第8兵团担任南京及其附近地区的警备任务。宋时轮率领的第9兵团和叶飞率领的第10兵团在完成了渡江后的歼敌任务后，分别进抵吴兴、常熟地区集结待命，10兵团前锋第29军已抵苏州。总前委机关进驻丹阳，粟裕、张震率三野指挥机关从常州东移苏州，等候军委的下一步行动的命令……

此时，离大上海已经很近了！

4月末，北平香山。松涛阵阵，鸟语花香。

双清别墅里，毛泽东正与朱德、刘少奇、周恩来和任弼时共商华东战事。墙壁上悬挂的全国作战形势图十分醒目，数条粗大的红色箭头穿过南京，直插苏皖浙纵深地带，其中有一个箭头直指上海。毛泽东知道，那是粟裕的麾下。

坐在真皮沙发中手持香烟的毛泽东显得有几分兴奋："粟裕、张震他们果真进展神速啊，转眼已到上海门口了。看来，需要控制一下进攻节奏，因为打上海主要是政治仗。"

"据三野前委报告，美国军舰为避免引起纠纷，已撤退至长江口外。"周恩来插话。

刘少奇接过话茬："看来后台老板打退堂鼓喽，这可又给蒋介石增加了

压力。”

毛泽东吸了一口烟，若有所思：“上海是蒋介石的发迹之地，也是中国资产阶级最集中的地方。如果我们迅速赶走他，仓促进入，接收工作搞不好，容易造成混乱，反而陷入被动。”

朱德接着道：“压力要有，但不能过大。就像吹气球一样，猛然一下，容易爆炸。”

毛泽东笑着诙谐地说：“老总的比方很形象。我大军兵临城下，蒋介石已成惊弓之鸟。为了使我们的准备工作更完善，还是先让他喘口气。我军暂不要去占昆山、太仓、吴江、嘉兴诸点，让上述各点由汤恩伯守起来，让他产生在上海尚不感觉到直接威胁的错觉，这样可以避免吓跑敌人。待我们接收的准备工作就绪，再给他有力的一击，我们就可以主动地有秩序地接收上海了。”

在座的人无不为毛泽东的睿智所折服。

4 月 30 日，三野前指。粟裕正在读中央军委的来电：

> 艳晨电悉。
>
> 歼灭诸敌甚慰。
>
> 部署甚妥，如你们能于一星期内完成此项部署，并完成对于攻占上海的政治准备工作与军事准备工作，则你们可以立于主动地位。
>
> 总前委除直接领导南京工作外，请迅速抓紧完成占领上海的准备工作，以便在一星期以后假如汤恩伯从海上逃跑时，你们能够主动地有秩序地接收上海。

此时，粟裕麾下的第 9、第 10 兵团的指战员们，正行进在镇江通往上海方向的公路上。一辆辆满载士兵、拖着辎重的卡车，喷着浓浓的尾气缓缓地行驶着，公路两旁是一眼望不到头的行军队伍，指战员们那一张张被硝烟熏得黑黝黝的脸上，显露着几分疲惫。尽管道路有些拥挤，他们有的身上还挂了“彩”，但是队伍依然一刻不停地向前运动。刚刚解放了南京，三野的将士们征尘未洗，已将下一个目标指向了素有“东方巴黎”之称的大上海。官兵们无不为自己有机会参加解放中国最大的工商业城市而感到自豪。大家知道，队伍前方不远的地方就是大上海，一场更为复杂艰苦的战斗正在等待着他们。

有着丰富政治经验和作战经历的粟裕和张震，已充分理解中央军委的意图，粟裕电令各部队暂缓进军，利用短暂的空隙就地进行整顿学习，以增强官兵执行政策、遵守纪律的自觉性，消除部队骄逸、轻敌、纪律松弛等不良现象。同时，要求指战员们利用当地条件进行军事训练，尤其要加强对城市巷战战术技术的演练。

万事俱备，只欠东风。上海战役即将打响。

2 汤恩伯炮制出一个桶状防御体系

一座繁荣的大都市就是一笔巨大的财富，蒋介石当然不会将上海拱手相让。

4月30日，蒋介石乘“泰康”号军舰抵达上海，在龙华机场召开军事会议。他对汤恩伯、陈大庆、石觉、毛瀛初等镇守上海的国民党军事要员进行了一番训诫，强调：“坚守住上海，等待第三次世界大战爆发，届时将得到美国的全力保护，我们就会重新光复全国，这是至关党国存亡之战役。”第二天，他又对驻守上海的团以上国民党军官训话，声称“要和上海共存亡”。

蒋介石并非说说而已，确保大上海，他是真心诚意的。

早在1949年3月，蒋介石就指令以汤恩伯为总司令的“京沪杭警备总司令部”从南京迁至上海。4月，又成立了“淞沪防卫司令部”，由石觉兼任司令，负责指挥各军作战；原“淞沪警备司令部”仍由陈大庆任司令，主要负责指挥宪兵、警察、交警总队，进行“肃奸、维持市内秩序与治安”的任务。为守住上海，蒋介石将重兵指挥权交给了汤恩伯。包括有原驻上海的第37、52、75军，交警7个总队，保警两个总队，宪兵1个团，装甲兵3个团，炮兵7个团，辎重兵、通信兵、工程兵各两个团；从江阴、南京等地撤逃至上海的第21、123、54军，及被歼后重新组建的第51军；从浙东调至上海的第12军；此外还有国民党海军各种舰艇30余艘，空军4个大队的130多架飞机。总共8个军、25个师的约20万人，统统归汤恩伯调遣。

蒋介石对汤恩伯寄予厚望。

汤恩伯，浙江金华人。1926年从日本陆军士官学校毕业回国后投奔蒋介石，参加过北伐战争。抗日战争中，先后任第20军团军团长、第一战区第1集团军总司令、第31集团军总司令、第一战区副司令长官等职。此人虎背熊腰，五短身材，一脸横肉，两只招风耳又肥又大，加上不时冒出的“二杆子”脾气，在国民党军界落了个“汤桶”的“美誉”。不过汤恩伯并不缺少为宦之道，1949年2月，他为了博得蒋介石的信任，出卖了自己的恩师、时任浙江省主席的陈仪，后来陈仪被蒋介石处死于台湾。然而，与历史上任何一个恩将仇报的人的结局一样，汤恩伯也终结于自己的积怨太深。1959年，他因胃病在日本做胃切除手术，术后不久，他在医院用手撕裂刀口自杀身亡，这是后话。

此时，重权在握的汤恩伯踌躇满志。他根据蒋介石防守上海的意图，与其幕僚一同炮制出了一个貌似惊人的防守部署：

守备上海的阵地分为外围阵地、主要阵地和市区核心阵地3大部分。外围阵地，在浦西方面由第123军附暂8师防守；浦东方面由第37军即青年军防守。主要阵地，浦西方面由第52、54、75军防守；浦东方面由第12、37军防守。市区核心阵地，由第21、51军及第99师、交警总队和直属部队防守，以苏州河为界分别在国际饭店和百老汇设立南北两个指挥中心。

从地图上看这恰似一个桶状的防守阵形，把上海围了个水泄不通。为加强统一指挥，汤恩伯还将淞沪防区划分为沪西北（黄浦江以西，京沪路以北）、沪西南（黄浦江以西，京沪路以南）及浦东3个守备区。以沪西作为重点守备区，派得力部队控制大场、江湾、真如地区，直接支援沪西北守备区的作战。另外，还酌情增设市区守备兵团，固守核心阵地。

守备大上海，汤恩伯还有一个有利条件，就是历史上遗留下来的大量永久性工事。当年日军攻打上海时就曾在刘行、月浦、杨行一线的坚固工事前受挫。从1948年开始，国民党军事当局又在此基础上进行了扩建，主阵地前沿一般距市区3至6公里，纵深密布子母堡群，各主要碉堡群之间有交通壕连接；另外主阵地带纵深内所有车站、机场、学校、工厂等处所及坚固建筑物，均构成抵抗据点。

显然，汤恩伯对这个桶状防御体系是颇为得意的，他不止一次对上海报界的记者吹嘘，上海的防守是“斯大林格勒第二”，上海的阵地是“固若金汤的钢铁阵地”。

大战在即，汤恩伯向所属部队发布战令。他在战令中宣称，固守上海，是“为救世救人自救救国而战；为民族独立、政治民主、生活自由而战；确守淞沪复兴基地是我们的神圣任务。”他强调要“发挥铁的意志、正义的力量粉碎暴力。”并“严明军纪”，一口气用了7个“处死”：坚决完成任务，放弃阵地者处死；确实掌握部队，混乱作战秩序者处死；坚守战斗岗位，擅离职守者处死；随时保证行动之迅速准确，迟疑畏缩者处死；确守爱民军纪，扰害人民者处死；绝对服从命令，自由行动者处死；爱党爱国坚定信心，造谣惑众者处死。

“汤桶”雄心勃勃。

3 毛泽东说："打上海，要文打，不要武打……"

然而，无论汤恩伯摆出一副什么架势，都无法改变人民解放军挺进上海的步伐。躲得了初一，躲不过十五。对于兵临城下的三野来说，不存在上海战役要不要打的问题，而是什么时候打，怎样打的问题。因为，在上海这样一个有国际影响的大都市打一场战役，的确不同于以往的任何一次作战。

此前，毛泽东在与三野司令员陈毅通电时就明确谈道："打上海，要文打，不要武打，不仅要军事进城，而且要做到政治进城。"陈毅心领神会，他在向部属传达毛主席的指示时，打了一个形象的比喻，他说："解放上海好比瓷器店里捉老鼠，既要捉住老鼠，又不能把那些极其珍贵的瓷器打碎。"

为了达成"既要捉住老鼠，又不打碎瓷器"的战役效果，总前委书记邓小平和陈毅着实费了一番脑筋。他们决定采取如下措施：

尽量稳住汤恩伯，不使其从海路逃走；首先在外围作战，切断吴淞口海上退路；如向市区进攻，力争不用炮火炸药，以保护居民和财产；加强部队纪律教育，野战军在城市不能"野"，严肃军纪，进城不扰民，宿街不入户，用鲜明的纪律性作为给上海人民的见面礼；做好接管准备，调集5000多名干部集训，以参加城市接管；发挥上海9000名地下党员的作用，动员人民群众护厂、护校、维护秩序，反对国民党军特的破坏活动……

具体组织战役实施的重任，落在了时任三野副司令员的粟裕身上。在三野指挥部召开的作战会议上，粟裕直言："'投鼠忌器'，这是个难题，但也是解放上海的大局。我们一定要不折不扣地执行毛主席的指示。"

几个不眠之夜之后，粟裕与时任三野参谋长的张震一道，拿出了攻占上海的三种作战方案：

一种是，对上海守军实施长期围困。这虽有可能使敌人粮尽弹绝，不战而降，但也会使市民生活陷入绝境。

另一种是，攻其防御薄弱之点，从苏州河南实施突击。但考虑到这样做势必吸引守军主力于市区，使市区成为主要战场，无法达到把上海完整地交给人民的目的。

第三种是，从上海两翼迂回，钳击吴淞口，封锁其海上退路，将主战场放在郊区，尽可能多地在郊外歼灭敌人有生力量。此方案虽可阻击敌从海上运走更多的物资，使市区免遭更大战火破坏，但由于汤恩伯会集中全力保护退路，势必要进行大规模恶战。从战术上讲，我军要付出很大代价。

经再三斟酌，粟裕于5月7日向总前委上报了第三种方案。用粟裕的话说：“用这般战法，我们的干部战士要多吃一些苦，多流一些血，但为了大上海和上海人民，是值得的。”

次日，中央军委复电粟裕，批准上报作战方案。

解放上海，接管工作是绝不可忽视的。如果没有平稳有序的接收，解放上海即使在军事上取得胜利，也可能会出现全市性的混乱和瘫痪。此前已有居心叵测的人预言，“解放军进得了上海，却管不了上海！”总前委对此已有足够的认识。

丹阳，总前委驻地。

好像是在一夜之间，冒出了许多新面孔。当地的老百姓一打听才知道，这些新面孔是从部队和地方层层选拔出来准备接管上海的干部。他们的任务是进行短期强化集训，待上海战役结束之时，实行全面的城市接管。

5月10日，风和日丽。5000多名入城干部在丹阳南山外大王庙的操场上席地而坐，聆听陈毅和邓小平的入城动员。

陈毅提高嗓门讲道：“同志们，我们就要进城了，为了落实毛泽东主席、朱德总司令颁布的约法章程，我谈六点意见供大家参考。这六点意见是：一要艰苦奋斗；二要发扬军事民主；三要虚心谨慎；四要遵守入城纪律；五要注意外交问题；六要树立建设新中国的理想……”陈毅最后强调：“同志们，入城纪律是入城政策的前奏，是你们每个人送给上海人民的‘见面礼’。希望大家给上海人民带去一个‘金娃娃’！”

身为总前委书记的邓小平讲话则充满了哲理。他告诉大家：“唐太宗李世民有这样一首诗：以铜为鉴，可正衣冠；以古为鉴，可知兴替；以人为鉴，可明得失。上海是中国第一大城市，经济、文化中心，是一个灯红酒绿的十里洋场，是特务、流氓、妓女、强盗充斥的地方，还有各种反动组织、青帮、会道门等，社会情况极为复杂。上海在国际上极有影响，一有风吹草动，就会引起全世界的注意，可以说，人民解放军进上海，是中国革命过一难关。毛主席主张推迟进上海是很有道理的，是很有预见性的，进城之后，我们必须模范地遵守纪律，保证军事政治的双胜利……”

会后的第三天，刚刚吃过晚饭的陈毅，听说有个干部不买票硬闯戏院的事之后，他摘下军帽往桌子上用力一摔，喊道：“我们的野战军进城后可不能撒‘野’，无论是干部还是战士，都‘野’不得，这是个大事。”

事后，这个干部受到了行政处分，总前委利用这个事例，在入城干部中进一步开展了整顿纪律的教育。

古往今来，铁的纪律造就铁的军队，铁的军队将无往而不胜。

大军尚未入沪，胜利的天平已向我倾斜。

4 上海陷入一片混乱和恐怖之中

在城外三野大军的军事包围下，此时的上海已经是一座孤城。虽然蒋介石口口声声说“要与上海共存亡”，但他明白，任何形式的防守都是徒劳的。于是他转而采取“我得不到，你也别想要”的庸人哲学，对上海采取了空前的掠夺。

5月6日，蒋介石来到汤恩伯总部视察上海撤守的情况。他站在临江的落地窗前，白色的纱帘被一阵江风吹拂撩在了他的脸上，他十分不快地把纱帘扯了下来。“共军已经临上海附近集结待命，估计不出半个月就会有大的军事行动。初如，上海待运的物资还有多少?”蒋介石问一旁的上海市代理市长陈良。

陈良：“各中央机关存放在上海的物资为数甚多，本以为江防之战能够赢得一些时间，未料这么快就……现在又加上各机关撤退，交通工具更缺，所以，没有一个月的时间，很难将这批物资运完。”

蒋介石像是自语：“古人云，无粮不聚兵。到了台湾，等到粮饷发不出的时候，就是一块美金也是好的。”

他转过身对汤恩伯说：“恩伯，你必须保证上海撤运的安全，你和陈良一起负责将中央银行所存黄金、白银和积压在上海的大批物资抢运到台湾。在这批黄金、物资未运完之前，要集中兵力死守上海，直到这批金银全部运出。若有差错，我拿你们两人是问……”

汤恩伯胸脯拍得咚咚作响：“请总裁放心，卑职一定守到最后一刻，留给共军一座空城。”

而蒋介石拍汤恩伯的肩膀则是轻轻的：“汤兄，我马上就走，上海的事交给你了。你拿着我的手令，就是尚方宝剑，不管他是谁，凡阻碍执行公务者，格杀勿论。”

一时间，上海的机场、码头一片忙乱；一群群三房六妾、一队队妻儿老小，一箱箱金银细软，一沓沓美钞银元，一尊尊文物古玩，一匹匹丝绸锦缎……能带走的都给国民党带走了。后经国民党方面证实，运到台湾的黄金有11000多条（每条10两），白银3亿多两，银元数百万元。汤恩伯恨不能把整个上海都搬走。

同时，驻上海的国民党工兵部队接到命令，在电厂、煤气厂、自来水厂等一些重要目标，预埋炸药和导火索，一旦需要立即引爆。

国民党保密局局长毛人凤遵照蒋介石的指令也开始了行动。他仍清楚地记得那天他去复兴岛面见蒋介石时，蒋介石对他的亲口嘱咐："上海保卫战需要保密局在上海坚持到最后，一来肃清共匪地下特务人员，二来肃清我军有叛变投敌嫌疑者。另外上海的一些实业界、金融界、学术界、文化界、社会名流、国大代表和立法委员，能带走的都要带走，不能带走的你立个名册，报上来，该解决的解决，决不能留给共产党。张澜、罗隆基、史良现都在上海，一定要把他们监视起来，必要时解决掉。"

毛人凤受命后，把上海警察头子毛森召到上海蒲石路子 18 号的家中面授机宜："迅速布置保密局的潜伏与暗杀工作，同时还要做好应变准备。"

毛森也不含糊，在与汤恩伯总部进行了协调之后，迅速做出如下部署：

派出大批便衣控制码头，控制上海的轮船、帆船。把上海和宁波的警察编成 6 个总队，统归汤恩伯指挥。对已经控制的上海通共嫌疑者一律逮捕，对张澜、罗隆基等人立即实行监视。

在 5 月的头几天里，中共地下党电台负责人李白被捕，地下电台遭到破坏。民主人士史良的行动遭到监视。逮捕民主同盟领袖张澜、罗隆基的逮捕证已经签好。

5 月 9 日，在由国民党上海保安局稽查处处长何庆龙主持的紧急会议上，又一批民主人士上了被抓捕的黑名单。

上海街头呼啸而过的警车，四处捕人的特务，给本已混乱不堪的上海滩，又添了几分恐怖色彩。

5 二十九军喋血月浦

5 月 10 日，陈毅、粟裕、谭震林、张震 4 人联名发布《淞沪战役作战命令》：

决以第 9、第 10 兵团并第 26 军首先包围上海，截断敌之一切逃路，封闭上海物资之窃运，进而全歼该敌或迫敌投降，求得和平解决上海，待命进入上海市区。战役第一阶段的主要任务是控制吴淞口，封锁黄浦江。

第 9 兵团第 20、30 军、第 10 兵团第 28、29 军分东西两路，像两只巨大的铁钳伸向浦东高桥和浦西吴淞。

5月12日，上海战役外围战打响。

细雨霏霏，草虫啼鸣。夜幕下，担任主攻月浦镇任务的第29军第86师第260团在副团长梅永熙和政委肖卡率领下，进入月浦镇北侧的攻击地域摸黑构筑工事。

此时，担任助攻的第85师第253团也正悄悄地集结在第260团的西南方向。这个团是一支善于近战的部队。

在奔袭月浦镇的途中，第253团曾抓到两名俘虏，据俘虏交代，月浦镇没有什么工事。晚10时，部队进入月浦街前的一片"坟场"。从表面看，这片死寂的"坟场"并无什么特殊。黑影里，指战员们影影绰绰看到一个挨一个的大"坟包"，"坟头"上青草瑟瑟。团指挥所就设在"坟场"中部。

3营8连在连长丁铎带领下进入"坟地"，走了不到100米，在田埂上抓到两个敌人的潜伏哨。从其口中得知，四周围都是钢筋水泥地堡，可是战士们并不清楚这钢筋水泥堡和眼前一个一个的"坟包"有什么联系。

乘黑摸进月浦街的1营3连刚刚进街，迎头撞上敌第52军的一个团长。团长问："你们是哪部分的？"

走在队伍最前面的3连连长眼疾手快，上去给了他一记响亮的耳光，告诉他："我们是解放军！"

这一记耳光惊动了四周的敌人，顿时街里街外枪声、手榴弹的爆炸声响成一片，震耳欲聋。

这时，已是13日的清晨，天色微明，指战员们这才发现，那一个个"坟包"竟是一座座钢筋水泥碉堡。没想到自己把攻击阵地选在了敌人的碉堡群中，这太危险了！指挥员们即刻命令部队撤离，但为时已晚。从一个个"坟包"里吐出的一道道血红的火舌，将进入月浦镇街的部队罩进了火阵。

走在最前面的战士还未及作出反应，就瞪着惊讶的眼睛倒了下去。后面蜂拥而来的队伍来不及分辨，来不及躲避，也不明不白地倒了下去。

"太惨了，我打过那么多次仗，没有见过那种场面。许多朝夕相处的战友，在一瞬间便永久地去了。"解放后，担任某师师长的张宪亮回忆说。

天大亮时，战士们发现，敌人的阵地上屋脊形铁丝网距离外壕30米，外壕距离战壕20米，战壕距离钢筋水泥地堡还有30米。爆破队员在奉命去炸掉那一张张挡道的铁丝网时，往往是在距离铁丝网还有10多米时就扑倒在地上不动了，后面上去的人一个一个地重复着这种情景，有的战士是挂在铁丝网上牺牲的。从上午打到中午，第253团的两次攻击均告失败。到13日下午2时总攻发起前，该团伤亡人数近300名。第一批阵亡官兵的遗体几乎砌成了一道"人墙"！

与此同时，在253团右侧担任主攻任务的260团，也遭敌机和舰炮的轰击，夜里修筑的临时工事大半被毁。敌人的火力封锁着通往月浦街的各条道路，指挥所里，团政委肖卡只穿了件背心，两眼通红地抓起电话向师领导报告战况："师长，敌人的火力像网一样，战士们还是一个劲地向上冲，伤亡太大了。不能这样硬打，否则……"

突然电话断了。全团 3 个营的指战员再一次向月浦街冲去，人员的伤亡数字急剧增加。

14 日，在付出了很大的代价之后，第 260 团、第 253 团和第 259 团 1 个营进入了月浦镇。

15 日清晨，守敌在江上的舰炮支援下开始反扑，敌机也加入了战斗。从早晨到黄昏，敌人连续发动了 5 次冲击，方圆数公里的月浦镇房倒屋坍，一片废墟。在几乎无处隐蔽的情况下，进入月浦镇的解放军指战员们硬是如钉子般钉在阵地上，战斗中还击毙了敌第 887 团团长，并俘敌一部。

在总部指挥作战的汤恩伯闻听这一带的战况后，瞪着大眼珠子用电话向蒋介石报告说："浦西的共产党打疯了，全是亡命徒！"

然而，敌人的孤注一掷也使我军付出了沉重的代价。在这一区域 3 天的战斗中，第 28、29 军共伤亡 8000 余人。

邓小平、陈毅闻讯后电示粟裕、张震："沪敌在我钳形攻势下，已难逃脱，应明确告知第 9、第 10 兵团前线指挥员，攻沪作战，不要性急，应立于主动地位，做充分准备，大量使用炸药，配合炮兵及坑道作业，攻克敌之钢筋水泥碉堡。"

苏州，第 3 野战军指挥所。粟裕和张震正站在作战室 50000：1 的地图前。上海战役打响以来，粟裕每天只睡四五个小时的觉，桌子上放了一只缴获的美国"救济"咖啡杯，里面的茶泡得像咖啡一样浓。这几天粟裕一直用它提神。

浦东方向进攻受阻，使粟裕焦虑不安。了解粟裕的人都知道，他喜欢看地图，一有空就站在地图前琢磨，地图上的一山一水、一村一寨都能引起他的浓厚兴趣，许多至关战役成败的锦囊妙计，也正是他看地图"看"出来的。

今天，他又在地图前站了近两个钟头。他要通了叶飞的电话："是叶司令吗？第一阶段战斗总体进展顺利，在浦东方向的麻烦很快可以克服。下一步作战，要指导部队加强战场侦察，慎重周密组织战斗；选择敌人防御弱点，插入其纵深，然后从敌侧背或从内向外打，集中火力突击一点；挖交通壕接近敌碉堡，以小群动作，轮番实施攻击，也可以用炸药包开路，改变集团式的进攻方法。"

接着，粟裕又要通了 9 兵团宋时轮司令员，作了同样的指示。

粟裕的战术意图迅速传达到各参战部队。这一战术上的改变，使战场形势随之发生改观，上海外围阵地开始成片易手。

北京。正在忙于开国大典的毛泽东对周恩来说："恩来，你给粟裕、张震发个电报，并告陈、饶、邓，就说，在上海已被我军包围后，攻城时间似不宜拖得太长，你们接收准备工作已做到何种程度，是否可于5月25日前后开始攻城。"

总前委陈毅、刘伯承、邓小平回告：接收上海的准备工作大体就绪，粟、张正部署迅速对上海施行全面攻击以求早日解放。

5月21日上午，第三野战军发布进攻上海市区的命令。次日，军委复示："同意21日上午电所述之攻沪部署，望即照此执行。"

5月23日，陈毅用电话指示前线部队："对攻取上海一定要军政全胜，一定要把人民的损失减少到最低限度。"

战斗迅速向上海市区延伸。

6 面对久攻不下的百老汇大厦

攻打市区的战斗打响后，习惯于野外大兵团作战的三野指战员们，很快领略到了"瓷器店"里捉"老鼠"的滋味和难度。

聂凤智指挥第27军并20军1个师，担任从西面、南面攻打上海市区的任务，部队于5月24日下午占领上海西郊虹桥飞机场，尔后继续向市区发展。当晚9时，市内响起激烈的枪声。在虹桥路军指挥所里，两只袖筒卷得老高的聂凤智，正用电话高声向第79师师长肖镜海询问战况：

"镜海，部队打得怎么样？"

"冲进去了，军长！我们正顺着南京路、林森路（现淮海路）向市中心追击。马路上的电灯还给我们照着亮呢！"肖镜海边走边用步话机回答，兴奋得嗓音都变了。

不过此刻聂凤智的心情并未有稍许的轻松，他知道真正难"啃"的"骨头"还在后头。战前，军里根据三野和兵团指示，规定部队只能使用轻武器。为落实上级的规定，聂凤智命令各部队采用"快速跃进，勇猛穿插，迂回包围"的战术，竭力避免逐屋逐楼、一街一巷地同敌争夺。

到25日凌晨，苏州河以南地区全部获得解放，比预计的顺利。但是当部队开进到苏州河边时，遇上了"硬茬"。苏州河宽约30米，横穿上海市区。守敌凭借北岸的高层建筑群，尤其是20多层高的百老汇大厦（后称上海大厦），用轻重机枪组成密集的火力网，将整个河南岸的一条马路和外白渡桥封锁得严严实实，密不透风。

第27军第79师第235团1营是最先到达这里的部队。营长董万华立即组织部队攻打外白渡桥。然而，此时对岸敌人的交叉火力已把桥面封锁得“飞鸟不下”。

3连4班长陈中先看到敌人的火力来自一个前伸到桥面南侧的沙包后，他当即命令射手“小老李”：“干掉它！”

小老李依托一个小饭馆的窗口向沙包猛烈射击，立即招来对岸数处敌人火力的围攻，小饭店的窗框被打散了架掉了下来。“小老李”一个就地翻滚到了另一个窗口。他瞅准敌火力减弱的瞬间突然跪起，把机枪往窗台上一架，在很短的时间内把盒子内装的100发子弹统统打到了对岸的沙包上，敌重机枪工事塌了下来。

1营各部立即从各横路口抵近四川路投入夺桥战斗。1连、2连在桥的正面，3连隐蔽在河边一辆被打坏的装甲车后面。

在火力掩护下，3连开始冲锋。部队刚一上桥，就倒了十来个战士，部队只能退回来。营长董万华喊道：“突击队给我上！”

3连突击队的战士猫着腰跃上了桥头，他们时而跃进，时而匍匐，这就是有“渡江第一船”之称的2班。眼看战士们就要接近桥拱处了，突然所有的人在一阵刺耳的枪声中瘫软在地，2班的战士全部阵亡。夺桥战斗从早晨打到中午，我军始终没能越过苏州河。

营长董万华急得直跺脚，连长姜万保更是急得两眼冒火，他喊道：“打仗哪有不能用炮的道理？”情急之下，他也顾不得战前不能用炮的规定，通过步话机请求炮兵分队支援。师炮兵分队也不含糊，听说步兵弟兄吃了亏，呼呼啦啦把榴弹炮拉到了白渡桥畔，十几门大炮幽黑的炮口齐刷刷地对准了百老汇大厦，炮弹“哗啦啦”被推上了膛，只待一声令下。

消息传到军部，聂凤智立即与另外几名军领导驱车赶到前沿。

一个头缠绷带的爆破班长迎面向聂凤智请缨：“军长，下命令吧！3包炸药，保管把这些乌龟崽子送上天！”

1营营长董万华忍不住发牢骚：“我们是在打仗，又不是在演戏，哪有不准使用炮火的道理？军长，只要批准打两发炮弹就行！”

再也按捺不住的团长则大声喊道：“前面的战士在流血，不能再拖延了！我们是爱无产阶级的战士，还是爱资产阶级的楼房？！”

经历过数不清战斗考验的聂凤智遇到了最大的挑战。身为一军之长，在用炮与不用炮之间，他必须尽快作出抉择。此刻，他的心头如同压着千斤巨石……

不打炮，工厂、仓库、楼房可以保住，但干部战士却要付出更多的伤亡。论价值，哪怕是黄金铸造的高楼大厦，也比不上官兵们的鲜血和生命宝贵，大楼炸塌了，可以重盖，而人如果牺牲了，是无论如何也不能死而复生的。

打炮吧，官兵们的伤亡可以大大减少，苏州河北岸也可以顺利拿下。可是对岸的楼房、工厂、仓库，以及市区密密麻麻的民宅都将毁于一旦，前面所付出的牺牲也会前功尽弃。更要紧的是，一旦官兵们打红了眼，那就不是一二炮、三五炮的问题，只要有一炮在北岸炸响，必然会引出上百炮、上千炮的轰鸣，那时局面将难以控制。那么，包括百老汇大厦在内的整个北上海的建筑群，可能在顷刻间被夷为平地，无数市民的生命也将遭殃。果真如此，岂不成了历史的罪人？

功耶，罪耶？感情与理智孰轻孰重？紧要关头，聂凤智想到了党的民主集中制，他立刻与另外几位军领导开了一个临时党委会。经过争论，还是理智占了上风。几位军领导达成共识：毛主席的指示绝不能违反，既要尽快消灭敌人，又要完整地保全城市。

在那个年代，吵归吵，争归争，一旦形成组织决定，每个成员都会无条件地服从。

聂凤智立刻对战术作出了调整，留一部兵力在苏州河正面进行佯攻，而将主力拉到侧翼，天黑之后涉水过河，沿苏州河北岸由西向东攻击，抄敌人的后路。同时，与上海地下党取得联系，发动政治攻势，分化瓦解敌人，争取其放弃抵抗。

此时 27 军已获悉“汤恩伯逃离上海，敌 51 军军长刘昌义兼任淞沪警备副司令”的情报，遂派第 82 师政委罗维道与上海地下党组织沟通，通过敌人内线与刘昌义取得了联系，动员他放下武器，率部投诚，争取一个自新的机会。政治攻势产生了比军事攻势更大的作用。刘昌义考虑再三，看到大势已去，他要通了 27 军指挥部的电话。

聂凤智对刘昌义直言：“我军一部已从西郊越过苏州河，正在向市北区逼进。无论你是否继续打下去，上海的全部解放，只是一二天内的事情。希望你能为上海市人民和你部下的官兵着想，选择一条自新的道路。你如果同意，我们可以谈判。”

刘昌义手持话筒长时间不语，半晌，聂凤智的听筒里终于传来了对方低沉的嗓音：“那好吧，什么时间，在哪里谈？”

“今天下午，就在我们指挥所。”

下午的谈判非常顺利。当夜，刘昌义率领 51 军到指定的江湾、大场一带集结，听候接管。

但上海的敌青年军、交警总队等还在抵抗。

时任第253团7连指导员的迟浩田，带两名战士从下水道中穿过，趁夜暗潜渡苏州河，如神兵天降般闯入守敌师部，生擒1名敌上校副师长，迫使守敌师部及3个营守军缴械投降。上海战役结束后，迟浩田被评为战斗模范。后来，这位当年的战斗模范一步一个台阶地升任到中央军委副主席。

5月26日夜，聂凤智率军部风尘仆仆地进入市区，在威海路路口处扯起两块雨布，行军床一支，电话机一架，就成了军指挥所，几个军指挥员有条不紊地指挥部队向市区开进。

对于绝大多数来自农民家庭的三野指战员来说，他们平生第一次看到这样一个五彩纷呈的世界，十里洋场闪烁跳动的霓虹灯光，南京路上摩肩接踵的行人和林林总总的店铺，豪华宾馆饭店里的灯红酒绿和轻歌曼舞，外滩长街上的高楼大厦和车水马龙，黄浦江上如林的桅杆和穿梭往来的巨轮……一切都显得那样新奇。行进的队伍中有人临时编了两句顺口溜："街东街西，花花绿绿；楼上楼下，电灯电话。"眼前的一切，使指战员们意识到，生活原来还可以这样丰富多彩。然而，劳苦功高的将士们却把让更多的人过上富足幸福的生活，视为自己的最大荣耀。正因为如此，他们对人民的奉献才那样无私和无畏；正因为如此，他们在人民面前没有丝毫的居功自傲。

第二天清晨，当市民们走出家门时看到，成排成连的解放军官兵在蒙蒙细雨中和衣抱枪睡在马路人行道上，那一张张疲惫的脸上依然露着微笑的时候，禁不住热泪盈眶。

一位老大妈从家中拿来了雨伞，为战士们撑出一方无雨的天空。

有的士兵在睡梦中被市民们轻轻地推醒："你们辛苦了，快到家里休息吧。"

人民是知恩的。天亮了，一轮红日升了起来，碧空如洗，万里无云，朝霞把上海的天空映得通红。家家户户打开门窗，市民们拥上街头，给子弟兵送水、递烟、献花，用各种方式慰问这些赋予了上海新生的人。

哨声阵阵，当战士们集合起队伍行进在马路上的时候，他们立即被市民的歌声和欢呼声所笼罩，被一眼望不到头的花的海洋所包围。

路边的青年学生边舞蹈边唱着：

我们的队伍来了，
浩浩荡荡饮马长江！
我们的队伍来了，
强大雄壮红旗在飘扬！
不怕敌人碉堡密如林，

我们的队伍要冲过波涛横扫千里。
我们的队伍来了，
要打倒卖国贼独裁贪污官僚。
我们的队伍来了，
人人翻身，老百姓呀做了主人！

一位三轮车夫脚踏着三轮车跟随部队一道前行，他在自己白色的衣衫后面写着："我也解放了！"

在街道两旁许多建筑物上都出现了用红布或被单做成的标语，其中写得最多的是："天亮了！"

是啊，上海的天亮了。

狂飙卷落叶

68师接到进军杭州的命令后，以急行军直插杭州。五月二日，他们到达武康以南的瓶窑，这里离杭州只有二十余公里。忽然，一条几百米宽的大河挡住了他们的去路，部队被迫停下来。这条河名叫东苕溪，是浙北地区一条较大的河。国民党军南逃时，炸毁桥梁，烧毁船只，企图迟滞解放军南进。

1 陈毅下令不准破坏钱塘江大桥

1949年4月25日，安徽繁昌县城，第7兵团指挥所。

第三野战军副政治委员谭震林、第7兵团司令员王建安正在研究粟裕、张震刚刚发来的电报，电报要求7兵团以最快速度占领杭州。

对于攻取杭州，抢占钱塘江大桥，谭震林、王建安早就做好了准备。3月30日，陈毅在渡江战役作战命令中就明确规定：7兵团渡江后要截断宁杭公路，继而切断浙赣交通，再视情攻占杭州，但不准破坏钱塘江大桥。

钱塘江大桥建于1937年9月，桥长1322米，是我国最早自建的铁路、公路两用桥。它气势雄伟壮观，是当时闻名中外的东方第一大桥，也是连接沪甬公路、浙赣铁路的交通枢纽。

王建安盯着军用地图，沉思了一会儿，转身对谭震林说："副政委，以各军现在的位置看，让21军抢占钱塘江大桥，23军直接攻占杭州，22军为兵团预备队，你看怎么样？"

谭震林沉思片刻说："我看可以。我们要抓紧行动，防止蒋介石狗急跳墙，把大桥给炸了。"

谭震林的担心并不是多余的。4月21日解放军突破江防后，蒋介石在他的老家溪口再也呆不住了，22日便坐飞机来到杭州，与代总统李宗仁、行政院长兼国防部长何应钦商讨对策。

对于钱塘江大桥，蒋介石的感情也是复杂的。大桥毕竟是中国人的骄傲，蒋介石为了标榜自己，还特意把这座桥命名为"中正桥"。如今这座桥就要落到共产党手里了，这是他当初无论如何也不会想到的。江山都保不住了，还要这座桥干啥？随它去吧。蒋介石痛苦地闭上了眼睛。

蒋介石离开杭州后，何应钦就在湖秋月励志社紧急召集国民党浙江省主席周岩、杭州市市长俞济民等人开会，研究如何在浙江筑起一道防线，阻止解放军继续南下。其实何应钦心里明白，长江天堑都没能阻止解放军的进攻，现有的这些残兵败将又怎么可能阻挡得了解放军的步伐？现在只不过做做样子罢了。当然，还应该尽可能地多坚持一些时间。

会议快结束时，何应钦对周岩、俞济民说："在共军逼近杭州之前，一定要把钱塘江大桥炸毁，请你们二位务必坚决执行。"为了万无一失，何应钦还亲自把浙赣铁路局局长侯家源叫到玉皇山，专门研究炸桥问题。周岩、俞济民把炸桥的任务交给了浙江省政府直属工兵营。

第7兵团21军军长滕海清、政委康志强接到抢占钱塘江大桥的命令后，心里很是高兴。滕海清开玩笑说："人们都说'上有天堂，下有苏杭'，我们可以一饱眼福了。"

"是啊，我们就要打到蒋介石的老窝了，看来蒋介石只有跳海了。"康志强也笑了。

"老吴，立即将兵团命令传达到各师，我们没有时间开会了。让各师马上经天目山直插杭州。"滕海清对参谋长吴诔湘说。

21军过江后连续作战，还未来得及喘口气，部队十分疲劳。可指战员们一听又有新任务，劲头一下子又上来了。他们冒着连绵阴雨，脚踏泥泞道路，身背六七十斤重的武器弹药，向怪石嵯峨、道路陡峭、海拔1500余米的天目山区插去。

21军所到之处，守军早已闻风丧胆，逃之夭夭。经过6天急行军，到5月1日下午2时，21军即攻进杭州西北重镇余杭县城，这里离杭州只有20余公里。滕海清、康志强命令部队就地休整，各师师长、政委立即到军指挥所研究攻占杭州的具体方案。

滕海清拿出了方案："杭州市区守敌大部分已经逃跑，市内只有少量部队。我和政委研究了一下，决定61师直插市区，占领火车站；62师抢占钱塘江大桥，占领国民党省政府；63师从62师西侧大迂回，夺取萧山县城。今晚让战士们好好休息一下，养精蓄锐，明天我们就发起总攻，你们看怎么样？"

康志强见大家没有提出意见，对第62师师长周纯麟、政委周世忠说："野战军和兵团首长都很关心钱塘江大桥，你们一定要想尽一切办法，抢占、保护好大桥，决不能让敌人的阴谋得逞！"

2 一根细细的电话线横在空中

"啃"钱塘江大桥这块"硬骨头"的重担落在了第185团2营营长蔚锦茂身上，2营是攻桥主力营。

3日凌晨3点，蔚锦茂刚从团部接受任务回来，就立即集合部队，以急行军向钱塘江大桥扑去。当部队进到位于大桥西北的二龙山时，蔚锦茂命令部队放下背包，只携带武器弹药轻装前进。

蔚锦茂率2营来到离大桥只有两公里的地方，向各连下达了战斗命令：

“5 连、6 连分成左右两路，5 连为主攻连，沿江边公路前进，直插钱塘江大桥，4 连为营预备队，机炮连随时准备支援 5 连、6 连战斗。”

当 5 连前进到六和塔附近时，突然遭到六和塔守军密集火力的袭击。5 连当即以部分兵力正面佯攻，连主力则从侧面发起进攻，一举攻下了六和塔，控制了这个可以俯瞰大桥全貌的制高点。蔚锦茂随即把营指挥所设在六和塔，机炮连也在六和塔附近一高地占领了发射阵地，6 连则从二龙山东侧直插大桥东北侧，占据了有利地势。5 连在营的火力支援和 4 连的配合下，向大桥北端桥头堡发起攻击，一鼓作气拿下了北桥头堡。

正在这时，4 辆由杭州方向开来的满载军用物资的车辆和尾随的百余名国民党残兵正企图经过大桥南逃。5 连立即依托有利地形，集中火力向车辆射击，击中一辆履带式军用推土机。推土机撞上了公路桥的栏杆，斜在桥上，后面的车辆全部被阻，国民党军纷纷跳车顽抗。这时 6 连已从后面切断了国民党军的退路，两个连前后夹击，一阵猛打，敌死伤几十人，其余的乖乖地做了俘虏。至此，2 营完全控制了大桥北端，切断了国民党军南逃的通道。

蔚锦茂见时机成熟，命令 4 连、5 连立即向桥南守军发起攻击，6 连在六和塔以北无名高地构筑工事，阻止杭州市区南逃之敌。4 连、5 连在向桥南攻击时，遭到守军的火力压制，蔚锦茂立即组织火力对守军进行反击。4 连、5 连利用大桥双层结构的特点，上下掩护，分组前进，迅速接近南桥头堡。桥南守军眼看守不住了，急急忙忙地把一捆放在桥面上的炸药点燃。

好险哪！只听“轰”的一声，但声音并不大。原来，地下党早就做了工作，国民党工兵营已将原来安放在桥上的大部分炸药都搬了下来，这次爆炸只是做做样子，大桥并未受大的损失。14 时 30 分，整个大桥被 2 营占领。

拿下大桥后，第 62 师又沿玉皇山、二龙山、六和塔一线向杭州市区发起进攻。下午 2 时许，攻占了国民党浙江省政府，与 61 师胜利会师。

与 62 师同时作战的 61 师，在灵隐寺南北山地展开后，直接向市区发起攻击。63 师在吴华夺师长指挥下迅速从 62 师西侧迂回，当晚夺取了萧山县城，切断了杭州国民党军的退路。

话说两头。第 23 军在军长陶勇、政委卢胜、副军长兼参谋长梅嘉生的指挥下，以 68 师为先头，30 日从吴兴地区取捷径向杭州挺进。

5 月 1 日，谭震林、王建安率兵团部与 23 军军部在湖州会合。自 2 月分手以来，他们这是第一次见面，感到格外亲切。王建安对陶勇说：“本来总前委考虑到杭州的接管任务尚未就绪，曾要求我们迟一点进攻杭州，但杭州之敌已有撤逃动向，为抢占钱塘江大桥，上级决定还是乘胜攻占杭州。21军已先你们一步走了，你们要加速前进。”陶勇、梅嘉生离开兵团部，立即骑马直奔68师。

68师接到进军杭州的命令后，以急行军直插杭州。5月2日，他们到达武康以南的瓶窑，这里离杭州只有20余公里。忽然，一条几百米宽的大河挡住了他们的去路，部队被迫停下来。这条河名叫东苕溪，是浙北地区一条较大的河。国民党军南逃时，炸毁桥梁，烧毁船只，企图迟滞解放军南进。

师长张云龙、政委陈茂辉正研究如何架设浮桥，忽听到远处传来阵阵马蹄声。只见军长陶勇脚未站稳就亮开了大嗓门：“怎么停下来啦?”

张云龙、陈茂辉连忙上前敬礼：“报告军长，我们正在设法架设浮桥。”

“快点!”陶勇脸上的火气并未消失。

陶勇一抬眼，忽然发现有根细细的电话线横在空中，直指杭州。他略一思索，对张云龙说：“赶快利用敌人这根电话线把电话接上，我要同杭州通话!”

一会儿工夫，电话就接通了。电话员一问，对方是杭州之郊县杭县公安局，真是巧极了。陶勇拿起电话：“我是陶勇。你是谁?”

对方一听是赫赫有名的陶军长，口气立即软下来。陶勇眉梢一扬，大声说：“请你们局长接电话。你是局长吧。你听着，你要尽量维持好社会秩序，不许破坏城市和工厂。我们的政策是立功有奖，要是捣乱，可要罪加一等!”

“是，是，我一定照贵军长的话办。”

放下电话，陶勇舒了口气，对张云龙说：“你们赶快架设浮桥。现在就先派一支小部队过去。”陈茂辉立即带侦察连等一部分部队轻装泅渡过河，天黑时插到了国民党杭县公安局驻地拱宸桥。杭县公安局果然弃暗投明，备了饭菜接待陈茂辉，还派向导给陈茂辉带路。陈茂辉赶到杭州城时，已是午夜时光，杭州已被21军占领。

5月4日傍晚，谭震林、王建安率第7兵团部进驻杭州市，兵团部就设在西湖堤畔的湖滨饭店。谭震林、王建安连夜召集各军领导研究进军浙江的方案，最后确定21军把接管杭州的任务交给23军，21军准备挺进浙南，解放温州及沿海岛屿；22军向浙东进军，解放宁波及沿海岛屿；23军进驻杭州，负责城市警备工作，陶勇兼任警备区司令员，卢胜兼任警备区政委。

3 罗斯福送给宋美龄的钢琴

杭州解放后，毛泽东对浙江战局仍十分关注。浙江毕竟是蒋介石的老巢。5月6日，毛泽东给粟裕、张震、谭震林、王建安、姬鹏飞发了一份电报：

> 七兵团在杭州地区休息数日后，应派一个军至两个军迅速向东，占领杭州、宁波一线及该线以南之奉化、嵊县、新昌、诸暨、义乌等县，然后开展工作。在占领奉化时，要告诫部队，不要破坏蒋介石的住宅、祠堂及其他建筑物。

毛泽东就是毛泽东，他习惯把问题考虑在前面。他特别关心蒋介石的住宅、祠堂自有他的考虑。蒋介石屠杀了无数共产党人和进步人士，战士们对他恨之入骨。若不强调一下，战士们很有可能会拿蒋介石的住宅、祠堂发泄仇恨。蒋介石虽是一个屠杀人民的刽子手，但为了整个中华民族的利益，共产党还有可能与他进行第3次合作。

10天后的5月16日，短暂休整后的第21军兵分3路，向浙南重镇温州挺进。刚出发不久，因温州及周围地区已被浙南游击纵队解放，7兵团指示21军除军部率63师继续向温州前进外，61师改向溪口、奉化急进，62师为22军预备队。

第61师师长胡炜、政委王静敏接到军部电令后，立即命令181团攻奉化，183团夺溪口，师部率182团随183团跟进。

胡炜、王静敏率部连夜沿公路直插溪口。这条公路一面临山，一面依水，凉爽清新的气流迎面扑来，战士们感到特别舒畅，暂时忘掉了疲困，不知不觉天就亮了。这时忽起大雾，周围黑蒙蒙一片，紧紧相连的山峰时隐时现，他们仿佛走进了神秘莫测的世界，战士们被这奇异的景色陶醉了。

由于溪口之敌已逃跑一空，25日8时，183团先头部队进入溪口。溪口是蒋介石的老家，蒋介石“下野”后，由南京躲到这里，但仍以国民党总裁的身份继续控制军政大权，溪口实际上成了国民党的军政指挥中心。

溪口位于风光旖旎的四明山区，水绕山环，因剡溪与锦溪汇合于此而得名。整个镇子傍山临溪，是一条约1公里长的半边街。靠溪一侧砌石为堤，沿街建筑是典型的江南风格，粉墙黑瓦，蒋介石和蒋经国的出生地玉泰盐铺

和丰镐房均在这条街上。

第183团进入溪口前，集合部队作了一次动员教育，重申了纪律。由于部队普遍存在对蒋介石的仇恨情绪，极有可能发生因泄愤而破坏纪律的行为。

183团军容严整，雄赳赳地开进溪口。在镇口的小桥边，镇长带着一些人举着彩旗欢迎他们。蒋介石害怕解放军破坏他的祖宅祖坟，据说临走时特意挑选了一位出身贫寒的人当镇长，以便与解放军搞好关系，这位镇长上任才两天。

街上行人不多，大部分店铺照常营业，但也有一些商店关门歇业，他们对解放军仍有疑惧心理。183团穿镇而过，继续向前推进。随后开进的61师师部和182团进驻溪口及其附近的村庄，师部就设在丰镐房。胡炜、王静敏率师部人员来到了“报本堂”，只见堂内分4排供奉着蒋氏祖宗的牌位，但已香冷烛灭。蒋介石时代，国民党的文武官员只要到这里，一律要顶礼膜拜。

人去屋空，遗弃的物品到处都是，可见蒋介石一家撤逃时非常匆忙慌乱。胡炜下令，把各屋地毯卷起来，散落的物品清点造册，一一封存。

但这里毕竟是蒋介石的故乡，来这里机会难得，几位师首长相约到镇上转转。经人介绍，他们来到了位于镇西北约5里路的白岩山鱼鳞岙，这里是蒋母王采玉的墓地。来到山脚，沿小石板路蜿蜒而上，行至半山坡，只见有一碑亭矗立路旁，上面刻有孙中山先生的祭文，再上即达墓地。墓侧不远有几间平房，上面有蒋介石亲笔题写的“慈庵”二字，这里才是蒋介石真正的住所。

进了慈庵，几位师首长才发现，原来表面看上去平平常常的几间房子，里面的布置却相当豪华。蒋介石和宋美龄各有自己的卧室和洗澡间，另有客厅、书房、会议室等，家具设备全是最新式的洋货，住在这里比丰镐房舒适多了。王静敏很有感慨，随口评论道：“这才符合蒋介石的性格。”

大家来到宋美龄的卧室，一进门就闻到一股清香，但却不知香从何来。政治部李清泉主任眼尖，他看到墙上悬挂着一块很雅致的挂屏，上面薄薄地敷着一层土，一株兰花就靠这点土绿叶青葱，傲然吐芳，满屋幽香盖源于此。大家不禁赞叹不已：“这女人还真有两下子!”

61师只在溪口呆了两天，27日便奉命向宁波开进，溪口只留1个营。为了开展群众工作，检查部队执行纪律的情况，王静敏特派组织科长马贝禾带一部分机关人员留下来。

部队的确纪律严明，无论是大部队还是留守人员，都秋毫无犯。蒋介石散落各处、没有来得及收拾的珍贵物品，官兵们没有一人去拿；由学生刚入伍的战士，看到罗斯福送给宋美龄的钢琴，出于好奇，忍不住上去弹奏了几下，立即受到严肃批评；师司令部石冰科长把蒋经国办公室的一支金笔亲手交给看家老人，老人不禁赞叹："我已经60多岁了，可从来没见过这样好的军队。"原来对解放军不太了解的原武岭中学蒋校长，部队几次请他出面主持全镇事务，他都借故不见，可没过几天他便不请自来，带人抬着杀净的几头猪和几坛黄酒慰问留守人员。见到解放军，他发出感慨："贵军初到时，我们都有点害怕，可几天下来，看到贵军说话和气，不乱拿东西，跑到外面去的人也都回来了。贵军真乃是纪律严明的仁义之师呀！"

李清泉1987年重访溪口时，向陪同的浙江省政协副主席朱之光讲了当年进驻溪口的情况。朱之光赞同道："一点不错，我是第一个证明人。我是解放后第一任宁波专员，溪口就是我代表地方政府从部队手里接过来的。"直到现在，蒋氏故里依然保存得相当完好，现已成为浙江省的一个旅游景点。

4 蒋介石乘军舰离开象山港

就在第21军浩浩荡荡向温州方向开进的时候，第22军军长孙继先、政委丁秋生也率部从杭州西北的三墩镇出发，沿甬杭公路向宁波开进。经3天3夜行军，到19日拂晓，22军全部抵达曹娥江西岸。

曹娥江是浙江8大河流之一，虽不太宽，但毕竟是一道天然屏障。国民党军第87军军长段法为迟滞解放军东进，派221师663团和海防大队沿东岸设置了长达25公里的防线。

怎么办？孙继先命令部队立即找船。不到半天时间，各师就找到了200多条船，有些战士还找了一些打稻谷用的大木桶。

20日20时，第65师195团3营从守军的空隙地带偷渡成功。国民党守军发现时，为时已晚。见江防被突破，守军不敢恋战，纷纷抱头鼠窜。21日拂晓，65师全部渡过曹娥江。

22军突破曹娥江后，不顾疲劳，冒着滂沱大雨，击败守军的节节抵抗，连克上虞、余姚、慈溪等县城。真是兵败如山倒，我军没费多少劲，又于25日拂晓攻占浙东名城宁波。至29日，浙江大陆除象山半岛外全部解放。

象山半岛位于浙江沿海中部，北依象山港，南临三门湾，东濒大目洋，西连大陆，面积2500多平方公里。半岛三面临海，另一面群山环抱，高山峻岭，道路崎岖，港湾众多，地形复杂，易守难攻，地理位置十分重要。

蒋介石看中的不仅仅是这一点。这里离溪口只有几十公里。早在他“引退”之初，他就让汤恩伯把他的嫡系部队第 87 军调来。济南战役以来，国民党军整军整师地倒向共产党，蒋介石每想到这些就不寒而栗，他不得不防着点。

4 月 25 日下午，蒋介石乘太康号军舰去上海前，专门把段沄找来，亲授机宜：“象山乃是国军反攻大陆的前进基地，汝等要不惜一切代价确保舟山群岛侧翼安全，死守象山半岛。”蒋介石的如意算盘是，利用舟山群岛与象山半岛的犄角有利地形，作为他东山再起反攻大陆的前进基地。

段沄受宠若惊。但他很清楚，凭他的 1 个军不可能挡住解放军的进攻，但他也只能打肿脸充胖子。

谭震林、王建安倒不急于攻占象山半岛。解放后的浙江大陆乱糟糟的，需要先理出个头绪。沿海岛屿的国民党军蠢蠢欲动，又不能不防。直到 6 月 30 日，谭震林、王建安才命令 22 军并指挥 21 军 61 师进攻象山半岛。

知己知彼，百战百胜。孙继先、丁秋生接到命令后，先令参谋通知各部侦察兵设法捉“舌头”，收集情报。

7 月 1 日一大早，有 3 个卖柴山民模样的人，在宁海县城的大街小巷转来转去。他们一会儿在这儿走走，一会儿到那儿看看。他们是 61 师的侦察兵，为首的是一位班长，名叫童相茂。半天下来，他们见到了不少国民党军官兵，但一直没有机会下手。到了中午，他们又化装成国民党兵，除了看到三三两两的国民党军官兵和一些防御工事外，还是一无所获。

“能不能捉到‘舌头’，就看今晚了。敌人一般不在街上单蹓，我们没有机会下手。晚上我们去戏院看看，也许能捉到一两个。”童相茂对另外两个侦察兵说。

说来也巧，童相茂他们一进戏院，就看见一个中尉军官。看完戏后，已近 10 点，只见那军官大摇大摆地朝一个胡同走去。跟在后面的童相茂见周围没人，把手一挥，3 个侦察兵猛扑过去，那家伙还没有反应过来，冷冰冰的 3 把匕首已经对准了他。

“不许动！跟我们走！”童相茂命令道。那家伙早已吓得瘫软在地，“饶命！饶命！”地叫个不停，乖乖地跟他们走了。

经审讯，孙继先得知段沄的前线指挥所驻石浦，220 师防守奉象交界处，222 师扼守宁海及其以南地区，221 师活动于象山港以北之鄞县、镇海的沿海地区和大榭岛、六横岛等近海岛屿。除此之外，还有交警第 9 总队等杂牌武装分驻各要点。

孙继先根据敌防御态势，命令 21 军 61 师和游击队组成右路军，奔袭宁海县城；22 军主力组成中路军，抢占大旗山制高点，直插象山县城；66、64 师各一部组成左路军，配合右、中路军监视、打击舟山、大榭等岛可能登陆之敌，保障进攻部队的安全。

第四章 跨海夺舟山

第21军61师和第22军分别诞生于鄂豫皖苏区和沂蒙山抗日根据地，他们都是陆地作战的劲旅。可这些大陆上的英雄第一次和海洋见面的时候，不免产生『英雄无用武之地』之感。但他们并没有被困难所吓倒，部队立即组织学游泳，习水性，识风向，练驾船，昔日的『爬山猛虎』很快变成了『水上蛟龙』。

1 蒋介石亲赴舟山群岛策划防务

1949年4月25日，蒋介石乘太康号军舰离开浙江象山港后，第二天就驶抵上海，部署上海防务。但上海非久留之地，蒋介石来这里并非真心要守上海，而是要汤恩伯把上海的金银财宝运到台湾。

解放军渡江后，蒋介石很清楚大陆已没有他的立足之地。难道就这么完了吗？不，绝对不！好在中国太大了，大陆呆不下去，还有海岛。共军纵然有三头六臂，也飞不过大海。再说，自己手上还有制空权和制海权，共军奈何不得。

蒋介石走到这一步，起初他是万万没有想到的。

在他统治的前十几年里，几乎每天都是在刀山火海中与共产党苦斗。共产党在农村建立了一大块一大块的根据地，羽毛慢慢丰满强大起来了。

正当他“围剿”共军一次次惨败的时候，那些原本就与他面和心不和的大小军阀，又企图把他赶下台，他又不得不设法平息自家院内的一场场大火。

日本人打来后，美国、英国为了自身利益，把他抬上了远东抗战的领袖地位，这才使他乘盟军之舟，走上了人生最辉煌的顶点。战后，他作为世界反法西斯的四大领袖之一，登上了政治舞台。

但他没高兴多久，就发现当年的死对头共产党羽翼更丰，以至于自己的800万大军连战连败，最后只有退守孤岛。这些孤岛不能再丢了，如果连这最后一点家当都丢光的话，自己将永远被世人用重笔勾销。无论如何，这些岛屿不能丢！

蒋介石离开上海后，并没有直接去台湾。5月7日，他带着蒋经国改乘江静轮来到舟山群岛，在金塘、舟山、普陀山、朱家尖、登步、桃花、虾峙、六横等岛转悠，琢磨着如何布防。

蒋介石知道舟山群岛的分量。它位于浙江省东北、杭州湾以东的海面上，1339个大小岛屿分布于2.22万平方公里的海域。主岛为舟山岛，面积502平方公里，是全国第4大岛。它不仅是我国著名的渔场，而且紧扼上海、杭州、宁波3市和长江、甬江、钱塘江，是上海、南京、杭州的海上屏障。

早在1949年初，蒋介石看到大陆局势不妙，就吩咐蒋经国在舟山岛修建定海机场。修建机场所用的资金、材料、劳工，全都优先保证，对机场建设的速度“差不多天天都要过问”。这次来舟山，他反复叮咛舟山防卫司令周岩：“你要死守舟山，让它成为第二个台湾！”

第三野战军奉命进军舟山群岛，整个部署其实早在上海战役尚未结束时就开始谋划了。5月25日，粟裕、张震命令第7兵团：“你们应乘沪敌主力尚未撤退之前，迅速以足够力量占领定海及其各重要岛屿。”但当时因无船渡海，敌情不明，7兵团司令员王建安请求暂缓行动。粟裕、张震回电同意，但要求7兵团“仍须陆续准备，妥为布置，于绝对有把握时，再行攻占定海”。

宁象战役结束后，7兵团决定集中力量攻击舟山。7月24日，兵团司令员土建安、副政治委员兼政治部主任姬鹏飞来到宁波，开会研究解放舟山群岛的问题，第22军和第21军61师的师以上干部参加了会议。

第22军军长孙继先首先介绍了舟山国民党军的情况。蒋介石在舟山群岛转了一圈后，对舟山群岛的部队进行了整编，现共有陆军两个军7个师，海军舰艇五六十艘和空军部分作战飞机，共约6万余人。舟山、大榭、金塘、岱山、普陀等大一点的岛屿都有驻军。

接着，大家你一言我一语，对舟山群岛的地理特征、气候条件、敌我情况进行了全面分析。王建安考虑到目前攻岛兵力只有4个师约4万人，而舟山国民党守军不仅数量上占优势，而且还有海空军配合，遂决定21军61师归22军指挥，先集中优势兵力依次攻占外围岛屿，最后攻占舟山本岛。

第21军61师和第22军分别诞生于鄂豫皖苏区和沂蒙山抗日根据地，他们都是陆地作战的劲旅。可这些大陆上的英雄第一次和海洋见面的时候，不免产生“英雄无用武之地”之感。但他们并没有被困难所吓倒，部队立即组织学游泳，习水性，识风向，练驾船，昔日的“爬山猛虎”很快变成了“水上蛟龙”。

登陆作战需要解决的突出问题，是如何克服水际滩头障碍，上陆时如何进行火力掩护。指战员们围绕这些问题出主意，想办法，发明创造了船用炸药发射筒、水上漂雷、长杆炸药投放器、螺旋桨炸药推进器、自炸爆破舟等百余种爆破器材。国民党东南军政长官陈诚闻讯，急忙向舟山防卫司令部通报：共军近日发明的“飞雷”和“加重手榴弹”，爆炸威力极大，要当心对付。

经过紧张的准备，指战员们摩拳擦掌，决心在战斗中与对手一争高低。

2 大榭岛首战告捷

第22军军长孙继先感到肩上的担子比任何时候都重，渡海作战对他来说太陌生了。这些天来，他一有空就对着作战地图琢磨。要进攻舟山，必须先把金塘岛和大榭岛这两只“拦路虎”拿下来。金塘岛和大榭岛先打哪个?金塘岛离大陆较远，国民党守备力量较强。他把眼睛盯上了大榭岛。

大榭岛位于穿山半岛以北、舟山本岛西南海域，落潮时南距大陆只有约600米，北与金塘、定海相望，是大陆通向舟山本岛的重要门户。守军为国民党第75军16师48团等部，共1400余人。天好时，用肉眼就可以看到敌滩头阵地上的鹿砦、竹签等障碍物，用交通壕连接起来的地堡也隐约可见。我军进入穿山半岛以来，还经常受敌炮艇的袭扰。拿下大榭岛，不仅可以清除这只“拦路虎”，而且可以狠狠打击国民党军的嚣张气焰，鼓舞我军士气。

先打大榭岛！孙继先让参谋长来光祖亲赴杭州向兵团首长汇报。王建安与姬鹏飞经反复研究，同意了他们的建议。

为确保打赢这一仗，第22军共集中了3个步兵团和1个炮兵团的优势兵力。第64师190团和66师196团2营为第一梯队，196团两个营为第二梯队，山炮团担任火力支援任务。在攻占大榭岛的同时，191团以一部兵力监视梅山岛之敌，主力夺取穿鼻山和外神马岛。

8月18日傍晚，刮了一天的西北风慢慢地停了下来，海面上的波涛也渐渐停止了翻滚。18时30分，指挥所上空升起了两颗红色信号弹，攻击大榭岛的战斗打响了。

信号弹还没有落地，一发发愤怒的炮弹呼啸着射向大榭岛。国民党军苦心经营的明碉暗堡，有的从前至后穿心而过，有的来了个五雷轰顶。地堡里的敌人吓得连忙往外跑，但刚一露头就听到更大的爆炸声，只得缩回去听天由命。两艘军舰本来还想游过来示威，可一看这阵势，吓得掉转屁股一溜烟溜了。

大榭岛不一会儿就成了一座烟山。19时5分，穿山镇西的海岸上，升起了3颗白色信号弹。第一梯队4个营分乘130多条民船，呈16个突击箭头，在近万米宽的水面上快速航渡，直取大榭。

部队快靠岸时，被打得晕头转向的敌军立即组织残部拼命阻击。勇士们冒着密集的枪弹，奋不顾身地向对岸冲去。只用了15分钟，先头部队就突破了守军的防线。国民党军兵败如山倒，纷纷退到七顶山。

七顶山是大榭岛的主峰，海拔 1000 多米，地势险峻，国民党军的指挥所就设在这儿。他们企图据险顽抗，等待救援。

“拂晓前一定要拿下七顶山，如果敌人的援兵赶来，我们就被动了。”190 团团长周志诚亲自来到七顶山下，决心集中全力对七顶山之敌实施南北夹击。

部队开始攻击并不顺利。周志诚立即命令部队改变战术，以小股多路向山顶突击。

1 连 2 排从正面强攻敌军士训练队时，遭到守军的顽强抗击，3 次突击均未奏效，全排伤亡很大，最后只剩王传根、张华银、庞恒庆 3 名战士。他们不畏强敌，齐心协力，炸毁了一个又一个地堡，终于消灭了军士训练队。黎明时分，我军占领七顶山，全歼守军，敌团长被击毙。

国民党舟山防卫司令周岩不能见死不救。直到 19 日 12 时，他才派 75 军 1 个团乘 5 艘军舰，在飞机、舰炮掩护下向大榭岛反扑。下午，国民党军在大榭岛北部的姜狮岩附近登陆，占领了部分滩头阵地。我 190 团 2 营及团属炮兵立即进行反击，激战数小时，增援之敌大部被歼，少数逃窜，我军立即搜剿残敌。

2 营副教导员巩文明发现登陆之敌一部正躲在海边礁石后侧，立即指挥部队将敌人团团围住。团属迫击炮也向礁石丛猛烈射击，早就吓破了胆的敌人纷纷举手投降。20 日凌晨，大榭岛战斗胜利结束。

在 190、196 团攻打大榭岛的同时，191 团 1 营和 3 营分别对外神马岛、穿鼻山岛实施登陆作战，一举攻占了这两个岛屿。梅山岛守敌 1 个团成了惊弓之鸟，慌慌张张丢下阵地逃之夭夭。

大榭岛一仗，我军初试锋芒，歼敌 1448 名。蒋介石吹嘘的“依海据险，战无不胜”的神话不攻自破。

3 炮击目标被低垂的乌云淹没了

蒋介石得知大榭岛被占的消息后十分震怒，一气之下让石觉接替周岩，任舟山防卫司令，周岩改任副司令。其实，石觉也是解放军手下的败将，1949 年 1 月北平和平解放后，他乘飞机逃离，后去上海任京沪杭警备总司令部副司令，4 月又任上海防守司令。上海解放后，他败退舟山。

石觉一上任，就对舟山守军重新进行了调整，将 87 军整编为 221 师、222 师，守备舟山本岛东部及六横、桃花等岛，75 军整编为 6 师、95 师，守备舟山本岛西部及大小猫山，驻金塘岛的102师编入75军。石觉亲临各岛，督促守军加设防御工事。

第22军拿下大榭岛后，经过一个半月的精心准备，乘势发起了攻打金塘岛的战斗。那天正好是新中国成立的第三天。

金塘岛位于舟山本岛以西海面，是舟山本岛最重要的门户。守敌102师及军属炮兵营，根据舟山防卫司令石觉“死守金塘”的命令，在滩头增设了桩砦、鹿砦和铁丝网等障碍物，在前沿阵地新构筑了大量地堡，在纵深的山腰和山顶上加筑了工事。

第22军原计划10月2日发起战斗，根据潮汐规律，这天船只靠岸登陆最为有利。但天有不测风云，这天大雨滂沱，海雾弥漫，炮兵根本看不到射击目标，海上一片白花花的浪花，无法起渡。直到3日午后，天气仍未好转。

第22军副军长张秀龙焦急万分，因为如果过了10月4日前的高潮期，船只就不便靠岸，战斗就得推迟半个月，舟山战役的进程就会受到影响。

下午3点，天气突然晴朗起来，对岸的目标也慢慢地显露出来，张秀龙喜出望外。登陆部队活跃起来了，电话机响个不停，参战部队纷纷要求发起战斗。张秀龙命令部队抓紧准备，炮兵的炮口立即对准了射击目标。

不料，1个小时后，天气又变坏了。炮兵侦察所报告，目标又被低垂的乌云淹没了。张秀龙感到很懊丧，但作为一名高级军事指挥员，他要尽力克制自己，镇静地等待着。10月的天气已经有些凉意，但屋子里的空气却压得人透不过气来。

时针刚刚指向16时10分，观察所急促地报告说，风向已由北风转为东南风。张秀龙大步走出指挥所，望了望天空，只见乌云被强劲的东南风一吹，慢慢地向西北方向移开了，对岸的景象逐渐清晰起来，工事、目标也一个个重新显露出来。张秀龙命令炮兵试射几发炮弹。榴弹炮兵团徐团长很快报告说，射击效果很好。真是天助我也！张秀龙猛地把手一挥：“打！”

3个炮兵团的火炮一齐怒吼起来，几千发炮弹一齐向敌人的滩头阵地倾泻下去。顿时，敌人的一线阵地陷于一片火海。

参加进攻金塘岛的除3个炮兵团外，还有66师3个团，64师190团，65师194团。待9个突击营上岸后，张秀龙随66师轻便指挥所上了船。这时，天气突变，风急雨猛，白浪滔天，张秀龙哪里还顾得上这些，率领指挥所很快上了岸。

这时风更大，雨更猛，天也渐渐黑了。66师副师长石一宸刚一上岸，只见警卫员猛地跑过去，像猛虎扑食一样把地瓜地里的一个人按倒了。原来那人是国民党军的一个机枪兵。只听他战战兢兢地对警卫员说：“你们的大炮真是太厉害了，我们的弟兄打不死的也都给打跑了。我们刚跑出你们的火力圈，就被督战的那个该死的团长督了回来。你们的炮弹像长了眼睛一样，我们跑到哪里，炮弹跟到哪里。我干脆不跑了，情愿当俘虏就是了。”

我登陆部队上岛后，发挥我军善打夜战近战的优势，4 日早晨即攻占了该岛南半部。敌 102 师主力被歼灭过半，残敌纷纷向金塘岛北面的一个小海港沥港撤退，企图从海上逃跑。敌 102 师师长早就跑到军舰上“指挥”去了。

我先头部队 196 团冒着倾盆大雨，直插沥港，5 日晨就控制了沥港。敌舰在海上转来转去，就是不敢进港，岛上敌人的退路已被切断。残敌急忙乘几条小船向一水之隔的大鹏岛逃命。大鹏岛与金塘岛隔着一条海汊子，残敌估计我军不可能马上渡海攻击，想在那里苟延残喘，用小船划向军舰逃命。我 196 团在沥港一带找了几条小船，在机枪掩护下飞渡海汊，登上大鹏岛。敌人万万没想到我军这么快就上了岛，眼见既抗不住，又逃不了，只好俯首就擒。金塘岛之战，我军共歼敌 2400 余名，生俘敌少将副师长李湘萍。

六横、佛渡等岛守敌见金塘岛失守，惧于被歼，于 6 日逃至桃花、虾峙等岛。我 21 军 61 师一部随即占领六横，夺取虾峙，接着又挥戈桃花岛，打了一个漂亮的速决战，全歼守敌 1300 余名，胜利攻占了桃花岛。

我军连克数岛，逐步形成了对舟山本岛的战役包围。第 7 兵团基于这一系列胜利，决定于 11 月 3 日以 21 军 61 师攻打登步岛。

4 勇士血染登步岛

我军攻占金塘岛的第六天，即 10 月 11 日，蒋介石坐不住了。他带着蒋经国、海军总司令桂永清等陆海空军将领飞赴定海，发誓要确保舟山这个反共前哨基地。经与蒋经国、桂永清、石觉等密商；决定急调驻汕头的胡琏兵团第 67 军增援舟山，重点防守登步岛，时机成熟时再反攻金塘、六横岛。这样，舟山群岛的守军就由 6 万人增加到 9 万人，超过了我第 7 兵团攻岛部队 4 万人的一倍。

蒋介石之所以把登步岛作为防守重点，是因为登步岛是舟山本岛的最后一道屏障。它面积不大，约 14 平方公里，但距舟山本岛东南端只有约 6 公里。人民解放军若攻占登步岛，舟山本岛就直接暴露在解放军的威胁之下。

石觉奉蒋介石之命，派 87 军 221 师师部率 661 团全部和 662 团两个营进驻该岛，增修了大批工事和障碍，决心固守。

我军第 61 师接受攻占登步岛的任务后，在桃花岛进行了紧张的战前准备工作。师长胡炜考虑到 61 师连续征战，非战斗减员较多，全师能够投入战斗的只有 5000 来人，部分兵力还要防守已占岛屿，加上船只不足，迅速发起攻击确有困难，于是将情况如实作了汇报。

在上级未改变决心的情况下，61 师坚决执行了攻岛作战命令，决定以 182 团全部、183 团 1 营为第一梯队，183 团 3 营及 2 营 1 个连为预备队，担负攻岛歼敌任务；181 团控制虾峙岛、桃花岛等已占岛屿，并准备在夺取朱家尖岛时担任主攻任务。

11 月 3 日下午 4 时 30 分，61 师开始实施炮火准备，一发发炮弹向登步岛呼啸而去，打得国民党军抱头鼠窜。

持续数小时的猛烈炮击，使敌军部署在登步岛南岸的一线阵地受到严重破坏。晚上 10 时，182 团 3 营、2 营 1 个半连和 183 团 1 营由桃花岛登船起渡。此时风雨交加，海浪滔天，航行十分困难。但勇士们经过约半小时的奋力搏斗，终于抵达登步岛南岸，击退守军在滩头阵地的阻击，登上登步岛。

但当第二梯队准备起渡时，海上突起逆风，潮水旺退，船只无法开出，整装待发的指战员只能隔岸观战。

在后续不继、敌众我寡的不利形势下，1000 多名登陆勇士义无反顾地向守岛之敌发起了猛烈攻击，歼敌 8 个连，俘敌五六百，控制了登步岛约四分之三的地域，余敌大部退至鸡冠礁村及沿海一隅。但由于登陆部队兵力不足，未能迅速占领鸡冠礁，无法阻止敌援兵登陆，失去了有利战机。

国民党东南军政长官公署长官陈诚得到解放军登上登步岛的消息后，星夜驰电舟山防卫司令石觉，严令务必死守登步，确保舟山。石觉不敢怠慢，急令 67 军 75 师之 224 团火速渡海增援。他惟恐援兵不够，又令刚由汕头抵定海不久的 67 军 67 师师长何世统率部增援。

4 日凌晨，雨过天晴。石觉派空军指挥官赖逊岩驾机飞临登步岛侦察。赖逊岩盘旋于登步岛上空，只见流水岩山、炮台山等制高点的守军均已败退，只有鸡冠礁、陆家岙一线的守军在苦苦支撑，而登陆的解放军几乎遍布全岛。赖逊岩不禁倒吸一口凉气：登步岛真是危在旦夕！要不是陈诚下达死命令，石觉可真要知难而退了。

9 时许，国民党援兵 224 团等部在飞机、军舰掩护下，从鸡冠礁码头源源登陆。与此同时，其空军也对我登陆部队及船只实施空中打击，战局由此急转直下。

登步岛立刻陷于一片火海。我军连夜抢修的简易工事全被摧毁，不少战士被炸伤、震昏，有的壮烈牺牲。接着，成营成连的敌人潮水般地向我阵地涌来。我军勇士毫不畏惧，与敌展开了殊死搏斗。

众寡悬殊，战况空前酷烈。据守大山、流水岩山一线的183团1营，在182团4连配合下，顽强地抗击着疯狂反扑的敌人。在无工事可依托的情况下，他们利用弹坑作掩体，时而跃出，时而滚进，以密集的火力和手榴弹、炸药包与敌血战。下午5时半，敌军的大规模进攻仍在进行，其224团组成多个梯队，连续向流水岩山冲击，但一次次都被我军勇士阻挡在阵地前沿。

敌军在向大山、流水岩山一线疯狂反扑的同时，又以近两个团的兵力，向位于炮台山、张网湾山一带的我182团3营发起攻击。敌先以舰炮和陆炮向3营阵地持续轰击1小时之久，接着用飞机多批多架次狂轰滥炸。3营指战员在无工事依托的情况下，或用弹坑作掩体，或用碎石、树桩作掩护，与敌人展开了厮杀。干部伤亡了，战士就自动代理；子弹打光了，就用刺刀、石块和敌人拼；敌人冲上来打不下去，就拉响手榴弹和敌人同归于尽。就这样，3营的勇士们在无后援的情况下，英勇地抗击了敌人连续5次的集团冲锋。

登步岛的恶战牵动着61师首长的心。此时61师只有师长胡炜、副政委李清泉、副参谋长王超3位领导在。胡炜对李清泉说："你留在桃花岛，天黑后我随部队上登步岛。"当天晚上9时许，胡炜亲率后续部队千余人，冲破敌机敌舰的拦击封锁，由桃花岛抵达登步岛，同正在与敌激战的部队会合后，乘夜暗向敌军勇猛反击，夺回了失去的部分阵地。

我军增兵，敌人也在增兵。到了5日凌晨，战况再度恶化，敌67师199团、201团全部到达登步岛，岛上的敌军已接近6个团。更严重的是，敌人的后续部队还在陆续上岸。敌67军军长刘廉一、87军军长朱致一等头头也急忙赶到登步岛，口头上说是亲自督战，实际上是想争夺"消灭共军"的功劳。

8时以后，敌以优势兵力继续向流水岩山、竹山、野猪塘山一线发起连续进攻，企图将我军压缩到海边聚而歼之。我183团、182团顽强战斗，击退了敌人无数次的疯狂进攻。

战况对我军越来越不利。师长胡炜感到敌我力量悬殊太大，师后方已无兵可增，以现有力量歼灭敌人已无可能，决定主动撤出战斗。

前有强敌，背有大海，撤退谈何容易！可我61师还是创造了这个奇迹。胡炜师长利用敌军一向怯于夜战的特点，决定天黑后以佯攻掩护撤退，令182团参谋长刘正昌、183团团长杜绍三各组织1个营担负掩护任务。

暮色慢慢降临，目睹了一天厮杀的太阳悄悄地躲进了一望无际的大海，整个海天一片漆黑。一向怕打夜战的敌军纷纷缩进工事。胡炜见时机已到，命令部队向流水岩一线发起佯攻。顿时，冲锋号声、枪声、手榴弹的爆炸声连成一片，响彻云霄。蒋军官兵以为解放军的援兵来了，只是躲在工事里胡乱打枪，始终未敢出动。

桃花岛的船只一艘接一艘地向登步岛驶来，又一艘接一艘地把英雄的战士接回去。到6日凌晨1时，我登陆部队包括伤员、烈士遗体和俘虏在内，全部安全撤到桃花岛，师长胡炜率指挥所和掩护分队最后一批撤回。

海风平静下来，咆哮的海浪失去了往日的威风，登步岛死一般的沉寂。拂晓，一缕缕灰白色的薄雾慢慢飘荡，飘过村舍的残垣断壁，飘过血迹斑斑的荒坡杂草，飘过海滩的破帆沉船，最后消失于无边无际的大海。被折腾了半夜的蒋军躲在工事里养精蓄锐，做着白天全歼共军的美梦。

天一亮，蒋军开始疯狂反扑。飞机往阵地上投放大量重磅炸弹，陆军又用大炮、机枪猛打了好一阵子。怎么无人还击？他们爬到野猪塘山一看，阵地上已空空如也。

侥幸夺回了登步岛，石觉高兴得手舞足蹈，立即向老头子报告。

蒋介石收到电报十分高兴。解放战争以来，他难得高兴。尽管登步岛一战他并没有真正捞到什么便宜，自己损兵折将3200余人，解放军才损失1000多人，但登步岛毕竟保住了。欣喜之余，特将67军一个师命名为“登步师”，并令报纸“头版刊登胜利消息，鼓舞士气”。蒋介石还嫌不过瘾，亲自写信给87军军长朱致一，吹嘘这是“我第八十七军在革命史上之光荣，使我中华民国之国基由此转危为安”。

国民党开动所有宣传机器，大肆渲染“登步岛大捷”，声称“全歼”了解放军登岛部队。蒋经国亲自带着定海的一个剧团上岛“慰问”，一连演了3天戏，还赏给每个士兵1个大饼、10支香烟，宣称登步之役为“继金门大捷后又一胜利，不仅有利定海防务，且对全军士气将更为振作”。

尽管国民党极力吹嘘在登步岛战斗中取得的“胜利”，但他们对登岛作战的共军第61师也不敢过于贬损。后任国民党“国防部”代理部长、当时在陈诚手下担任高级职务的袁守谦不得不承认，61师“是共军战斗力最强、最剽悍的一个师”。

5 蒋介石来了个“金蝉脱壳”

保住了登步岛，蒋介石没有忘记乘机给部下打气。他来到“国防部”会议大厅，召集三军将领开会。

他们在分析了一通国共两军基本形势后，蒋介石声音低沉地说：

"共军虽然有强大的陆军，但他们是瘸子，只能一条腿走路。我们有强大的海军和空军，制海权、制空权都在我们手里，现在该是我们施展威风的时候了。只要我们大家齐心协力，共军是无法登陆舟山岛的。"

会后，蒋介石接连下了4道手令：

驻台湾、金门等地的第52、第19军和第45、第92师立即开赴舟山，舟山防卫司令石觉立即举行陆海空三军联合军事演习，他要亲自到场训示；

海军总司令桂永清加紧袭击沿海船只，切断大陆对共军已占岛屿供给品的输送，派"永字号"军舰在长江口大量布雷；

空军总司令周至柔以定海、岱山机场为基地，继续轰炸上海和浙江沿海城市和重要经济、军事目标，阻止解放军向浙东沿海集结船只；

派毛森亲到舟山，加强对"东南人民反共救国军"的控制，派遣特务潜入大陆，进行暗杀活动，牵制解放军的行动。

蒋介石的这些措施，增加了我军解放舟山群岛的难度。金门、登步岛两战失利，在毛泽东主席心头敲响了警钟，他不得不慎重地对待舟山问题。

实际上，毛泽东主席早就把目光盯上了舟山群岛。早在1949年7月7日，毛泽东就打电报给第三野战军，问"舟山群岛是否有利于攻击，你们是否已令谭震林、王建安准备夺取该群岛。"11月4日，毛泽东指示第三野战军要力戒骄傲轻敌，采取谨慎态度，集中优势兵力，充分做好战前准备。11月14日，毛泽东在给陈毅、饶漱石、粟裕的电报中又强调，"如果准备未周，宁可推迟时间"。

12月5日，毛泽东又专门给粟裕打电报，要他来北京与代总参谋长聂荣臻、作战部长李涛、空军司令员刘亚楼商量作战办法，决定从成立不久的海、空军中抽调部分兵力配合陆军作战。

就是毛泽东在苏联访问期间，仍然关注着舟山。1950年1月11日，毛泽东让中央转粟裕："你们对舟山群岛之敌有无办法进行策反工作，你们是否进行了此项工作，结果如何？船只的准备是否增加了？"

毛泽东之所以要求前线指挥员对渡海作战慎之又慎，是有其深刻原因的。

毛泽东发动秋收起义以来，首先在农村落脚，争取民众。取得立足之地后，慢慢扩大根据地，红军由最初的万把人发展到几十万人。抗战爆发后，他又指挥八路军、新四军广泛开展游击战，取得了一个又一个胜利。解放战争以来，他的指挥艺术更是到了炉火纯青、得心应手的地步。

但是，渡海作战与陆地作战不一样。特别是金门、登步岛战斗后，他更深深领教了登岛作战的厉害，他要摸索其中的特点与规律。

华东军区根据毛泽东的指示，为确保舟山战役一举成功，一再增加攻击兵力。除原有7兵团的21军、22军外，增调正在进行渡海攻台准备的第9兵团之20军、23军、26军、27军参战，使陆军兵力增加到6个军约20万人。

1950年4月25日，华东军区在杭州召开陆海空三军联合作战会议，令第7、第9兵团以6个军组成南北两个登陆突击集团，由7兵团司令员王建安、9兵团司令员宋时轮分别指挥，在海空军配合下解放舟山群岛。

我军志在必得的强大攻击阵容，引起蒋介石的极度恐慌。第四野战军5月1日胜利攻占海南岛后，蒋介石更是坐卧不宁。

海南岛丢了，舟山群岛能守住吗？蒋介石感到毛泽东的利剑已经逼近舟山群岛。他不得不对自己的决心、信心和诺言重新审视。

舟山群岛守军有12万，而岛上的老百姓只有4.5万，而且大多是渔民。要在岛上长期坚守，别的不讲，光运输保障就是一个沉重的负担。这样下去，即便把所有的舰艇和飞机调来保障，也不能满足岛上守军的需要。

蒋介石更加顾忌的是，如果共军绕过舟山直取台湾呢？共军历来很狡猾，这并非没有可能。

台湾的军队不足30万，但面积和海域滩头却比舟山岛大10倍，如果坚守舟山，势必造成后方兵力空虚。

没有舟山可以躲到台湾，而没有台湾呢？台湾可是赖以立足的最后一块基地，如果丢了，那自己就真的成了亡国之君，丧家之犬，永远复国无望了。想到这里，蒋介石慢慢地闭上了眼睛。他要在这冥思苦索中寻求一点心灵的安慰。

如果说在与中共作战的几十年里，蒋介石总是高估了自己的实力，低估了对手力量的话，那么这次他总算摆正了与中共力量对比的位置。

5月10日，蒋介石召集陆海空三军将领开会，专门研究舟山群岛问题。

蒋介石正要去客厅，忽然门外传来高跟儿鞋的哒哒声。声音由远及近，接着传来一声悦耳的呼唤声："达令。"

蒋介石知道是夫人宋美龄来了。

"达令，开会时可别让那些蛮汉子们犯浑，他们个个气壮如牛，打起仗来却胆小如鼠。舟山不能再守了。只要能保住台湾，复国还是有希望的。如果台湾丢了，那可就什么都没有了。"

平时不太参与国事的宋美龄在这生死关头，觉得不能不出来提个醒。

蒋介石连连点头说："夫人的见解与本人相同，只是即使把军队全都撤回来，台湾也并非安然无恙。希望夫人能通过有关渠道，告知美国和英国的那些朋友，希望他们能伸出手来，拉我们一把。我们是不会忘记他们的。"

客厅里，陈诚、蒋经国、石觉、桂永清、周至柔等正低声交谈着。

“总裁到!”侍从叫了一声，客厅的门打开了。此刻的蒋介石又恢复了往日的威严和矜持，看到陈诚他们都站在沙发前面，摆了摆手说：“坐，诸位请坐。”

蒋介石坐到客厅的正座沙发上，稍略一顿，说道：“诸位，今天请大家来是专门谈谈舟山的防务。共军下一步进攻的目标肯定是舟山，如何对付，请大家各抒己见。”

因一时摸不清蒋介石的意图，大家都不敢妄言。

陈诚在国民党军队中有“四干将军”之称，即苦干、强干、硬干、快干。就连周恩来也称陈诚在国民党军官中是一个“比较高明的战术家”，是“最有才干的指挥官”之一。他追随蒋介石多年，比较了解蒋介石的脾气。此时他揣测蒋介石可能有从舟山撤兵的意思，便大着胆子说：“校长，此次共军如攻舟山，必吸取金门、登步岛之教训，其打击力度将大大超过海南、金门、登步岛。恕我直言，国军能否守得住值得研究。”

陈诚说到这里，有意停顿了一下。见蒋介石默默地点了点头，他心中有了数，便更大胆地继续说：“还有，守岛国军占去了我陆军的三分之一强，若守岛失败，台湾也将无力坚守。因此，我建议收兵南下，固守台湾。”

“辞修说得很有道理。”蒋介石赞赏地点了点头。“对此我也有所考虑。空军海军方面情况如何?”

“校长，”海军司令桂永清立即站起来说道：“据报，共军从江苏、安徽、山东等地调集了几千条民船和大批民工，其海军也装备了为数不少的护卫舰，虽然我海军不断袭击共军船只，但以目前守岛海军力量，仍难以阻止共军大规模的登陆。”

“校长，”空军司令周至柔接着报告：“今年4月以前，华东沿海的制空权还在我们手中。可共军在苏联的帮助下，华东沿海的大部分机场已经竣工。据情报，斯大林还派了1个空军师帮助共军。4月份以来，我空军在上海、杭州、徐州等地都受到损失，制空权在江浙一带的局部地区已被共军控制，这些都对我空军配合守岛极为不利。”

“父亲，”蒋经国跟着说道：“陈毅调集了他的王牌主力第7、第9兵团约20万人，陆军力量已大大超过我军。看来他们志在必得，也许近期将有行动。”

蒋介石听罢众人的意见，紧皱眉头。娘希匹，这些“学生”说的倒是不错，怎么就没有一个人敢说坚守呢？哪怕说出来听听也好嘛。蒋介石感到气氛太压抑了。

不过，想归想，话还得照实说：“舟山的情况我已经很清楚了，共军将对舟山实施大规模的三军联合行动在我意料之中。为保存实力，巩固台湾，我决定从舟山撤军。此次行动，关系到党国存亡。为保密起见，这次行动的代号为‘美援及日本赔偿物资运输计划’。”

蒋介石最后对舟山防卫司令石觉说：“该计划由你具体实施。一方面要加紧准备，另一方面要迷惑共军，大造反攻舆论。海军、空军要配合行动。我们给共军来个金蝉脱壳之计。”

“校长英明。学生当竭尽全力实现校长的决策。”

“要把岛上能带走的老百姓统统带走，能烧的东西全部烧掉。给共军留个空岛。”

5月10日，石觉在台湾秘密拟定了撤离计划。11日，蒋介石又派副总参谋长郭寄峤、海军副总司令马纪壮、空军副总司令王叔铭到舟山协助石觉实施撤军行动。12日，44艘大型运输舰前往舟山群岛。13日，12万国民党军和3万居民开始撤离，16日撤离完毕。

国民党军炸毁了所有的重要设施，就连花费了4000万银元修建的定海机场，也在阵阵爆炸声中成为废墟。

岛上2万多青年男女和1万多健壮老人，被抓起来押上军舰，不愿走的当场就把房子烧掉。一些无依无靠的老人抓住自己的孩子不让走，被蒋军活活推进大海，或用机枪打死。蒋介石从舟山撤退时又留下一笔血债。

第三野战军陈毅司令员料到舟山守敌在我军威胁之下，有逃窜的可能，电示第7、第9兵团：“必须立即摸清虚实，采取行动。”前线部队派出侦察兵连夜渡海侦察，证实了陈毅司令员的判断。5月16日，陈毅发出全线追击的命令。我7兵团10万大军万舟齐发，至20日全部解放舟山群岛。

蒋介石为了安抚人心，可谓煞费苦心。16日，他在报纸上发表了一篇《军人魂》，赌咒发誓说：一旦台湾陷落，他本人将以身殉国。第二天，他又发表文告解释撤离舟山的原因：“国军为了集中一切兵力，确保台湾反共基地。”并提出“1年准备，2年进攻，3年扫荡，5年成功”。

蒋介石自己也知道这不过是自欺欺人的把戏。实际上，蒋介石不久又相继丢失了东山岛等沿海岛屿，最后只能龟缩在台湾、澎湖、金门、马祖及浙东沿海等几个有限的岛屿上，在梦中“反攻大陆”了。

第五章 烽烟起榕城

夜已经很深了。毛泽东主席刚刚读过三野关于上海战役战局情况的电报，上海战役的顺利发展，使他感到欣慰。他坐到自己的桌前点燃一支香烟深深地吸了两口，然后缓缓地吐出一股淡淡的烟雾冉冉上升，毛泽东眼看着手中的香烟，一圈殷红色一层一层地将烟丝变成乳白色的烟灰，随着那缕上升的青烟，他又在思索三野乃至全国下一步的战略问题了。

1 “昂扬的激情＝进军的胜利”

1949年5月23日，北京。

夜已经很深了。毛泽东主席刚刚读过三野关于上海战役战局情况的电报，上海战役的顺利发展，使他感到欣慰。他坐到自己的桌前点燃一支香烟深深地吸了两口，然后缓缓地吐出，一股淡淡的烟雾冉冉上升，毛泽东眼看着手中的香烟，一圈殷红色一层一层地将烟丝变成乳白色的烟灰，随着那缕上升的青烟，他又在思索三野乃至全国下一步的战略问题了。

渡江战役后，随着蒋介石的大本营迁往台湾，毛泽东和中央军委的决策者们已经开始筹划下一步渡海作战解放台湾的问题了。要完成解放台湾的构想，需要解决两个前提：一是迅速建立一支近期可以使用的海空军；二是扫清台湾外围的屏护，建立攻台出发阵地。随着宁沪杭的解放，国民党军残部纷纷向福建方向溃逃，将无斗志，兵无士气，这正是“宜将剩勇追穷寇”进军解放福建的绝好时机。

香烟快燃到头了，毛泽东把它放进桌子上的烟灰缸里，用手一转，烟头熄灭了。

他拿起了架在笔架上的毛笔，习惯性地在砚台上蘸了蘸墨汁，然后在一张铺开的宣纸上龙飞凤舞地写了起来。

当天，总前委和三野收到了毛泽东为中央军委起草的电报：

> 你们应当迅速准备提早入闽，争取于六、七两月内占领福州、泉州、漳州及其他要点，并准备相机夺取厦门。入闽部队只待上海解决，即可出动。

5月26日，上海市内还有零星的枪声，一些市民已经开始庆祝上海的解放了。三野副司令员粟裕根据毛主席和中央军委的战略意图，对所属的4个兵团的15个军作出了新的部署，除将24军北调山东准备解放由美国和国民党军队联合驻守的青岛外，其余部队的安排是：第7兵团准备解放舟山群岛，第8兵团警备宁沪杭地区并进行剿匪（兵团部随即撤销），第9兵团在苏南休整训练准备渡海攻台，第10兵团则负责进军福建。

由叶飞指挥的三野第10兵团下辖第28军、第29军、第31军，共10万余人。将进军福建的指挥重任交给35岁的叶飞，粟裕和参谋长张震的意

见是一致的，这与叶飞的经历有很大关系。

叶飞出生在菲律宾吕宋岛，5 岁时跟父亲回到祖籍福建南安县，15 岁时开始参加厦门青年团工作，曾任过共青团福建省委代理书记、福州中心市委书记，参与过创建闽东革命根据地，参加过工农红军，曾任闽东特委书记、军政委员会主席，领导军民坚持 3 年游击战争。他对福建民情、军情、地形、气候十分熟悉，在福建当地也很有影响。由于有海外血统，他被人们称为“华侨将军”。特有的背景无疑将有助于他指挥 10 兵团顺利地完成进军福建的任务。因此，叶飞受命入闽是顺理成章的事。

1949 年 5 月 27 日下午 2 时许，驻苏州的第三野战军指挥部门前，一辆越野古普车戛然而止。第 10 兵团司令员叶飞和政委韦国清从车上走了下来，两人今天是应召前来接受新任务的。

粟裕已在办公室等候。一见面，叶飞敬礼后还未落座便问：“是不是让我们打福州?”

粟裕：“你的消息很灵通嘛，让你说对了，今天请你们来就为此事。现在逃到福州的国民党残兵败将，不会有大的战斗力。军委、总前委和三野指挥部的意见是，由你带兵团的两个军入闽。你看有什么问题没有?”

叶飞想了一下说：“让我这个福建人回家打仗哪会有什么问题！不过，我认为两个军入闽作战兵力不足。我建议 10 兵团的 3 个军全部入闽参战。”

坐在一旁的张震接道：“我看可以让 10 兵团全部入闽。这一方面可以集中兵力攻打福州、漳州、厦门，另一方面可抽出一个军的兵力，防止美国人在我解放福州、厦门时进行干涉。”

叶飞说：“上海战役，我兵团的伤亡较大，减员较多，需要充实。再说，部队也相当疲劳，建议部队最好休整一个月后出发。”

粟裕、张震表示同意。粟裕还向叶飞通报了一个消息：“野司打算在入闽前，建议中共中央任命福建省委书记张鼎丞兼任第 10 兵团政委。”

叶飞知道，张鼎丞是个老福建了，他是闽西苏区的创始人，长期生活战斗在福建，人地两熟。当即表示：“完全拥护。”

5 月 28 日上午，上海市区。

战争的硝烟刚刚散去，参加了上海战役的第 10 兵团的各部队圆满地完成了预定任务，官兵们正在忙于收拢部队，运送俘虏，清点缴获。10 时左右，市区各部队几乎同时接到兵团司令部的电话通知：“迅速撤离市区，争取时间休息整补，准备执行新的任务。”

部队准备入闽的消息很快在官兵中传开来。大家觉得太突然了！

这也难怪，第 10 兵团的指战员大部分来自北方，有一些是从上海或苏南到解放区参军的，他们希望在上海解放后有机会回家与亲人相聚。一场大战的硝烟尚未散尽，官兵们还未来得及擦净被火药熏黑的枪膛，又要向南长途进军，一部分官兵的思想一下子转不过弯来。

35年后叶飞在谈起此事时说："不只是下面感到突然，我们兵团领导也同样没有思想准备呀！毛泽东同志的这个调整比原先中央军委的入闽计划整整提前了一年。"

然而军令如山倒，第10兵团所属的第28、第29、第31军接到命令后，迅速撤至苏州、常熟、嘉兴一带进行休整。这期间，各部队组织官兵进行思想教育和政治学习，使大家的认识有了很大提高。许多同志懂得了，不失时机地进军福建，是毛主席高屋建瓴、把握战略全局的非凡能力和超人胆略的具体体现，更是取得解放战争的最后胜利、一鼓作气解放华东大陆的需要。

当时只有17岁的第29军第87师第259团一营三连战士李东坤在连队召开的进军动员会上打了个形象的比方，他说："解放了京、沪、杭，好比锯倒了一棵大树，还没挖根。福建就是树根，要是不挖掉树根，它还会发芽长枝，到时候再动手就费劲啦！"

另一名战士接着说："要刨根，就要动作快。现在我们不怕敌人多，就怕跑得慢追不上。只要能追上，保准有多少消灭多少！"

战士们的话虽然简单朴实，却道出了一个很深的战争道理，也就是巴顿将军的那句名言："用手中的一切手段，在最短的时间内给敌人造成最大的伤亡和破坏。"

在第10兵团部驻地的黑板上，出现了这样大字：昂扬的激情＝进军的胜利！

2 "美龄"号腾空远去

南京、上海、杭州等相继失守，福州成了拱卫台湾的最后屏障，对此蒋介石比谁都清楚。

5月25日，蒋介石在外海上的"江静"轮上听到解放军进入上海市的消息后，立即吩咐部下："开船！"

"江静"轮在舟山群岛及台湾海峡航行了整整一个星期，6月24日军舰靠上台湾的高雄港。当身披斗篷的蒋介石双脚踏上这块陌生土地的那一刻，他的内心充满了酸楚："轰轰烈烈几十年，我蒋某人却从中国大陆的'一代枭雄'，沦落为一个海岛上的'部落'首领，嗨，真是难咽下这口恶气呀！"

然而眼前的一切又是他必须接受的现实。当务之急他要考虑的是如何确保这最后一隅立足之地不再丢失。还在海上的时候，他就草拟了一个“建设台湾、闽粤，控制两广，开辟川滇”的计划，设想建立一个北连青岛、长山列岛，中为舟山群岛，南到台湾、海南岛的海上锁链，封锁、包围大陆，以图东山再起。

登岛的第二天，蒋介石就召集逃台的国民党要员研究在台湾整军、防务、军政等问题，他决定把国民党海、空军实力逐渐南移，以台湾为中心，把防守的重心放在东南沿海一带，特别重视与台湾最近的福建的防务。

然而福州的防务却成了他的一块心病。还在台湾海峡里漂泊时，他就几番电促朱绍良，在福州及其附近地区构筑半永久性工事，加强防守，以阻扼解放军的南进。而实际上，朱绍良对防守福州毫无信心，他私下里发牢骚：“大上海的钢筋水泥纵深防线都守不住，福州南临江，东面海，背水之阵，何能固守?”时任国民党福州市市长的何震也坦言：“福州太穷，征工征料十分艰难，死守福州，无疑坐守待毙。”面对蒋介石的三令五申，朱绍良派独立 50 师师长李以劻率部到福州周围构筑了一些野战工事，算是塞责了事。

然而生性多疑的蒋介石始终放心不下，他决定亲自到福州看一看。

7 月 9 日，蒋介石乘坐“美龄”号专机从台北起飞，上午 9 时降落在福州南郊机场。朱绍良等率领福州的国民党军政要员在机场迎候。朱绍良深知蒋介石的为人，特吩咐手下搞了一个隆重热烈的欢迎仪式。当天的福州市到处飘荡着青天白日旗，满街悬挂着蒋介石的头像，几条主要街道上“欢迎蒋总裁莅临榕城视察”的大横幅煞是抢眼，市民们被通知到路旁夹道欢迎“重要客人”。

机场上，舷梯缓缓放下，一身戎装的蒋介石面带微笑地出现在机舱门口。朱绍良躬身上前：“总裁，请上车，福州全体市民正等待夹道欢迎您进城。”

蒋介石点了点头走下舷梯，他前后左右望了一下，忽而转头对随行的俞济时说：“我看就不必进城惊动市民大众了吧！要开的会就在机场的办公大楼开吧……”

此刻，蒋介石的心态是十分复杂的。自从他离开溪口登上军舰，就犹如惊弓之鸟，时时担心被别人暗算。值此历史转折关头，他不能不防再出一个“张学良”，几十年的从政、从军生涯，使他不能不比别人多留个心眼。

蒋介石的决定使隆重的准备成了摆设，朱绍良心里很不是滋味，转身把火发到自己的侍卫官身上：“愣在这干什么，还不赶紧准备!”

9 时半，临时军事会议在机场办公大楼举行，驻榕的国民党军军长、师长全部到场，台下将星闪烁。朱绍良代表福建方面的将领汇报了福州的防御情况后说："下面欢迎蒋总裁为大家训话。"

在一阵掌声中，蒋介石呷了一口茶，用浓重的奉化腔说：

"诸位，今天我是以国民党总裁身份来和大家见面、来和大家共安危的。我是一个下野的总统，论理不应再问国事；一切由李代总统来处理危局和共军作战。但想起孙总理生前的托付，勉以'安危他日终须仗，甘苦来时要共赏'的遗言，现正是我党危难关头，所以我以党的总裁地位来领导大家和共产党作殊死战。个人引退半年来，没有片刻忘怀久经患难的袍泽，希望大家戮力同心，争取最后的胜利。

"守长江下游及驻浙江的部队退到福建，是在5月上旬。当时陈毅主力正在攻上海，只有刘伯承一部跟踪入闽。所幸敌人摸不清福州底细，所以没有长驱直入。如果敌人洞悉你们的狼狈状态，一个团就可以占领福州了。你们任兵团、绥区司令的，只顾逃命，丢盔弃甲，沿途扰民，来到福建。我姑念前劳，未令国防部严加追究。现在各部队士气不振，军纪废弛。据报：当师长、团长、营长的仍想南逃，有些未经批准，就擅自去台湾。对福建这兵要之地失去信心，良可浩叹！大家应当知道：台湾是党国复兴基地，它的地位异常重要。比方台湾是头颅，福建就是手足，无福建即无以确保台湾……"

最后，蒋介石站起身来提高嗓门鼓动道："只要各位用自己的热血，死守福建，巩固台湾，失去的国土就一定能够恢复！"

会议结束已是下午2点半。吃罢午饭，他又留下朱绍良、汤恩伯、李延年、王修身、李以劻等9个人，分别单独与他们谈话，要他们死守福建。

其中，蒋介石与李以劻谈话的时间最长。李是黄埔军校学生，对蒋以"校长"相称。在蒋介石问"有什么困难和意见"时，李以劻斗胆进言：

"校长不是说：'留得青山在，不怕没柴烧'吗？目前共军正在休整，这是他们作战的惯例，一个大战役之后，一定有一段休整时间。我们守闽江以北的部队有8万之众，如果我们在陈毅主力尚未入闽之前，有计划地将主力撤过闽江这一道非常不利的障碍，撤至闽南，这对持久战有利，对巩固台湾外围有更实际的效果。我向校长直言，并非我怕死，而是为大局着想！"

虽然是比自己低一辈的学生，值此历史转折之时，蒋介石也深知笼络人心的重要，他的出言显得语重心长：

"你是我的学生，难道不知道'先制之利'、'先发制人'、'先声夺人'、'安定人心'的重要性吗？没有军队还有国家吗？保持久力是重要的，但福州过早落入共军手里，其政治影响很大。台湾人半数以上原籍福建，对故乡十分关怀；在南洋一带的侨胞，也是福建籍占多数，如果福州失守，他们就会认为国民党已彻底失败。这种心理上的变化，就会使我们失去海外侨胞的同情与支持。所以为了大局，福州必须死守，希望你体会我的苦心，放胆去做，只要将领有必胜信心，处绝境也可以复生。有我教导你们，有台湾在，即便大陆失尽，也可复兴。”

蒋介石毕竟看得更深一层。

侍卫官进门：“总裁，已经下午 4 点了。”

蒋介石起身，匆匆走向已经发动了引擎的“美龄”号。当他要登上舷梯时，又转过身来再次关照送行的朱绍良：“无福建即无以确保台湾，福州是八闽的龙头，必须死守。”

随着一阵引擎的轰鸣，“美龄”号腾空远去。朱绍良和参加这次南郊机场军事会议的军长、师长们，呆呆地站在跑道旁。这时，有位师长终于忍不住地说了一句：“叫我们死守福州，他连宿一晚都不敢！”

此时，“美龄”号上的蒋介石双目紧闭，他对福州之行的效果不愿深想，福州能否不失，福建能否不失，只有天晓得了。他感到一种前所未有的疲惫。

3 福建的蚊子比国民党兵厉害

中国早有“用兵制胜粮为先”的古训。

长途行军，一个兵团 10 多万人和 8800 匹骡马，每天要消耗掉大约 20 万公斤大米、30 万公斤草料。这些物资大约需要 60 多辆 8 吨解放牌卡车才能装下。如果没有足够的物资保障，大兵团的长途行进是不可想象的。

6 月上旬，兵团派出以第 29 军参谋长梁灵光挂帅的先遣队先期入闽，为大部队筹措粮秣。在中共福建省地下党和当地人民群众的大力支持下，到 7 月中旬，先遣队共筹得大米 350 余万公斤，柴草 450 余万公斤，马料 65 万公斤，食油 5 万公斤，盐 5 万公斤。

手中有粮，心中不慌。

6 月 27 日，叶飞签发第 10 兵团向福建进军的命令。随即，兵团 10 万多指战员、5000 名南下干部和 3000 名支前民工，从苏州、常州、嘉兴等地浩浩荡荡踏上征程。一时间，从苏州到江山、上饶之间的铁路线上，一列列满载官兵的“闷罐车”和一趟趟运送武器装备的平板车，在烈日下喘着重重的粗气，向南疾驰。

按照行军序列，第 31 军由浙江嘉兴上车。指战员们从江北打到江南，靠的全是一双“铁脚板”，大多数人是第一次坐上了火车，那种兴高采烈的劲儿就甭提啦！大家挤在闷热的车厢里开动员会，写挑战书，欢声笑语，高歌南进。

火车到上饶，再向南就没有铁路了。除重装备须经公路辗转外，大队人马均须步行入闽。

仲夏将至，逼人的热浪在八闽大地上蒸腾，地面上升的热气，使数十米开外的物体变得犹如海市蜃楼般的虚无飘渺。大多数来自北方的指战员第一次感受到这样的高温酷热。午后时分，是一天中最难耐的时候，焦渴、闷热、疲惫一齐向官兵们袭来，身背重负的指战员们身上的衣服如同从水里刚刚捞起。由于热得透不过气来，许多人都如同雷雨前池塘里的鲢鱼一样，张着嘴巴直喘。人在这种环境下，很容易中暑。亲身参加过这次战役、后任过总后军需部某局局长的周志敏，对那次行军一直记忆犹新。他说："当时，整个人就像被放进了蒸锅一样，几天工夫，我背上脱了两层皮。由于时间紧迫，部队也只能间或休息一下便继续前进。"第31军向闽北开进的第一天，中暑人数达到数百人。

福建的路难走，是当时入闽的每一个人终生难忘的。

进入闽北，除了山还是山，一座连着一座，一峰接着一峰。第29军经崇安经建阳至尤溪、永泰的行军路线，均在海拔800米以上的高山之间，绵延不断的高山大岭横亘百里，望不到顶，看不到边。本来就陡峭崎岖的山路，如果再遇上暴雨，行走就更加艰难。被雨水浇过的路泥泞不堪，路滑得像抹了黄油，一不小心就摔跤，干部战士只好抓住路旁的树枝拄地前行。这还不算，被水浸透的泥还会"吃"鞋子，"吧唧"一脚踩下去，拔出腿来的时候，脚上的鞋子没了。部队在这样的条件下，每日行军过百余里。

爬这样高的山，走这样险的路，不仅人不适应，就连骡马也不适应。

有一天，时任29军副军长的段焕竞从行军队伍的后面朝前头赶，碰上军山炮连正在通过一段岩壁，岩壁上有一条约半米宽、10多米长的石径，这条长满了青苔的石径一侧是峭壁，另一侧是看不见底的山涧。

为了保证人和装备的安全，战士们抬着120斤重的炮身，一人在前，两人在后，在石径上匍匐前行。人过去，后面的骡马又上来了。牲口看到路旁的深渊，死活不肯往前走。战士急了，前面一人拉缰绳，后面两人抽屁股，硬是把马赶上了石径，这时，在场的人都屏住呼吸，希望那马能像人一样走过险径。那马腿打着颤缓缓向前挪着步子，突然前蹄一滑失去重心，200多斤的生灵四脚朝天地坠入了山谷。接下来，又有两匹马也在这个地方掉了下去。

其中有一匹失前蹄的马驮着火炮瞄准镜，炮连战士许云山顿时惊出一身冷汗，他不顾一切地跟着往下滚。幸亏这匹马滚到半山腰被两棵大树挡住了，马是不行了，许云山也伤得不轻，但他还是硬撑着把瞄准镜解下，抱在怀里，又使劲左攀右拉地爬了上来。当他把镜子交给班长时，第一句话是："不知镜子摔坏了没有？"

而此时的他，身上的衣服被树枝刮成了布条，浑身上下血渍斑斑，脸上青一块紫一块。

段焕竞副军长目睹这感人的一幕，眼睛湿润了。他上前拍着许云山的肩膀，关切地问："你叫什么名字？当兵多久了？"

第29军经崇安、经建阳至尤溪、永泰200多公里的山路行军，共有120多匹骡马坠入深崖。骡马的减少，又使指战员身上的负荷量不断增加，快到目的地时，平均每人都要背负四五十斤。

与行路难相比，更令官兵们头痛的还是山林中的蚊子。这里的蚊子不仅多，而且大，当地早有"三只蚊子一盘菜"之说。大概是久居深山的缘故，它嗅到"人味"，即使是大白天也敢咬人，落到人身上便是狠狠的一口，咬你没商量。虽然部队在行军前做了些准备，但蚊帐和防蚊油远远不足。每个战士发一块用于遮头的"纱罩"，睡觉前把"纱罩"蒙在脸上过夜，可是无遮无挡的身体却只能"托付"给那些讨厌的蚊子了。29军侦察连战士侯玉良后来回忆说："夜里，那些饥饿的蚊子一只只吃得肚子圆滚滚，亮晶晶的。一巴掌拍下去满手是血，许多人第二天早晨醒来，浑身上下都是红块块，而且奇痒难忍。"

一些官兵被蚊子叮咬过后患上了疟疾，"打摆子"、发高烧，非战斗减员迅速增加。有的干部气恼地说："福建的国民党兵是熊包，福建的蚊子可比福建的国民党兵厉害多了！"也有人说："这是蒋介石用的第二梯队！"

长途跋涉，鞋子是消耗最快的军需品，由于供给一时跟不上，官兵们便就地取材，用稻草、藤叶或布条自编草鞋。他们还编了一段顺口溜：

制鞋厂，真便当，行军带在我身旁，
休息大家齐动手，很快打好鞋一双。
穿上草鞋走得快，爬山过河无阻挡，
帮我走完千里路，彻底消灭秃老蒋。

然而，困难再多，也挡不住南下大军的前进脚步。各部队开展了团结互助活动，从团长、政委到营长、教导员，都把坐骑让给病号，还帮助体弱的战士扛抢、背干粮袋。每逢途中暂停休息，干部们不忘与战士们凑在一起"逗个火"，十几个人围成个圆圈席地而坐，每人手里夹上一支"大烟炮"，云里雾里地抽上几口，再听干部或老兵说上一段笑话，那可是战士们的一大乐事。

济南第二团政治处副主任黄相和是著名的战斗英雄和爱兵模范。入闽后，他一次也没骑马，他的坐骑不是驮病号，就是驮步枪、机枪。他的肩上，也总是不离战士的背包或枪支。他还把妻子从胶东家乡捎来的一双绣有“解放全中国”字样的新布鞋，硬是逼着一个解放战士穿上，感动得这个战士抹着眼泪说：“还是解放军的长官好哇！”

古往今来，只要一支军队始终保持着高昂的情绪，那么，他必定无往而不胜。

军号声声，口号阵阵。文工团员们站在路旁打着竹板为官兵们加油鼓劲：“走一山，又一山，千里进军不怕难。前面是座胜利山，英雄好汉比比看。”

经过近1个月的艰苦行军，叶飞兵团10万余大军陆续抵达预定位置。

兵团前指在叶飞率领下，于7月5日从浙江江山下车，冒暑穿越丛山峻岭，经福建崇安、建阳，于9日抵达建瓯。

7月中旬，31军机关及第91、92师、军炮兵团、军新兵训练团等在古田地区集结，93师至杉洋地区待命。

第29军于7月下旬进抵南平、尤溪地区。

此间，28军已进至建瓯、古田地区待命。

入闽大军身披征尘，立即投入了大战前的各项准备。

4 叶飞决心下一着险棋

建瓯，10兵团指挥部。

一份份情报不停地飞向这里，福建当前敌情的轮廓很快显现出来：

根据蒋介石的命令，驻闽国民党军进行了整编，实际兵员近17万人。在防御部署上，以福州为第一线，闽南为第二线，并在沿海建立从马祖、平潭、金门、厦门到东山岛的岛屿锁链。朱绍良、李延年所辖25军、96军部署在福州城西北方向、闽江西侧地区，73军部署在福清及平潭岛，74军驻守连江、王官头一线，106军防御福州市区。福州共驻有国民党5个军14个师的6万余人。厦门有55军全部，166师和238师，总兵力3万人。其中74师3个团守厦门北半岛，181师守东南，29师一个团和要塞守备队、68师余部守厦门市区，29师两个团守鼓浪屿。汤恩伯、刘汝明、毛森联名给蒋介石写信称，厦门防御守个3到5年没问题。

叶飞和韦国清根据三野首长的指示和福建当前敌情作了如下部署：

首先集中全力歼灭福州地区之敌，然后乘胜南进横扫泉州、漳州沿线守敌，控制闽中、闽南地区，继而筹集船只，渡海攻取厦门、金门、平潭等岛屿，进而解放整个福建大陆。

7月20日，叶飞、韦国清召集兵团部门首长和各军军长、政委，召开攻打福州作战会议，会议特邀请张鼎丞参加。

“这段时间的长途行军，官兵们辛苦了。”叶飞双臂抱在胸前，接着说：“但是形势要求我们不能稍有松懈，必须一鼓作气拿下既定目标，而不能给敌人以喘息的机会。所以，我们必须及早发起福州战役。”

作为10万大军的最高指挥员，叶飞知道，此时最大限度地减少自己的伤亡，最大限度地歼灭敌人，才是对部属最好的关怀。对福州战役，他已经思考良久。

叶飞走到悬挂在墙壁上的巨幅福州地区作战态势图前，向与会者道出了自己酝酿已久的攻榕设想：

“我考虑，解决福州可以采取两个方案，一是采取大迂回，断敌陆上及海上退路；二是向东穿插，攻占马尾，断敌海上退路。具体讲，第一方案就是参战部队直接越过丛山向南占领福州以南的福清、宏路，截断福厦公路，分割福州朱绍良兵团与厦门方向汤恩伯兵团之间的联系，截断福州之敌从福厦公路南逃的退路。第二方案就是只向东迂回，攻占马尾，断敌海上退路。”

叶飞的开场白讲完后，兵团参谋长陈庆先对着地图进一步解释道：“从实施难度上讲，第一方案的难度大一些。因为向南迂回的部队，必须从尤溪出发，翻越百余公里丛山峻岭，然后从永泰钻出来，攻占东张，才能夺取福清、宏路。这段路全程200多公里，不仅山多，而且很险，没有公路，没有大路，只有山间小径，不能携带重装备，人马只能轻装。”

他喝了一口水接着说：“另外，这还是一着险棋。险就险在担任向南迂回的部队插入福州和泉州之间时，有可能遭到两地守敌的南北夹击。此外，攻占马尾的部队，只有两天行程；而攻占福清、宏路的部队，却要走上5天，武器弹药不算，每人光自带5天的干粮已负重可观，还要翻山越岭，长途跋涉，加上天气酷热，部队一定相当疲劳。能否按时到达进攻地域？疲惫之军接着发起攻城，能否打得下，守得住？”

“不过，第一方案的最大好处是可以南北兜住，全歼福州守敌。”陈庆先强调说。

叶飞对与会者说：“大家可以畅所欲言，出谋献策。”

接下来，大家对两个方案进行了热烈的讨论，结果赞同采用第一方案的人占了多数。道理很简单，虽然采用第二方案较为稳妥，但给福州之敌留下了一条南逃的生路，从而无法达成全歼福州守敌的目的。当然，采用第一方案需要勇气。

克劳塞维茨说过："战争是充满危险的领域，因此勇气是军人应该具备的首要品质。"10兵团广大将士从长江北打到长江以南，一路所向披靡，攻无不克，靠的正是士气加勇气，这也成为10兵团每个指挥员的优秀品质。入闽以来，面对节节溃逃的国民党败军之旅，兵团各级指挥员们考虑最多的就是怎样尽可能多地歼灭敌人。

会议决定：以左中右3个攻击箭头采取钳形攻势，首先断敌陆、海退路，尔后会歼福州之敌。

具体任务区分：31军从左翼迂回，由古田出发，攻占丹阳、连江、马尾，控制闽江下游，断敌海上逃路，得手后由马尾向福州攻击前进；29军从右翼远程迂回，由南平出发，翻越沙县、永泰一线丛山峻岭，楔入福州守军侧后，攻取福（州）厦（门）公路要点宏路、福清、长乐，断敌陆上南逃之路；28军从中路正面突击，其中两个师由闽江北岸进逼福州，1个师由闽江南岸东进，策应29军行动，防敌南北夹击。

会后，各军军长、政委领命而去，10万大军厉兵秣马，箭在弦上。

5 朱绍良痛骂汤恩伯

8月7日，10兵团开始展开福州战役，3路大军分由建瓯、古田、尤溪起程，进入进攻地域。

13日清晨，笼罩在闽东大地上的薄雾渐散开去，一轮朝阳跃上海面，3发红色信号弹拖着长长的尾迹跃上天空，我三路大军进发，解放福州的战斗正式打响。

左路第31军在军长周志坚指挥下首先向丹阳守敌发起攻击。上午10时占领该城后向连江方向发展，16日攻取连江城，歼敌74军一部、25军大部；继而攻闽安、马尾，歼敌23师、201师一部，完全控制闽江北岸，以火力封锁闽江，并即由马尾西向福州攻击前进。

右路第29军在军长胡炳云指挥下由南平出发，翻越沙县、永泰大山，攻占福清、宏路，切断敌南逃陆路，并向南构筑工事，实施警戒。

中路第28军在军长朱绍清指挥下，第83师攻占大坪、洋下、双溪各点；第84师攻占祥溪口，截歼逃敌120余人，并以一部攻占白云渡。15日，向福州外围发起攻击，军工兵营牵制雪峰之敌；第84师南渡闽江，协同29军迂回东进。第82师攻占大湖、若洋，守敌南逃，该师继而向南进攻。经一天奔袭，当夜占领江洋店及小北岭以北的山地。第83师获悉大湖、雪峰守敌南撤，遂向白沙、徐家村攻击。全师当晚迫近徐家村，与敌对峙。第84师攻击闽清，守敌东窜。

只用两天多的时间，福州外围已被清理干净，大军入城指日可待。

15日夜，福州国民党朱绍良兵团部。

朱绍良面色焦虑，坐立不安，坏消息一个接一个传来。福州战役头几天的战局已使他意识到福州失守只是时间问题了。几天前他就把家眷送往台湾，他自己也早打定了走的主意。不过现在解放军毕竟还未进城，此时走人日后在老蒋面前无法交代。他刚刚给厦门的汤恩伯发去了求救电，想借对方的增援再顶一下。

一旁的李延年坐在沙发上已苦思半天了。他猛地站起身来说道："朱兄，不要指望汤恩伯来救我们，他连恩师都能出卖，还能来救我们？依我看，我们能守就守，不能守就走。伤亡越大，对你我就越不利。蒋介石没杀张学良，是因为他身后还有一支庞大的东北军，蒋介石杀陈仪是他手中没有一兵一卒。朱兄，我看我们现在的上策是一不投共军，二不死守，设法多保存实力才是最要紧的。"

朱绍良："李兄言之有理。不过这几年我与汤恩伯的关系还算不错，权当借此机会检验一下朋友的情分，我不信他真能无情无义？"

李延年用手指指脑袋说："朱兄，现在都什么时候了，你还这么幼稚。"

朱绍良："好吧，我们再等一天，明天再无消息，我们就走。"

此时朱绍良的副官送来了汤恩伯的回电，汤恩伯在电报中称："我很想拉兄弟一把，无奈镇守厦门、金门的任务更重，手中的兵力已备感不足。福州的防守只能靠朱兄好自为之了。望朱兄率军勇敢作战，把共军消灭在福州前沿。"

读过电报，朱绍良使劲把纸揉成一团，骂道："汤桶，这个王八蛋真他妈的不仗义，想让我姓朱的给他当炮灰，见鬼去吧！"

16日下午3时，10兵团攻城战斗打响。在第28军猛烈攻势下，到4时，福州外围敌防御阵地全部易手。5时，第31、28、29军密切配合，协同作战，左路第31军由东向西，中路第28军自西向东，29军则穿插至榕城以南兜后对福州形成了合围。

此时的驻榕国民党军已无心恋战，一交手即成败相。5时30分，敌军开始向闽江以南退却，早已穿插至此的我第29军官兵已恭候多时了，大批溃逃的国民党军刚刚爬上闽江南岸，立足未稳便遭到迎头痛击，死伤累累。

黄昏时分，朱绍良、李延年见福州防守前已溃口，后路已断，慌忙爬上飞机仓皇逃遁而去。

8月17日5时，第28军、31军向福州市区发起总攻。28军82师、83师由西洪门由西向东攻击，31军从东向西进攻。两军密切配合，进展顺利。

第28军82师245团首先攻入市区，抢占市区制高点仓前山，该团3营经过激烈战斗拔掉了闽江大桥对岸的火力点，为大部队顺利入城创造了条件。副营长魏景利在夺大桥战斗中光荣牺牲。31军91师以一部由马尾西渡闽江，控制清凉山，防敌东逃；其主力于16日夜沿福（州）马（尾）公路速进，于17日清晨突入福州市区。该军92师274团、275团进至福州东北的宧溪，与溃逃之敌接触，迅即歼灭该敌。随后，沿桥头、盘石直插福州市北。

第28军入城后直插朱绍良、李延年总指挥部，映入眼帘的是满地废纸、杂物，桌椅、板凳横七竖八，一片狼藉。指战员们对未能捉住朱绍良、李延年感到遗憾，一个战士用拳狠狠地擂着桌面，喊道："朱绍良，你跑到天涯海角也要把你抓到。"各部队继而马不停蹄继续向南追击，一些动作稍慢的南逃之敌，在福州南郊或者被歼，或做了俘虏。至23日，福州战役全部结束。

是役，全歼国民党军1个兵团部、两个军部、9个师共计4万余人，10兵团伤亡总共不足500人。

8月17日，福州宣告解放！

为保证福州市的正常秩序，三野命令10兵团政委韦国清为福州市军管会主任，叶飞则率10兵团主力继续南下，执行解放闽南的作战任务。

9月初，叶飞率第10兵团所部开始向闽南伸展，第29军、31军沿公路南进，第28军两个主力师则搭乘在福州战役中缴获的木船由海路南下。

9月14日，28军首先攻下了平潭岛附近的大练岛，16日登陆平潭岛。与此同时，10兵团以另一部解放了南日岛和湄洲岛。

至此，10兵团控制了闽北地区和福建中部。兵团主力陆续到达漳州附近地区集结，叶飞率兵团指挥部移驻泉州。兵指作战室悬挂的硕大的福建地区作战态势图显示，福建大陆除厦门、金门两处尚标示着蓝色的旗帜外，整个福建大陆已为红色所覆盖。而那两面蓝色的旗帜正是叶飞兵团下一步准备夺取的目标。

第六章 饮恨古宁头

厦门的解放，使从长江北岸一路征战打到东海边的10兵团指战员们沉浸在胜利的喜悦之中，兵团指挥部进驻厦门，兵团主要领导的注意力开始转向城市接管。这时，一种不易觉察的轻敌自满情绪在官兵当中悄悄滋长漫延开来。

1 10 兵团指挥员始料未及

解放福州后，叶飞率第 10 兵团主力继续挥师南进，其锋芒直指厦门、金门。

9 月 22 日，第 29 军 85 师 253 团正准备发起攻打厦门外围的集美镇的战斗。团政治处主任张茂勋接到上级的电话，传达了中央军委副主席周恩来的指示："集美学校是爱国华侨陈嘉庚先生创办的，我军在解放集美时要尽力妥善保护，严防破坏。宁可多流血，也要避免使用火炮。"

团长徐博、政委陈利华等几个团领导一碰头，认为周副主席的指示体现了我党的侨务政策，困难再大也要不折不扣地执行。

国民党军一个团利用镇北的高地和镇内的建筑群，构成支撑点式的防御体系。第 253 团指战员们严格执行上级的命令，用轻武器逐个攻击敌人的支撑点，战斗激烈，进展缓慢。经两昼夜激战，才扫清了集美的外围，迫使国民党守军弃镇而逃。该团在战斗中有 80 人牺牲，120 多人负伤。战士们用自己的鲜血和生命保护了集美这个具有特殊意义的小镇。

听到集美镇解放的消息，叶飞特意赶来祝贺。当身穿一身布军装，扎着宽腰带，打着绑腿，身材瘦削的叶飞看到集美造型别致的学校建筑群及街镇均保存得完好无损时，他紧握着第 253 团团长徐博的手说："听说你们打得很艰苦，辛苦了！战士们功不可没。不但毛主席和老百姓感谢你们，海外华侨及陈嘉庚老先生也会感谢你们的。"叶飞对这个自己青少年时代生活和战斗过的小镇，怀有深厚的感情。

叶飞登上集美镇的制高点向东眺望，一水之隔的对岸，海滩、悬崖、建筑和工事历历在目，那就是厦门岛。

经过一系列小规模的作战，10 兵团进占了城仔丙、东屿、高埔一线，从 3 面形成了对厦门、金门两岛的包围。

部队仍在继续南行，空气中的海腥味越来越重，湿度也渐渐增大。指战员们知道，他们距离大海已经不远了。

一个全新的课题摆到官兵的面前，这就是渡海登陆作战。

叶飞后来回忆说：

> 虽然福州战役，泉、漳战役顺利，但我们对渡海作战攻取厦门这个要塞是认真对待，进行充分准备的，生怕在入闽取得一连串的

胜利之后出问题。蒋介石严令汤恩伯死守厦门。过去日本人在厦门构筑的防御工事非常隐蔽，与海礁、岩石的颜色差不多，不易观察，非到近处不能发现。一点不夸张地说，我们从来还没有打过如此设防的岛屿。敌人离台湾又近，又有海、空军，我军却没有海空掩护。虽然当时全国是势如破竹的形势，但我们认识到以木船渡海登陆攻取厦门这个任务是艰巨的，我军完全没有经验，是不能轻敌的，因为这不是在大陆作战。

9月26日，泉州，第10兵团指挥部。

攻打厦金的作战会议正在举行。在会上，叶飞提出了3种方案供大家讨论，即“金厦并取”，“先金后厦”和“先厦后金”。3个方案各有千秋：

“金厦并取”，可以造成金厦地区国民党军指挥及兵力、火力的分散，使其顾此失彼，便于一举全歼；但所需要的船只量很大，一时难以解决。

“先金后厦”，可以对厦门形成四面包围，使之成为一座孤岛。金门守敌名义上是一个兵团，实际上都是大陆败退的残兵败将，能作战的兵力不超过1.2万人。其中青年军201师和守小金门的5军都是淮海战役中被歼后重建的，战斗力不强。加上当时金门岛上也没有什么工事，如果先拿下金门，厦门之敌便成为瓮中之鳖。但目前厦门守军已有撤逃的迹象，先打金门，厦门之敌可能乘机逃跑。

“先厦后金”，厦门敌情清楚，距离近，便于攻击，容易奏效；可一旦攻下厦门，也可能使金门的国民党守军跑掉，而不能全歼。

会议讨论热烈，各种意见相持不下，最后还是叶飞一锤定音：趁敌军心动摇之际，一鼓作气，同时攻取金厦。具体任务区分是：第28军攻金门，第29军和第31军攻厦门。

俗话说：“水上无船不成军。”从某种意义上讲，渡海登陆作战，能否筹集到足够的船只是战斗能否取胜的关键。然而，船只的筹集并不顺利，当时福建沿海的轮船、机帆船乃至大一点的帆船，都被国民党军在撤退时掠走或者毁坏，第28军从福州南下所乘的木帆船大部分已在进军平潭岛时被台风吹散，而所搜集到的船只大多数是平底江船，出海行驶困难。船只的筹集成了大问题。

10月1日，开国大典在北京天安门广场隆重举行。

陈毅和粟裕应邀来到北京，登上天安门城楼。阅兵式正在进行，毛泽东在人群中看到了两位来自三野的代表，向他俩招手示意。陈、粟两人快步上前，向主席敬礼。

毛泽东："见到华野的代表来，好嘛。厦门何时能解放啊？那可是我们的攻台基地哟。"

粟裕："现在10兵团正在加紧准备，解放厦门，指日可待。"

毛主席："我等着你们的好消息。"

天空传来引擎的隆隆声，毛泽东用手一指："我们也有自己的空军了……"

本来，10兵团想在国庆大典前解放厦门和金门，但船只不足，不得不一再推迟进攻时间。到10月初，第29军和31军各收集到能运载3个团的船只，而第28军只筹到运载1个多团的船只。显然用这些船只同时完成攻击厦、金两岛是不可能的。到10月上旬，筹到的船只仍不能满足"金厦并取"之需。

10月7日，兵团将此情况电报三野。粟裕11日复电：

> 7日电于10日收悉，同意你们来电部署。依战役及战术要求，最好是按来电同时攻歼金厦两地之敌。如以5个师攻厦门（有把握），同时以两个师攻金门是否完全有把握？如考虑条件比较成熟则可同时发起攻击，否则是否以一部兵力（主要加强炮火封锁敌舰阻援与截逃）钳制金门之敌，首求攻歼厦门之敌。此案比较稳当。但有使金门之敌逃跑之最大坏处。究竟如何请你们依实情自行决定之，总以充分准备有把握的发起战斗为宜。

叶飞遂即调整作战方案，先取厦门，再取金门，定于10月15日以第31军及第29军攻取厦门，第28军攻取大、小嶝岛。待攻占厦门后，再打金门。

2 汤恩伯爬上接应小艇

福州失守后，蒋介石下令撤销福州绥署和第6兵团建制，任命汤恩伯为福建省主席兼东南军政长官公署厦门分署主任，统一指挥闽南防务。对于厦金两岛的重要性，蒋介石说得很清楚："金厦得失，对台湾国军进守之势，均有莫大影响。"

10月2日这天，蒋介石一大早就起床了，他没戴假牙，穿着睡衣站立在窗边默默地看着远处。昨天上午，他听到了毛泽东在北京宣布建立中华人民共和国的消息，一宿没睡好。尽管他的心情十分沮丧，但却以这是“必有之事”进行自我安慰。不过两天来，他明显沉默寡言。知道他伤心难受，所以没有太急的事，秘书及侍从很少打扰他。

但是，2日这天，手下有两件事却不能不向他报告。

其一，苏联宣布正式承认北京中共政府，并宣布从广州召回其原驻中华民国的大使罗申。在蒋介石心里，他并不担心中苏建交，真正使他担心的是苏联援助中共建立空军与海军，因为这对台湾的安全将构成很大的威胁。可他一时也拿不出什么良策。

其二，汤恩伯从厦门发来电报，称李宗仁公开发表反对他担任福建省主席的声明，使他威信扫地，无法指挥部属，故“决自今日远行”。蒋介石心里清楚，此时的厦门已危在旦夕，如果再走马换将，厦门哪里还守得住？而厦门一失，下一个便是金门，台湾必将告急。

他立即给汤恩伯复电：你等必须尽职尽责死守厦门，大战当前不得请辞易将。否则军法论处。

思来想去，蒋介石决定还是亲临厦门一趟。

10月4日，蒋介石由基隆登乘“华联”轮在蒋经国陪同下驶往厦门。蒋经国在这一天日记中写道：

> 今日为中秋佳节，如果是太平盛世，人们必在家园共享天伦之乐。今则世乱时危，已无这等清福。母亲在美从事国民外交，尚未返国，我乃携同妻子乘车前往基隆，上“华联”轮陪父过节。下午二时启碇，我亦抛妻儿，独自随父去厦。父亲此行目的在解决汤恩伯将军之任命问题，予以劝慰，并部署闽厦军事也……

10月5日上午10时30分，“华联”轮驶抵厦门，在岸边已经能听到隆隆作响的炮声，厦门港已在解放军炮火的射程之内。下午4时，蒋介石上岸，他来到汤恩伯寓所，对在厦的团以上国民党官员进行一番训诫，但睿智已尽，只能重谈“效忠党国，死拼死守”的老调。当晚8时，蒋介石离岸登船，上船前，他握着汤恩伯的手说：“汤兄，现在你所需要的是继续作战，击退共军，巩固厦门、金门，为公私争气，再言其他也。”

望着远去的“华联”轮，汤恩伯决心“不辱使命”最后一搏。他重新调整了闽南的防御部署：

防守厦门岛的兵力，除原有第8兵团第55军的第29师、74师、181师，第5军的第166师、工兵第20团、宪兵第3团、要塞守备总队、空军独立工兵营和战车营外，又增加了从漳州地区撤来的第68军残部。以第22兵团直属的第201师，第5军的第200师，第25军的第40师和第45师，共2万余人防守大小金门岛。海军的8艘军舰，9艘炮艇协同防守，各部队在滩头和各主阵地内，夜以继日地突击抢修工事。同时把军以上的各级指挥机关移至军舰上办公。

此时，叶飞既定的攻厦决心毫不动摇。

10月15日14时，以第31军炮群对鼓浪屿的猛烈炮击为先导，第10兵团第31军和第29军的4个师，发起了对厦门岛的渡海登陆作战。这是真正意义上的大规模渡海登陆作战，4个师的近4万名解放军指战员，分别从4个方向对厦门发起攻击，战斗比预计的激烈、艰苦。登陆与反登陆，冲击与反冲击，如同把厦门岛装入了一台巨大的混凝土搅拌机中，飞速地旋转着。一天两夜的鏖战，攻守双方打得人困马乏。

16日下午，第31军登岛部队推进至厦门岛腰部的仙洞山、松柏山、园山和薛岭山一线。汤恩伯忙调第74师前往围攻，但很快被击溃。毛森又把他的特务营拉了出来，车运增援，车队在山口被我登陆指战员一举全歼。到黄昏时分，厦门岛的国民党守军已不能组织有效的抵抗，开始分散向南逃窜。

17日拂晓，第31军93师274团5连7班，正沿公路搜索前进。突然，前方传来汽车的马达声，班长孙继伯一挥手，战士们迅速隐蔽到公路两旁灌木丛中。马达声由远而近，战士们看清了这是国民党军的6辆卡车。当第一辆卡车进入伏击圈时，孙继伯一声喊“打!”汽车当时就“趴了窝”。接着战士们投出的手榴弹在后面汽车上炸开了花。车上传来“别打了，别打了，我们缴枪”的喊声。

6辆卡车和十几名俘虏成了7班的战利品。孙继伯从俘虏口中得知，其师部已撤逃至塔头村。他留下两人看管俘虏，其余的人全部登车，由一名俘虏驾驶急奔塔头村。卡车在敌74师指挥所门前戛然而止，战士们跳下车把房子包围起来。孙继伯喊道：“你们已经被包围了，里面的人全部出来!”

4个身穿军官服装的人走了出来。孙继伯问：“你们哪个是师长?”

一个戴着墨镜的人回答：“我是74师师长李益智，你是共军什么人?”

孙继伯毫不含糊地说：“我是解放军，现在我命令你，立即通知你的所有部队停止抵抗!”

看着黑洞洞的枪口，李益智无奈地转身进屋拿起电话神色黯然地说：“我是李益智，我现在命令74师所有部队立即停止战斗……”

李益智的一个电话，使敌74师部队成连成营地向我军缴械投降。

“轰隆”一声，一枚炮弹在距东南军政长官公署厦门分署十几米远的地方炸响，站在沙盘前的汤恩伯被惊得浑身一颤。他从沙盘上看到，厦门的防御已被冲得七零八落，部队已经失控，正各自为政地向岛南部海滩溃退，厦门之战败局已定，他意识到自己该走了。

汤恩伯猛吸了一口烟，对副官喊道：“我们马上去海边，快告诉军舰放小艇到海边接我们。”说完夹上一只公文皮包冲出门去。

当汤恩伯一行来到海边时，正值退潮，一大片裸露的海滩使接应的小艇无法靠岸。艇上的人对着步话机叫道：“汤总，水太浅，我靠不上去！”听着身后不断传来的枪炮声，汤恩伯急得对着话筒大骂：“真他妈的不是时候，难道想让老子做俘虏不成？”

在10兵团指挥部，监听员从截收的电波中收听到了汤恩伯与海上的对话。叶飞闻讯立即抓起话筒命令前线部队：“汤恩伯被困在岛南面海滩，你们快速前插，争取活捉他！”

然而，此时打在兴头上的一线部队正在追击敌人的路上，步话机没有打开，指挥部的几次呼叫都没有要通。此间汤恩伯在海滩上已经逗留了一小时。潮水微微上涨，汤恩伯喜出望外。不等潮水涨满，他就让副官背着他深一脚浅一脚地到了水边，连滚带爬地上了接应的小艇。此刻，他长长地舒了一口气：“真是天不灭曹也。”

至17日上午9时，厦门登陆作战全部结束。厦门国民党守军除第166师残部逃往金门外，其余2. 7万人悉数被歼。中午时分，厦门市中心的大楼顶上升起了鲜艳的五星红旗。

厦门的解放，使从长江北岸一路征战打到东海边的10兵团指战员们沉浸在胜利的喜悦之中，兵团指挥部进驻厦门，兵团主要领导的注意力开始转向城市接管。这时，一种不易觉察的轻敌自满情绪在官兵当中悄悄滋长漫延开来。

客观地讲，攻取厦门并非“完胜”，作为第一次大规模渡海登陆作战，有许多东西是值得回味和总结的。比如同时发起登陆的4个师，只有从厦门北部攻击的第85师一举突破登陆，而攻击鼓浪屿的1个师登陆未能成功，攻击厦门西北部的1个师也一度受挫，从东北部攻击的1个师（突击团）部分错失航向，受阻于滩头。这些本应认真总结的经验教训，被部队上下庆祝胜利的欢乐气氛所湮没了，它没能引起各级指挥员的足够重视，而正是这种疏忽埋下了日后的隐患。

3 胡琏兵团主力由海上登陆金门

10 月 18 日，金门北太武山摩天峰国民党金门防卫司令部。

汤恩伯穿着一身笔挺的美制卡其布草绿色军服坐在指挥室的沙发上，从厦门刚刚撤到金门惊魂未定，手下人又送来了“叶飞兵团可能于近日对金门采取进攻”的情报。

想到从上海战役的落败，到厦门之战的落荒而逃，汤恩伯情不自禁地说了句：“从上海追到海边，真是‘冤’家路窄呀。”眼下将无斗志，兵无士气，如果叶飞兵团发起攻击，金门肯定又是厦门第二，与其坐等受罚，不如……汤恩伯此时正在心里盘算着。

当天蒋介石收到汤恩伯的急电：

金门彼岸共军近日集结繁密，大战不日即将爆发。以我部之兵力，恐金门难守，不如撤至澎湖，保存实力，以全力协防台湾。

蒋介石复电毫不含糊：

厦门已丢，金门不可再失，必须就地督战。金门必须岛屿要塞化、驻地战场化、战场堡垒化。

台北阳明山湖底路 148 号有一座砖木结构的灰色小楼，它并没有特别的豪华和显眼之处，只是屋前石砖砌造的哥德式拱门为它增添了一份神秘的尊贵氛围。这座别墅，位于青峰翠谷、林木茂盛的草山脚下，蒋介石来台后便住在这里。他喜欢这里的环境，是因为这里的景色与浙江奉化有些相似，但他不喜欢草山这个名字，因为一提草山，他就会有一种“落草为寇”的感觉，于是他将草山改名为阳明山。

此时，书房里的蒋介石正焦虑不安，广州告失，厦门失守，金门又面临着遭受进攻的巨大压力。而此时汤恩伯却三番五次地请辞易将，看来他并非是据守大陆沿海岛屿的最佳人选。这时，蒋介石想起了一个人，他就是时任国民党军第 12 兵团司令官的胡琏。

胡琏，黄埔军校第 4 期毕业生，此人从排长一步一个台阶地干到了兵团司令官。40 岁出头的胡琏有丰富的战场经验，在 1948 年 12 月的淮海战役中，第12兵团被解放军包围在安徽蒙城双堆集。为父奔丧请假在外的胡琏奉蒋介石之命，乘坐小飞机回到阵中，与黄维一同指挥部队向外突围。黄维和胡琏临走前都随身带了大量安眠药，约定“不成功，便成仁，效忠党国”。但最终黄维没有成仁，却成了解放军的俘虏，而背部10多处中弹的胡琏，却带着几个人乘一辆装甲车神话般地冲了出来，后来医生从他的背上取出了32块弹片。胡琏也因此得到了蒋介石的赏识，从第12兵团副司令官升任为司令官。

现在，蒋介石准备把守卫金门的宝压在胡琏身上。

广州失守后，蒋介石下令驻潮汕的第12兵团归东南军政长官公署指挥，并立即船运舟山。就在12兵团船队由海上北行的途中，10月17日，传来厦门失守的消息。23日，蒋介石收到胡琏从海上发来的电报，请示厦门失守后是不是让12兵团撤回台湾？

蒋介石立即发了两份回电，一份是任命胡琏为金门防卫部司令官，以12兵团司令官名义兼任福建省主席，取代汤恩伯；另一份电报是命令由汕头乘船去舟山的第12兵团第19军改航去金门接防。

有心也好，无意也罢，蒋介石的两份电令下得很走运。因为此时，彼岸的第10兵团第28军正准备发起攻金作战。

由副军长肖锋和政治部主任李曼村指挥的第28军在领受攻打金门的任务后，部队于9月29日进入石井、澜江、莲河地区，进行战前准备。由于原先筹到的船只已在攻取大、小嶝岛的战斗中损耗殆尽，因此，船只需要另筹。但是，船源匮乏使船只的筹集十分困难。到了原定发起进攻的10月20日，该军只筹到能装载一个营的船只，不得不将进攻时间推迟到23日。

22日，第10兵团已获悉蒋军第12兵团的一个师已抵达金门的情报，23日，截获了胡琏从海上发给台湾的那份请求撤回台湾的电报，但回电没有截到。叶飞分析胡琏兵团的行动有两种可能：一是增援金门，一是撤回台湾。他按照陆上作战的思路，认为如果抓紧时间，打敌一个立足未稳，力争在胡琏后续部队尚未到达之前一举攻下金门岛，这或许会争取到最后的战机。基于这种考虑，他命令第28军加紧筹船，同时命令第29、31军将所有船只调28军使用，并把攻金时间定在10月24日。

到了24日，28军仍然只凑齐了能装载3个团的船只。兵团认为，若第一梯队航渡3个团，待船只返回，第二梯队至少还能航渡两个团，这样基本可以保证战斗需要。于是，决定当晚发起攻金的决心不变。

毫无疑问，时间作为战斗取胜与失败的重要因素，无论怎么强调都不过分。但在某些情况下，其他因素也可能成为影响胜败的关键。此前三野副司令员粟裕就曾以敏锐的洞察力对金门作战做过如下指示：

1. 必须拥有运载不少于 6 个团的船只；

2. 须确定金门守敌没有得到大规模增援；

3. 必须等到由后方调去的千名水手到达。

三事具备，才能攻金。

然而，由于轻敌和急躁情绪的影响，这一指示没能得到很好地贯彻执行。

这真是历史的巧合，恰恰是在 10 月 24 日，胡琏的第 12 兵团主力第 18、19 军由海上抵达金门。

4 解放军向敌人纵深猛插

1949 年 10 月 24 日黄昏，厦门以东金门湾微风吹拂，波光粼粼，几只海鸥在夕阳照耀下的海面上盘旋。在这宁静的背后，一场大战在即。

夜幕降临，月亮在乌云之后时隐时现，海面刮起了三四级东北风，潮水开始上涨。从 21 时 30 分到 23 时，攻打金门第一梯队的第 244 团和第 246 团 3 营在团长邢永生、参谋长朱斐然、政治处主任孙树亮和第 246 团副团长刘汉斌率领下，分别从莲河和大嶝岛的阳塘装载起航；第 251 团在团长刘天祥、政委田志春、副团长马绍堂等率领下，从大嶝岛东蔡和双沪装载起渡；第 253 团由团长徐博、政委陈利华和参谋长王剑秋率领，于后村一带装载起锚。300 多条木帆船载着 9000 多名勇士向金门西北海岸驶去。夜海中一片死寂，只有海浪拍打船舷的“哗哗”声。

第 244 团团长邢永生是晚上 7 点登上指挥船的，此时他的心里并不轻松，出发前师里已经把胡琏兵团增援金门的消息传达到了团以上干部，根据多年的作战经验，邢永生预感到这将是一场非同寻常的战斗。他在最后一次给师长钟贤文打电话时说：“师长，再见吧，我们不知道还能不能再见面。”

按照第 28 军进攻金门的作战计划，第 244 团（并配属第 246 团 3 营）为左路突击队，预定在垄口至后沙间登陆，然后攻占后半山、双乳山，控制金门岛的腰部。

20 时前，第 244 团在大嶝岛海面完成战斗编队，航行序列为 1、3 营在前，团指挥所和直属分队居中，2 营和 246 团 3 营殿后，于午夜 24 时，接近金门水域。

25日凌晨1点半，驻防金门古宁头的国民党军第201师601团2营3连1排排长卞立乾从床上爬了起来，按照连里的布置该他午夜查哨。睡眼惺忪的卞立乾出了营房朝海边哨位走去，不知不觉走进了阵地前沿的雷区，"轰"的一声，他踩上了地雷。地雷的爆炸声惊动了第一线的国民党守军，本来就如同惊弓之鸟的国民党哨兵立即打开了探照灯。借着灯光，哨兵发现海面上10多条帆船正迎面急驶而来，他立即抓起电话大叫起来……

顷刻间岛上枪炮声响成一片，国民党守军发现了我军的企图，开始拦阻射击。一群群炮弹带着尖厉的呼啸向船队袭来，海水被激起一道道乳白色的水柱，一部分木船被击中，船队队形变得混乱。第244团指挥船也被炮弹击伤，但众多的船只依然冒着猛烈的炮火执著地向金门岛冲去。邢永生用步话机向军指挥所报告："现在我们离敌5公里，遭到敌炮火拦阻，请求火力支援!"

顿时，位于大嶝、小嶝及厦门沿岸的我方炮兵开始压制射击，金门岛的古宁头沿岸笼罩在一片硝烟之中。

大约凌晨2时许，第244团船队开始在后沙、垄口和观音亭山一线强行登陆。敌人用各种火器发疯般地阻击，许多船只在接近岸边时被击伤击沉。这时团特务连连长对着指挥船高喊："情况不妙，是不是回头?"

邢永生回道："只有前进，决不后退!"话音刚落，一发炮弹在船头炸响，一名参谋当场牺牲，团参谋长和警卫员等人负伤。邢永生带领大家跳进齐胸的水中冲向滩头。

此时，其他方向的登陆部队也开始靠岸。由于敌人的阻击，船队被打乱，各部队登陆后没有统一指挥，建制也很混乱，各部队在相互联系不畅又未巩固滩头阵地的情况下，按照"不等待，不犹豫，有几个人打几个人的仗"的作战思想，各自向纵深穿插。一场登陆与反登陆的战斗，在犬牙交错的态势中激烈展开。

尽管情况十分险恶，但登岛的指战员们打得非常勇猛。在彼岸军指挥所指挥作战的第28军副军长肖锋，从报话机中听到敌人求援的呼叫："共军攻势凶猛，赶快增援，赶快增援!"

敌人被逼退向二线阵地。

第244团团长邢永生上岸时，身边就剩下一个参谋和一个报务员了，他们上陆后进入了一个敌人后撤留下的地堡。一会儿，身负重伤的朱参谋长在警卫员搀扶下，也来到这里，建立了唯一的也是最后一个团指挥所。

第244团1营副教导员刘大士和机枪连连长赵其胜同乘一条船，在接近海岸的时候，刘大士腹部中弹牺牲，赵连长第一个跳下船，举着手枪高喊："同志们冲啊!"向滩头一个地堡冲去。滩头地堡里敌人的机枪不停地向海滩扫射，赵连长扑到地堡前，向枪眼里打了一梭子弹，机枪哑了，一个班的敌人举着手爬了出来。赵连长带领2排继续往前冲，在打下一个地堡后，和兄弟连队一起占领了湖尾乡高地。这时1营已俘虏了100多名敌人，正往海边押送。

1营营长耿守安想在拂晓前尽量恢复连队建制，派了两个通信员到海边联络1营的部队，两个通信员找了半天，一个1营的人也没有碰上，回来的路上遇到了营管理员张象颐带领的后勤人员。等他们跟着通信员来到营指挥所时发现，耿营长和马副营长都隐蔽在一个沟崖下指挥战斗，营指挥所连个掩体都没有。

在各登陆部队争相向敌纵深猛插的同时，犯了一个严重的错误——没有建立一个可以立足的登陆场，严重违背了先巩固滩头阵地，站稳脚跟后再向纵深发展的渡海登陆作战原则。

25日清晨6时20分，守在步话机旁的肖锋终于接到了前方传来的消息。

第251团刘天祥团长报告："我团于凌晨2时半在观音亭山以西海岸分散登陆，同敌第201师展开拼杀，俘虏甚多，无人看押，俘虏成了负担。因部队分散，团部控制兵力甚少，对友邻部队情况不了解。"

第253团徐博团长报告："我团于凌晨2时半在古宁头正北和五沙角之间3公里地段登陆，1、2营向纵深发展，已攻占林厝和埔头，打死打伤敌第201师官兵甚多。团部和3营控制了整个古宁头。"

而第244团的步话机被打坏，一直联系不上。虽然只接到两个团的报告，心一直悬在喉头的肖锋和其他同志还是稍稍松了口气，因为总的看第一梯队登陆是成功的。肖锋立即命令第251团抓紧收拢部队，向纵深发展；命令第253团按预定计划向金门县城方向突击前进。

但是，接下来的战情却转向了另一个结局。

5 登岛部队船只被炸成碎片

战斗打响时，由胡琏指挥的国民党第12兵团主力第18军大部、19军全部已乘船抵达金门料罗湾以东海面。汤恩伯急呼胡琏："共军开始登陆，请胡司令官指挥后续部队火速增援。"

25日凌晨，胡琏下令第18、19军火速在金门南部的料罗湾登陆。此时我登岛部队前锋已深入10公里左右。黎明时分，胡琏指挥第18军118师

(欠一个团)、第19军14师、18师52团和11师1个团的2万多重兵，在坦克和炮兵配合下，兵分3路开始实施全线反击。

在我登岛指战员与敌人拼杀的时候，谁也没有意识到，他们还犯了一个比没有建立登陆场更为致命的错误，这就是部队上陆后，没有及时组织船只返回。岛上烽火连天的时候，海水在不知不觉中退落下去，第一梯队的船只全部搁浅，成片的船只毫无遮掩地裸露于滩头！

正在金门防卫总部指挥作战的汤恩伯听到报告后禁不住喜出望外，他冷笑道："好啊，我要在共军背后狠狠扎上一刀！"

25日上午8时许，金门上空出现4架B-24重型轰炸机，同时由国民党海军第二舰队司令黎玉弥率领的南安舰和202舰封锁了古宁头以北海域。国民党军从空中、海上和岛上集中了最猛烈的炮火，对暴露在滩际的木船实施狂轰滥炸。那上百条维系着登岛部队近万名官兵生命的船只，在一阵阵硝烟和闪光中被炸成碎片……

这是致命的一击。没有了船，不仅断了登岛指战员们的退路，而且也使对岸等待上岛的第二梯队只能是"隔岸观火"。汤恩伯这招真是毒透了。

与此同时，胡琏第18军118师的354团，首先对我第244团1营坚守的观音亭山发起攻击。

1营战士们在营长耿守安的指挥下，顽强抵抗。他们在没有工事可依靠的情况下，利用敌人遗弃的工事、沟坎和土包等地形、地物，同3倍于己的敌人激战了近两小时，使敌人未能前进一步。

胡琏像赌红了眼的赌徒，又投入了8辆坦克参战，战况急转直下。由于指战员们上岛时没有携带重武器，而枪支对坦克又构不成多大威胁。这些坦克如同发疯的野牛径直冲进了1营的阵地，在用机枪和37炮猛烈射击的同时，疯狂地用履带在壕沟上反复碾轧。1营指战员们被迫跳出战壕与敌人短兵相接，进行肉搏，在一个多团的敌人的围攻下，战斗几乎变成了一场屠杀。

1个小时的角逐后，包括营长耿守安和临时代营长李道三在内的100多名指战员阵亡。大批敌人向营指挥所围了过来，马副营长提着手枪喊道："顺沟撤退！"

在突围中，马副营长右臂负伤，教导员郭福员自尽身亡，赵连长双腿负伤被折断，张管理员冲出包围圈，在一个小土丘下，碰到了团后勤处军需股胡股长，他右大腿被坦克上的37炮击中，血流不止，脸色苍白。张管理员赶紧撕下军装衣襟给他包扎。胡股长有气无力地说："老张，我不行了！"说完就闭上了眼睛。最后1营除几个人突围外，绝大部分官兵在激战中牺牲。

这时，在观音亭山和湖尾乡方向作战的第244团3营与敌一个加强团和一个坦克连的激战，也打到了弹尽粮绝的地步，最后除少数人因伤被俘外，绝大部分人员阵亡。

两个方向的枪声渐稀，团长邢永生在团指挥所里呆不住了。他带领保卫股长尹梅村和一名军医、两个警卫员，外出察看战情。刚走不远，就发现50多米处几辆敌坦克正吼叫着朝指挥所方向冲来。邢永生马上指挥大家避开，但已经来不及了，前面的两坦克撞了上来，从动作稍慢的同志身上碾过。

邢永生喊道："赶快往西突围!"这时从观音亭山和湖尾乡突围出来的一部分人员也都跟着邢永生向西突围，敌人的坦克和步兵在后面紧追不舍。担任掩护任务的侦通连副连长朱学友带着几个战士，打一阵，跑一阵，跑一阵，打一阵。

一颗炮弹在邢永生身边爆炸，他背部负伤，军医和警卫员立即把他拖进草丛中包扎，其余人员继续向西撤退，但在敌坦克追杀下伤亡很大。朱副连长和尹股长都先后负重伤，尹股长于25日夜牺牲。因重伤躺在地堡里的朱参谋长和乔参谋，在邢团长走后，曾数次试图与军、师指挥所取得联系，均未成功。严重的伤势使他们已经无法走动。大批敌人冲上来，地堡里的朱参谋长、乔参谋、一位随军记者和两名话务员被俘。

25日的战斗是最为激烈的，彼岸第二梯队的官兵们透过望远镜，目睹岛上敌军对登岛部队的反复围攻和狂轰滥炸，真可谓肝胆欲裂、五脏俱焚。然而，他们却因没有渡船而无法增援。当时留守的第244团政治处干事丛乐天回忆道：

> 25日白天，我们在大嶝岛隔岸观战，心中火烧火燎，从拂晓到中午，金门岛腰部后沙以西的垄口、观音亭山、湖尾乡一带枪炮声激烈，空中烟雾笼罩，这正是我团指战员在和敌人浴血奋战。下午2点左右，这一带枪声减少，激烈的枪炮声从金门西部安歧、林厝一带传来，显然敌人是采取集中兵力，对我登陆部队进行逐点围攻。26、27日两天的战况发展，完全证实了这一点。25、26日两天，后方从上到下，都在为船着急，但是从兵团到军、师，不仅手中无船，一时也找不到船，这样我们二梯队过海就完全没有可能了。到了27日下午，金门岛上枪声越来越稀疏。这时师副政委龙飞虎派骑兵班传令我们撤离大嶝岛。这本来是命令，可是当时谁也不执行。看着带领我们南征北战的团首长、生死与共的老战友，还有那么多可爱的战士都没有回来呀，我们怎么能走呢？……第二天，我站在阳塘后山上，遥望金门岛，好似一座灰色坟墓，那里血

与火的争斗，枪与炮的轰鸣都消失了，只有一缕缕青烟，在空中四处飘散。我们244团这些幸存者，像一群没娘的孩子，含着眼泪，一步一回头地离开了大嶝岛。

当第一梯队没有一条船返回的消息传到厦门第10兵团司令部时，叶飞心头猛地一沉，他知道此时唯一的办法就是尽快把第28军第二梯队的4个团送上岛。他命令兵团作战处处长："立即紧急集中各军所有可以利用的船只，供第二梯队使用，各单位必须无条件服从，否则决不姑息。"

然而现实却十分无情，此时各部队所能筹集到的船只少而又少。25日晚，第82师费尽周折找到了5条船，兵团和军首长决定由第246团团长孙云秀率领6个排约200人渡海增援。在敌我实力对比极其悬殊的情况下，增援意味着什么，每个人心里都很清楚。

孙云秀在接受任务回来的路上，遇到了时任第28军侦察科长的张宪章，孙云秀半开玩笑地说："我这次可是革命成功啦！"说着从口袋里掏出一支钢笔，又从手上摘下手表对张宪章说："我没有别的东西，这一支笔和一块表留给你作个纪念。我老家在洛阳，我如果回不来，告诉我老婆愿随部队就随部队，愿回家就回家。"

张宪章说："这东西我不能接受，作战离了表哪行？你好好去完成任务吧，相信你会回来的。"

当晚，孙云秀带着6个排登上了金门岛，同时，第85师259团派出增援的4个排约120人也在古宁头西北海滩登陆。他们上岛后与第一梯队的剩余人员会合。然而，在胡琏兵团的第18、19军全部上陆的情况下，这种增援只是杯水车薪，不可能扭转战局。

26日的战斗在岛上局部地区展开，我600多名指战员被国民党军重兵压缩在古宁头1.8平方公里的区域里，指战员们依据林厝、北山、南山3个村庄的房舍，与敌人展开最后的血战。

此时，汤恩伯已将岛上的作战指挥权交给了胡琏。胡琏调集了10多辆坦克和3个团的3000多兵力，对上述3个村庄发起了疯狂进攻。在敌人的多次凶猛的进攻下，上述3个据点相继失守。大批敌人一步一步把指战员们逼向古宁头海边。

下午3时，大批敌人在14辆坦克支援下攻占了古宁头村，继而向古宁头半岛西端五沙角附近冲来。在这个临海悬崖绝壁上的凹陷处，聚集着80多名登岛官兵，他们当中一半已经负伤。第253团作战参谋王裕生高喊："敌人冲上来啦！"

这里向后是绝壁，向前是大海，此时官兵们已无路可退。3营副营长刘德培忍着伤痛和机枪连朱连长把一挺打光了子弹的重机枪推入海中。当敌人逼近时，王参谋和10多名战士从30多米高的悬崖上跳入大海，他们用这种特殊的方式为自己的生命画上了悲壮的句号。

在马祖宫以北海岸，第253团的50多名指战员也顽强抗击到最后关头。他们弹尽粮绝，面对疯狂的敌人，他们集体扑进了大海。敌人残忍地用机枪疯狂扫射，刹时间，碧蓝的海水被鲜血染得通红通红。

25日晚增援上岛的第246团团长孙云秀和一营教导员侯振华所带的部队，一上岛就陷入敌人的重围，他们一直打到28日黎明，仍未能冲出敌人的包围圈。此时连身边的石头都打光了，敌人一步步逼了上来，全身10多处负伤的孙云秀已不能行走，他把大家召集在一起，吃力地说："你们现在只有拼死一搏了，能突就突出去，突不出去宁死也不当俘虏!"

说完他抓着一根树枝站立起来，战友们看到身患肺结核病的孙团长两眼通红，脸色紫黑，他手里紧握着手枪，腰带上别着一颗手榴弹，像一棵傲然挺立的青松。

敌人嗥叫着冲上来，30米、20米……孙云秀高喊道："'朋友'，来吧，我就是246团团长孙云秀!"敌人一听，一窝蜂地拥上来，"叭！叭！叭!"3声枪响，冲在前面的敌人两个扑倒在地。紧接着孙云秀举起手枪对准了自己的头部，"叭"的一声，一股殷红的鲜血从孙云秀的太阳穴里涌出，他用生命实践了"军人的最好归宿就是被战争中的最后一颗子弹所击中"的格言。

国民党军拥了上来，被围的指战员用报话机向彼岸作了最后的呼唤："首长、战友们，永别了，为我们报仇啊!"彼岸的炮兵马上向金门岛进行了为时60分钟的猛烈炮击，那"轰轰"的炮声似苍天在哭泣，似大海在呜咽。

至此，参加金门作战的9086名第10兵团指战员和船工，除少数被俘外，绝大部分壮烈牺牲。攻金作战宣告失利。

灭匪祭英灵

每当我们听到这悠扬的歌声时，就会想起抗日战争时期活跃在微山湖畔的铁道游击队。那时，铁道游击队出没于广阔的微山湖，狠狠打击日本侵略军，他们动人的故事家喻户晓。然而，就在共和国刚刚成立的时候，微山湖周围的土匪也看中了这块地方，他们纷纷隐入茫茫的湖中兴风作浪。这里介绍的就是新中国建立初期，发生在微山湖畔剿匪斗争的故事。

1 微山湖区公安局大显身手

西边的太阳就要落山了
微山湖上静悄悄……

每当我们听到这悠扬的歌声时，就会想起抗日战争时期活跃在微山湖畔的铁道游击队。那时，铁道游击队出没于广阔的微山湖，狠狠打击日本侵略军，他们动人的故事家喻户晓。然而，就在共和国刚刚成立的时候，微山湖周围的土匪也看中了这块地方，他们纷纷隐入茫茫的湖中兴风作浪。这里介绍的就是新中国建立初期，发生在微山湖畔剿匪斗争的故事。

微山湖地处苏、鲁两省8县之交会地带，由南阳、独山、昭阳、微山4湖组成，东南至西北长150余公里，湖区面积1209平方公里。这里野草丛生，芦苇荡一望无际，遮天蔽日，河汊纵横交错，极利于土匪出没。

微山湖中有两个比较大的岛屿，一个叫独山岛，位于湖的北部，岛上有300多户人家，1000多人口；另一个叫微山岛，位于湖的南部，岛上有大小12个村庄，当时有8000多人口。除独山、微山外，湖中还有南阳、黄山、铜山等数十个小岛。4湖周围有大小渡口七八十个，其中较大的码头有韩庄、夏镇、五段、南阳、鲁桥、新闸等10余个。岛上居民和来往商客便成为土匪洗劫的主要对象。

新中国成立初期，隐藏在微山湖内的土匪估计有100多股约3000余人，其中潜伏下来的国民党武装土匪装备精良，且大多同台湾的国民党有联系。随着蒋介石反攻大陆的叫嚣，这些土匪以为有了出头之日，猖狂活动，煽动惯匪与新生的人民政权作对，一些惯匪也成为他们指挥棒下的走卒。微山湖区一时杀机四伏，阴云密布，暗杀、绑票、抢劫接连不断，新生的人民政权受到威胁，湖区人民群众的生命财产失去保障。

土匪不除，民无宁日。1949年10月，微山湖湖区成立剿匪指挥部，鲁中南公安局长曹宇光和尼山军分区司令员阎超分别担任指挥和副指挥，胡维鲁、杜季伟分别担任正、副政治委员。人民解放军1个主力团和附近几个县大队浩浩荡荡开进湖区，一场清剿匪特的战斗拉开了序幕。

但事情并没有预想的那么顺利。剿匪部队一进湖，土匪就利用微山湖复杂的地形与剿匪部队捉起了迷藏。剿匪部队有时刚刚得到土匪正在某地活动的情报，可等他们一赶到，这伙亡命之徒早就没了踪影。剿匪部队整日疲于奔命，却没有消灭多少土匪。狡猾的土匪合则为匪，散则为民，夜里成匪，白天扮民，匪民混杂，很难分清孰匪孰民。

看来用大部队作战的方式来对付这帮家伙，就像用高射炮打蚊子，显然不行。1949年12月，上级撤销湖区剿匪指挥部，成立湖区公安局和中共湖区工委、湖区办事处。湖区公安局下设南阳、昭阳、湖西（五段）、微山岛4个分局，夏镇派出所和韩庄检查站直属湖区公安局。公安局负责剿匪，工委和办事处负责发动群众，协助公安局剿匪。

湖区公安局局长由尼山军分区保卫科长王树范担任。王树范有丰富的剿匪斗争经验。鲁中南区党委还抽调1个主力营共5个连700多人归湖区公安局指挥，其中1个连随湖区公安局机关行动，4个连分驻4个分局，各派出所一般有1个班兵力协同作战。

湖区公安局分段分片，设点安营，把土匪分割限制在几个区域之内，使其难以活动，处于孤立、被动挨打的地位。为加强船只管理，公安局让各派出所将船只编上号，钉上牌子，渔民白天到湖里捕鱼，晚上所有船只按指定地点停放。湖区公安局还主动同湖区周围各县公安局取得联系，统一清剿，防止土匪此剿彼窜。如果几个地区同时出现匪情，公安局就通知各分局统一行动，有一次一下子就抓住100多个土匪。

湖区公安局局长王树范身先士卒，亲自带着干警们进湖剿匪。一天夜晚，王树范与侦察科长刘德功带着几个化装成商人的解放军战士，携带1挺机枪和其他武器，乘船驶向昭阳湖。到了零点左右，有两三股土匪乘船靠了过来。土匪的船只一靠近，王局长下令开火，匪徒们见势不妙，撑船欲逃。王局长紧追不放，结果土匪当场被打伤1个，活捉3个。

在军事清剿的同时，公安局和湖区工委、湖区办事处还发动群众，争取群众的支持。当时湖区灾情严重，渔民生活较苦。湖区工委、湖区办事处从帮助群众解决生活困难入手，一手抓生产救灾，一手抓剿匪反特。渔民不敢下湖捕鱼，公安人员和解放军战士就身着便衣，同渔民一起下湖。群众见到处都有公安人员和解放军战士，土匪吓得东躲西藏，胆子也就大了，一发现线索就主动向公安人员报告。

为分化瓦解土匪，公安部门还大张旗鼓地开展政治攻势，宣传党的政策。有相当一部分人是迫于生计才沦为土匪的，对这些土匪以宽大为主，只要他们不抵抗，主动放下武器，就不杀他们。

有一个姓满的土匪，原是国民党鱼台县保安团长鉴尊先的警卫。解放前夕鉴尊先逃到台湾，仍贼心不死，梦想恢复他们失去的天堂。他通过大陆的特务让满某在南阳湖发展力量，配合蒋介石反攻大陆。满某认为快有出头之日了，便积极活动，在南阳湖拉拢了一个叫张青山的渔民。张青山是湖区公安局的情报人员，把情况报告给了南阳公安分局，分局立即将满某抓获。审讯中满某一直唉声叹气，晚上他就向看守他的班长套近乎，请求放了他。班长告诉他说，你如果交代了问题，我可以请求局长宽大你，你要是不交代，我可帮不上你的忙。满某一听就狠狠打自己的脸，把鉴尊先给他的信交了出来，还交代发展了哪些人，现存的枪支子弹在什么地方。南阳公安分局立即派 1 个班的解放军战士前往西姚，缴获了 12 支步枪、5 支短枪和 2000 发子弹。满某有悔过表现，公安部门决定对他宽大处理。一些罪恶较轻的土匪见共产党说话算数，也想方设法寻找出路，向公安局投案自首。这样一来，少数罪大恶极的匪首被孤立了。

1950 年 2 月下旬的一天，一艘双桅商船离开了夏镇，扬帆驶向湖西沛县。船上放着一摞摞货物，被油布遮掩着，从露出的部分看，好像是布匹。化装成老板模样的湖区公安局侦察科侦察员李自然、王德全端坐在前舱板上。李自然吸着水烟袋，同王德全闲聊，他们仿佛是在谈生意经，眼睛却不住地扫视着周围。湖区公安局长王树范、侦察科长刘德功、夏镇派出所所长张基建，带着几位解放军战士隐藏在后舱货物中。

王局长他们是来捉匪首刘景贤的。刘景贤带着一帮匪徒活动在昭阳湖上，经常在大白天抢劫商船。从济宁到江南的往返商船，过了南阳湖马耀武一关，还要过昭阳湖刘景贤这一关。湖区公安局捕捉了几次，刘景贤都像漏网的鱼逃掉了。明擒不成，只好智取。

2 月的微山湖，水面还结着冰凌，西北风仍很刺骨。那天天空阴沉沉、灰蒙蒙的，正是土匪活动的好时候。

“怎么还没动静？今天这小子恐怕不会来了吧！”王德全有点着急，小声嘀咕道。

“别急，是狗就要吃屎，是狼就要吃肉。等着瞧吧！有咱这一块肥肉，我就不信引不来刘景贤这小子！”李自然充满信心地说。

为了吸引刘景贤，王局长示意船老大放慢速度。

一只小船终于从一片残存的苇荡中闪出，船头上站着一高一矮两个人。只见他们正贼头贼脑地朝这边张望，手还不时地往腰里摸，显然身上带着家伙。

“干什么的？”那个瘦高个尖着嗓子吆喝道。

“做小买卖的。”李自然一边回答，一边示意船老大将船向旁边转向，显出一副想躲避的样子。

“他妈的，往哪里跑，给我站住！”小船迅速向商船追来。

商船仿佛很沉重，任船老大怎么用劲，船老是打转转，两条船很快缩短了距离。瘦高个终于没有忍住火，从腰里掏出盒子枪，凶狠地嚷道：“妈的，再跑，老子毙了你!”

李自然让船老大把船停下来。

瘦高个和矮胖子看到放在船头上的布匹，发出得意的狞笑。

“怪不得跑得这么急！有好货哩!”矮胖子一副贪婪相。

两条船一左一右地靠上了。

“矮脚虎，上船仔细瞧瞧。”瘦高个挥着二八盒子炮命令矮胖子。那个被称作矮脚虎的匪徒犹豫了一下，还是爬上大船。他这里瞅瞅，那里翻翻，没看出什么破绽。

“你们都给我蹲在船上，谁也不准动，不然的话，可别怪老子不客气。”瘦高个挥着枪威吓道。

“是，是，小弟敬听吩咐。”李自然双手抱拳，装出胆颤心惊、唯唯诺诺的样子。

“挑兀子!”矮脚虎闻命，将事先准备好的一件红褂子搭在篙梢上挑了起来。

又一条一丈来长的小船从那片残苇荡中驶出来，船头上站着一个身材高大、粗眉大眼的家伙。

“藕挺，什么船?”他冲着瘦高个问道。

“帮主，是商船。”那个叫藕挺的瘦高个答道。

躲在货舱里的王局长一阵暗喜，大概这个被叫作帮主的就是刘景贤了。

“是重货还是轻货?”那个帮主又问道。

原来重货是指那些不值钱的油盐酱醋粮食之类，轻货则是指布匹、衣服等。

“是轻货，帮主。”藕挺赶紧讨好地回答。

“让他们靠过来。”

“快，靠过来!”藕挺重复着帮主的命令。

为了不让刘景贤怀疑，商船不但没靠过来，反而扬帆转舵，给人一种要跑的错觉。当刘景贤的船离商船还有百来米的时候，几个匪徒一齐高喊：“站住，不然就开枪啦!”

商船本来就无意离去，抛锚停了下来。两个土匪跳上商船，声称要检查船牌户口。可当这两个家伙刚下到舱底时，埋伏在舱底的解放军战士就把枪口对准了他们的脊背。

“不许动，举起手来，动就打死你们!”两个家伙被这突来的阵势吓瘫了，乖乖地放下武器，举起双手。

刘景贤见势不妙，连忙命令掉转船头逃跑。

“哪里去，还不赶快投降!”李自然大褂一掀，拔出手枪，击伤了刘景贤的手臂。紧接着，王局长带着解放军战士持枪跳出舱外，10余支枪口一齐对准了那几个匪徒。众匪见主子受伤，立即跪在船头缴械投降。

湖西有个叫蔡现起的土匪头子，兵痞出身，九段人。1949年他拉起土匪武装，手下有匪徒20多人。这家伙心狠手毒，专干杀人抢劫的勾当，被抢的湖上渔民无数，群众对他恨之入骨。这家伙十分狡猾，行动飘忽不定，湖区公安局五段派出所早就想干掉他，但几次行动都没有得手。

不入虎穴，焉得虎子。五段派出所所长江岱岭决定派人打入其内部，抓住机会聚而歼之。

派谁去呢?江所长思索良久。这个人既要信得过，又要与土匪有些瓜葛。忽然，一个熟悉的面孔在他脑子里一闪，这个人就是张家祥。

张家祥是五段北高庄人，贫苦农民出身，前些年迫于生计有过偷摸不轨行为，后来主动洗手不干了。1948年10月，江所长在铜北工作时，张家祥曾带着江所长把土匪藏起来的枪找回来。1949年，张家祥通过走村串户，悄悄了解到刘家村一个原国民党军的营长温启运家里匿有枪支，即向人民政府报告。政府派武装人员将温启运拘审，果然在他家中找出长短枪6支，子弹100多发。事实证明，张家祥比较可靠，而他目前的身份又没有暴露，派他打入土匪内部，成功的可能性较大。

张家祥被请到派出所。他以为江所长又叫他执行新任务，非常高兴。可当江所长谈到让他打入土匪内部时，他态度非常坚决：

“我死也不再回到土匪窝里去!”

“别急嘛，话还没说完就把你急成这个样子。派你打进去，又不是叫你真当土匪。这可是一项特殊任务，派别人去还不一定能胜任呢!”江所长笑眯眯地说。

张家祥这才转怒为喜，嘴里嘟囔着：“这样我才去!”

张家祥原来就与蔡现起打过交道，他俩还有点远亲关系。但蔡现起对张家祥并不完全信任，表面上装出很器重张家祥的样子，暗地里却派人监视他。蔡现起还连连制造假象，进一步试探张家祥。老奸巨猾的蔡现起有自己的打算，他想如果张家祥果真是共产党派来的，既可以利用他提供假情报，又可以通过共产党的手除掉他，真是一箭双雕。

1950年初夏的一天，张家祥亲自来到派出所向江所长报告说，蔡现起勾结其他几股土匪，约好今夜进行一次联合行动，集结地点在戚阁庙，但接头方式还不清楚。这一情报是张家祥将蔡现起的贴身保镖用酒灌醉后才得到的。

去还是不去？江所长一边踱着步子，一边猛抽烟，他的脸被笼罩在自己吐出的烟雾里。突然，他停下步子，猛地将手中的烟掐灭，拿定了去的主意。

当夜，江所长带领战士们悄悄向戚阁庙进发。大家都身着便衣，看上去与土匪差不多，张家祥也在队伍中间。战士们穿过一片片麦地，当行至离戚阁庙只有二三里路的时候，忽听到前面麦地里传来“哗哗啦啦”的响声，江所长立即命令战士们悄悄围拢过去。走近一看，只见有一群人，人群中有人朝这边拍手。一个战士回拍了几下，两支队伍渐渐靠拢了。

张家祥悄悄告诉江所长，这是一伙土匪，为首的就是那个胖子，名叫阚福兰。这伙土匪显然是到戚阁庙集合的，他们误把解放军战士当成了自己人。

这伙土匪个个将枪挂在胸前，一点没有戒备。江所长决定将计就计，摆出比土匪更有派头的样子盘问他们。

等问明了情况，江所长突然下令：“给我捆起来！”战士们一拥而上，17个土匪统统被捆了起来。

经审问土匪，他们集合的时间、地点与张家祥说的一点不差，接头方式是拍手、撒土。江所长估计蔡现起此时正在戚阁庙内，大家合计了一下，认为如果在庙里抓捕，回旋的余地较小，土匪一旦抵抗，很难避免伤亡，不如将土匪诱到庙外聚而歼之。

再说戚阁庙内的蔡现起正急得像热锅上的蚂蚁。他歪着脑袋，来来回回转圈子，两眼在黑暗中泛着狼一样的蓝光。环立四周的匪徒们见主子那副模样，吓得连大气都不敢喘。

突然，一瘦个子气喘吁吁地奔进庙内。

“报告大……大队长，庙外麦地里有人！”

“哗啦啦”一阵拉枪栓的声音。

“他妈的，慌什么！”蔡现起朝那些慌里慌张的喽啰们恼怒地骂了一句。

他回过头来问瘦个子：

“一共多少人？”

“20来个。”

“去，用暗号联络，叫他们老大过来！”

瘦个子跑出庙，朝麦地里拍了几下，麦地里撒过来几把土。瘦个子压低嗓子喊道：“大队长说了，叫你们来个掌舵的。”

江所长把张家祥叫到身旁，朝他耳语了一番，张家祥就随瘦个子走去。

“报告，张家祥来见！”瘦个子向蔡现起报告。

“张家祥？”蔡现起一听这名字，不由吃了一惊。今天下午他还亲自告诉张家祥，说夜晚要到湖东的某个村转转，派张家祥去监视派出所的动静。实际上，蔡现起是想让张家祥给派出所报个信，好来个声东击西，没想到张家祥竟在这里出现。

“带进来！”蔡现起一声低喝，张家祥被带进庙内。群匪立即围了上来，每人手里都擎着一把匕首。

“大队长，你这是干什么？”张家祥一看这阵势，心里有些发怵，但也只好强作镇静。

“干什么？你小子想跟咱爷们耍花招，拉出去砍了！”

两个彪形凶汉架着张家祥就往外拖。张家祥心里一沉，心想这下完了。但又一想不能就这样去死，得刺刺他。

“你他妈的真瞎了眼，不识好歹！杀吧，杀了我你也死到临头了。”张家祥骂道。

“拉回来！”这一骂还真行。其实蔡现起也不是真要杀张家祥，只是想吓唬吓唬他，估计张家祥今夜肯定有来头。

“说，麦地里那伙人是谁？”

“是阚福兰的人。”

“他为什么不来？”

“是你叫来一个，我有要事报告。”

“你怎么知道我在这里？”

“是派出所里的人告诉我的。”

张家祥这么一说，蔡现起更是丈二和尚摸不着头脑了。张家祥趁机把事先编好的词儿一五一十地讲给蔡现起听。说他如何奉命监视派出所的动静，如何被共产党的公安人员抓住，又如何偷听了派出所要包围戚阁庙的谈话，自己如何拼着性命砸破窗子逃了出来。末了，他悄悄告诉蔡现起，咱内部有人走漏了风声，共军眼看就要过来，咱得赶快离开戚阁庙。

蔡现起听了，将信将疑。他“嗖”地抽出盒子枪，顶住张家祥的脑袋，三角眼一瞪：“你想糊弄我，我现在就让你在这庙里成神！”

这家伙真难对付。张家祥干脆一不做二不休，给他来个真格的。“姓蔡的，你把好心当作驴肝肺！当断不断，还当什么大队长！弟兄们跟你算栽了。”他转向呆立一旁的匪徒们：“弟兄们，别陪着姓蔡的在这里等死，快撤吧！”

这时，刚好从北面传来一阵枪声。

“大队长，快撤吧！”众匪齐声嚷嚷。

蔡现起横扫了喽啰们一眼，这才将枪收回。

“嘿嘿，老表不必介意，愚兄只不过是给你闹着玩玩。行，够哥们儿！”

蔡现起干笑了两声，使劲拍了一下张家祥的肩膀。

“弟兄们，撤!”蔡现起命令道。

解放军战士隐蔽在庙外的麦地里，将枪口对准了他们。

“打!”一阵激烈的枪声骤然响起，土匪堆里一下子炸了群。一帮匪徒拼命向另一片麦地逃去，但那里也有解放军战士，他们被压缩在庙前的一片开阔地里。

蔡现起一边胡乱打枪，一边搜寻张家祥，但哪里还有张家祥的影子？他连呼上当。但蔡现起毕竟是个十分狡猾的惯匪，见大势已去，便来个三十六计走为上策，乘混乱之机逃之夭夭，其余的 17 名土匪全部被活捉。

派出所根据土匪交代的线索，将漏网的其他几股土匪挨个抓了起来。蔡现起也于 1951 年被抓捕归案，公审枪决。

微山湖西畔有一个距五段 4 华里的燕墩村，村里有一个臭名昭著的土匪头子孙尊胜。孙尊胜外号“孙秃子”，兵痞出身，曾当过国民党军的排长，淮海战役中开小差回家，纠集 20 余人，拉起土匪武装，自称为队长，惯匪刘景田为副队长。他们冒充解放军，从当地财主豪绅手中缴了不少枪支，四处抢劫杀人。

这帮亡命之徒狡猾诡秘，出没无常，五段派出所多次追剿都扑了空。

江岱岭所长苦思冥想，想来想去，觉得还是请张家祥打入孙秃子内部，然后待时机成熟，再把他们一网打尽。张家祥过去曾和孙秃子有过一段交往。

这天，江所长又把张家祥请到了派出所。

“再给你个特殊任务，你看行不？”江所长拍了拍张家祥的肩膀，笑吟吟地说。

“只要我能完成的，您就说吧!”张家祥回答。

“想让你打入孙秃子内部，里应外合，把他们一网打尽。”

“孙秃子这家伙非常狡诈，很难对付。”

“试试看吧，望你再立一功。”

张家祥皱着眉头，沉思一阵说：“很没把握，那就试试看吧。”

两人密商一阵，张家祥走了。

张家祥设法通过孙尊胜手下的一股匪徒同孙尊胜接上了头。一天夜里，两个匪徒将张家祥的眼睛蒙上，架着他转了好大一阵，才在一个不知名的地方同孙秃子见了面。

“找我有何贵干？”孙秃子声色俱厉地问道。

“我家揭不开锅了，想请你帮个忙。”

“我能帮你什么忙?”

“我想在你手下当个差混碗饭吃。”

孙秃子对张家祥很不相信，他早就听说过张家祥给五段派出所办过事。他平时想找都找不到他，这回不如乘机将他活埋。但他老鼠眼一转，觉得与其将他活埋，不如借共产党之手将他干掉。他假装热情地对张家祥说：“好吧，你就先干着吧。”

没过几天，孙秃子就想出了一条毒计。他告诉张家祥，今天晚上他们要去抢劫，要张家祥在权场西面 300 米处的十字路口等候。张家祥不知是计，回来向江所长作了汇报。

那天是 1950 年 5 月 2 日。当夜江所长派解放军战士埋伏在权场西头。可等了一夜，连个土匪的影子都没有。第二天、第三天孙秃子均说当夜行动，仍让张家祥在那个十字路口等候，但都没见孙秃子的踪影。到了第 4 天，孙秃子推说暂时取消这次行动，以后再说。

就在这天夜里，孙秃子带着一帮匪徒突然窜到权场，翻墙进入权家大院。权家只有权老大和他 17 岁的女儿，那天恰巧权老大因事到亲戚家帮忙，当晚没有回家，家里只有女儿一人。匪徒们越墙进屋后，威逼女孩说出钱藏在什么地方。女孩不说，他们就将女孩的衣服扒光，并朝身上捅了几刀，将值钱的东西抢光后逃窜。

第二天一早，江所长带人赶赴现场，只见屋子里一片狼藉，女孩赤裸裸地倒在血泊中，其状惨不忍睹。大家看到此情此景，气得脸色铁青，决心早日收拾这帮家伙。案件发生后，五段分局的领导对张家祥产生了怀疑，决定将张家祥看管起来。但江所长却认为这是孙秃子设下的借刀杀人之计，江所长让张家祥办了许多事，从来没有出过差错。

再说孙尊胜毒计得逞后，更加猖狂。他狡兔三窟，指东打西，江所长几次追剿都扑了空。

江所长考虑再三，决定既然成股难剿，倒不如各个击破。

五段派出所深入群众，找到村干部和群众积极分子，了解这伙土匪的活动规律。他们还几次围剿孙秃子的家，均没有收获。孙成了惊弓之鸟，匿藏得更深了。

斩头不行，不如先剁其后尾。江所长得知“副队长”刘景田有个漂亮的老婆，他经常夜里回家跟老婆睡觉，欢快之后即溜之大吉，于是决定先拿刘景田开刀。

江所长亲自出马，带着班长王金祥和战士左公毅、王超勇，连续 3 夜都在刘景田的院外监视。

到了第四天的子夜，他们发现一个人在院外鬼鬼祟祟地窥探了一番，然后越墙跳入院中，紧接着就听到轻轻的敲门声和开门声。

大约过了半小时，江所长估计刘景田已经脱衣睡去，就带着另外3人悄悄越墙进入院中。只见屋内没有灯火，江所长向大家耳语了几句，大家一齐用力将门推倒。

说时迟那时快，一束强烈的手电筒光柱突然照到刘景田的床上，刘景田还没有来得及反扑，就被赤身拉到床下。刘景田的老婆早就吓得浑身筛糠，像母猪一样瘫倒在床上。

刘景田在“坦白从宽、抗拒从严”的政策感召下，供出了同伙的名单和他们的活动规律。根据刘景田提供的线索，江所长他们先后捕获了8名匪徒。

孙秃子等人闻讯逃往外地，但不久均被铜北县公安局抓捕归案，这伙武装土匪至此全部覆灭。1951年，孙秃子等罪大恶极的匪徒被人民政府依法枪决。

2 匪总司令被擒大别山

大别山，地处安徽、湖北和河南三省边境，它南临长江，北倚淮河，物产丰富，地势险要，历来是兵家必争之地，也历来是土匪的滋生地。

1949年初，人民解放军取得淮海战役胜利后，锋芒直指大别山。一败涂地的国民党军队在向长江以南逃窜时，有计划地留下了大批武装匪特。这些匪特在大别山区设立反动政权，扩充武装，征粮收款，散布谣言，积蓄力量，继续与我作垂死争斗。

匪焰愈燃愈烈，尤以金寨县更为严重。当地七邻湾有个叫袁成英的大恶霸，以国民党皖北保安副司令的身份，大肆发展反动武装，很快纠集起4个自卫团、3个独立营，共有武装土匪约5000人。1949年3月下旬，袁成英派人前往武汉，将其在立煌（即金寨，下同）地区发展土匪武装的情况向国民党“华中军政长官公署”长官白崇禧报告，要求封官晋级，发给枪支弹药。

白崇禧诡计多端，素有“小诸葛”之称。他深知大别山战略地位重要，早有在那里发展土匪武装的计划，此时见了袁匪的报告，正中下怀，便当即委派袁成英为“立煌挺进支队”司令，沈佐伯、黄英为副司令，批拨步枪子弹10万发、电台1部，并在武汉设立“立煌挺进支队”驻武汉联络处，负责武汉与立煌之间的联络。

4月下旬，人民解放军通过大别山区南渡长江，一部直逼武汉城下，白崇禧仓皇部署撤退。

临逃之前，白崇禧咬牙切齿地说："共产党别太得意，我已在大别山布下20万游击大军，定叫共军顾此失彼，无法收拾！究竟鹿死谁手还很难说呢！"

白崇禧说这话是在虚张声势，其实，当时的大别山虽有大批武装匪特，却也没有"20万游击大军"。不过，白崇禧倒选定了一个"播火人"，他就是所属第92师中将师长汪宪。

汪宪是河南省固始县人，1927年参加国民党军，曾任过排长、连长、营长、团长、第五战区上校支队长、西北骑校少将班主任、河南第5专区专员。1948年被我军俘虏，两个月后宽大释放。汪宪本该从此放下屠刀，但他仍坚持与人民为敌，又当上了国民党军第92师师长兼第9专区专员。

白崇禧把汪宪找来面授机宜，命他潜往皖西金寨，在当地匪首袁成英的配合下"主持全局"。白崇禧还为汪宪安排了两个助手：一个叫樊迅，一个叫马君慈，都是少将军官。

为了让汪宪等人死心塌地为其卖命，白崇禧提笔写了一纸委任状：成立"华中军政长官公署鄂豫皖边区人民自卫军总司令部"，任命汪宪为中将总司令，樊迅为少将第一副总司令兼参谋长，袁成英为第二副总司令，马君慈为少将参谋处长；同时成立"鄂豫皖行政公署"，由汪宪兼主任，统一领导鄂豫皖3省土匪和特务武装。

为安抚地头蛇袁成英，除委任为第二副总司令外，并让其继续担任立煌县"县长"、"立煌挺进支队"司令。

5月底，汪宪、樊迅、马君慈等人携带6部电台潜至金寨县，在七邻湾的白水河设立大本营，挂起"华中军政长官公署豫鄂皖边区人民自卫军总司令部"和"鄂豫皖行政公署"的牌子。

汪宪等匪首到任后，与袁成英狼狈为奸，四处搜罗地痞流氓、地主恶霸和国民党散兵游勇，扩充反动武装，并对匪特武装重新进行整编，共编成14个支队和8个独立团，号称"10万铁军"，到了白崇禧那里则成了"20万游击大军"。而实际上，这股武装土匪约为1万余人。

此时，蒋介石正坐镇重庆，指挥蒋军"保卫西南"，白崇禧则从武汉退至衡阳。为了使大别山股匪能有力策应西南和中南战场的国民党军，蒋、白两方面加紧给汪宪输送作战物资，先后5次派飞机到金寨实施空投，其中有电台2部、电话机10部、子弹30万发，60炮炮弹3000发，以及大批药品等。

在蒋介石、白崇禧等的全力扶持下，以汪宪为首的土匪势力迅速扩展，在以金寨为中心的东西长300多公里、南北宽200多公里的鄂豫皖边界地区，到处都有汪宪股匪的魔影。

身兼两大“要职”的匪首汪宪，成了大别山区主宰一切的“太上皇”。为了干出点名堂，他张口就是“杀”：给解放军带路者杀，向解放军报告情况者杀……吴家店红军家属廖荣清曾为我军送过一次信，汪宪得知后大怒，当即下令将其一家4口全部杀害。

汪宪还狂妄地叫嚣，要以金寨为据点，利用大别山的有利地形条件，建立一个以大别山为依托的“敌后游击根据地”，开辟策应国民党军卷土重来的“第二线战场”。

于是乎，各路土匪更加肆无忌惮地欺压残害百姓——

匪“立煌挺进支队第4自卫团”团长潘树师，在麻埠区对有北方口音的人逐个进行审查，凡怀疑是“共军探子”的就当即杀害。其中来自河北的一个马戏团，有8名演员被当作“共军探子”，惨遭活埋。

匪“淮河挺进支队”司令岳岐山，在霍邱等地对过往客商进行搜查勒索，凡在当地找不到保人的，一律扣压下来，罚款后才放行；凡认为是“私通共军”者，轻者毒打，重者杀死；在5月下旬，岳岐山一次即活埋从湖北来的土布商贩26人。

匪“保安第6团”团长台玉祥，专门在豫、皖边区交通要道的开顺、徐冲、叶集一带搜查来往行人，抢劫钱财。一次，他们在临近开顺的史河上拦截竹排14对，除了将所载食盐、布匹等物资洗劫一空外，还将3名押运客商和6名竹排工人全部杀害。

匪“第6支队”司令张天合，在双河、全军一带强迫百姓实行“五家连环保”和“两不一勤”的签名制度。所谓“五家连环保”，就是一家通共，五家连坐；所谓“两不一勤”，就是不通共，不窝共，勤报告共军情况。妄图以此隔绝人民群众与解放军的联系。张天合带领匪徒对几个赶集的农民进行搜查，因其中一位农民烟袋上系有一枚苏维埃时期的铜币，便一口咬定他是“共军的探子”，不由分说抓到皂靴河，召开民众会进行“公审”，当场将其枪杀。张天合还威胁群众说：“蒋总统马上就要打回来了，美国也要出兵援助，共军在这里是站不住脚的，谁要私通共军，全家俱斩!”

大别山，在汩汩地流血；大别山，在痛苦地呻吟。

为了迅速扑灭大别山区的匪患，彻底肃清残余反动势力，维护社会稳定，保卫新生的人民政权，中央军委决定，华中、华东两大军区密切协同，由华中军区牵头，从第三、第四野战军和湖北、河南、皖北3个军区中抽调足够兵力，对大别山地区的股匪进行联合会剿。

这次剿匪作战规模大，情况相当复杂。1949年7、8月间，华中、华东两大军区首长经过协商，决定成立鄂豫皖边区剿匪工作委员会及其领导下的鄂豫皖边区剿匪指挥部，同时设立东线（皖西）、北线（豫南）、南线（鄂东）3个剿匪指挥部，分别指挥所属剿匪部队。东线剿匪部队，由第三野战军第24军第71师及皖北军区部队组成。

8月25日，鄂豫皖东线剿匪指挥部（又称皖北前线剿匪指挥部）在金寨县麻埠镇成立，梁从学任司令员，何柱成任政治委员，梁金华任第一副司令员，曾庆梅任第二副司令员兼参谋长，马庭芳任副政治委员，崔文斌为政治部主任。他们都是能征善战的得力指挥员。

担任东线剿匪作战主力的第24军第71师，是一支战功卓著的部队，当时正在徐州地区执行任务。接到开赴皖西山区剿匪的命令后，师长梁金华、政委崔文斌等，立即组织全师营以上干部学习有关剿匪斗争的方针政策，同时率领部队迅速向大别山区开进。

9月2日，东、南、北线剿匪部队全部进至指定位置，待命发起进剿战斗。根据预定部署，我进剿部队呈一、二、三线摆开了纵深配备阵势：

第一线为进剿、会剿部队，分进合击股匪的中心点或几点，打乱其部署，捣毁其巢穴，破坏其指挥系统；

第二线为驻剿、堵截部队，控制重要城镇及交通要道，对遭到第一线部队打击的土匪实施阻击、伏击、堵截，或驻剿；

第三线为封锁部队，以各县、区、乡武装为主，在敌我交界处组织联防，普设岗哨，盘查来往的可疑人员，封锁土匪，打击流窜匪特。

9月5日，各线剿匪部队在鄂豫皖边区剿匪指挥部的统一指挥下，齐头并进，合力向大别山股匪盘踞的中心区金寨地区进剿。

面对我强大的进剿部队，狡猾的股匪玩起了“捉迷藏”的把戏，极力避免与我军正面抵抗，采取化整为零的战术，白天分散隐蔽，夜晚聚集出扰，有时则逃入深山密林，一日数迁，出没无常。

5日下午，第213团1营攻击金寨县城东北的杨家滩。而此时土匪早已分散隐藏了。当天夜里，匪特却以一部分兵力袭击我1营驻地；当1连进入阵地组织反击时，匪特又已逃之夭夭。

第二天早晨，1营发现西南山上有土匪活动，当即组织两个连，配属重机枪和60炮，分两路搜索前进，土匪闻讯急忙翻山逃跑，3连尾追不放。但土匪凭着熟悉的地形，转眼就没了踪影。

9月7日，我多路部队向股匪主要巢穴金寨镇发起攻击，土匪也已预先分散隐蔽起来，部队进城后，只俘获匪徒80余人、步枪数10支、机枪1挺。

“汪宪这家伙想跟咱们玩‘游击战’，那还不是鲁班门前耍斧头，关公面前舞大刀!”

“连人称小诸葛的白崇禧都是我们的手下败将，何况这帮乌合之众!”

“既然汪宪挑了战，咱们就陪他好好玩一玩‘游击战’，打他个落花流水!”

剿匪指挥部里，指挥员们你一言我一语地议论着。

于是，我进剿部队针对股匪的活动特点，及时改变了战术：以大山为重点，实行追剿、清剿、驻剿相结合的方针，内线控制要点，外线建立严密的封锁线；各部队以连、排为单位，以分散对分散，以游击对游击，白天搜山，夜间巡逻，时而合击，时而追剿，时而梳篦式地进剿，时而穿插搜剿。

担任第一线剿匪的部队，还以加强班为单位，化装成便衣，插入土匪经常活动的地区进行搜剿，各班保持一定距离，即使土匪不易发现，一旦打响后又便于互相支援。

这样一来，局面顿时改观，分散隐藏之匪在我“游击高手”面前连连碰壁，难以招架。

一天中午，第 213 团 1 营 3 连 1 个加强便衣班在杨家滩西南傅堂子、后庙冲一带搜剿，土匪误认为是自己人，直至战士们的枪口对准了他们，并听到“缴枪不杀”的断喝时才发觉不妙，顿时吓得魂飞魄散，想逃已来不及了，只好乖乖地举起双手。这一仗，共俘虏土匪 9 人，缴长枪 8 支，手枪 1 支，首创化装分散剿匪歼敌的范例。

接着，各路进剿部队不断获胜，捷报频传：

北线，进剿部队先后占领双河、皂靴河、金刚台和银沙畈等地，歼匪“第 1 支队”等部 450 余人；

南线，进剿部队在南庄畈地区歼匪 100 余人；

东线，进剿部队在东西莲花山一带活捉“立煌挺进支队”独立第 3 营营长汪德芝以下 30 余人，在燕子河以西吊桥崖歼匪“第 2 自卫团”1 个连……

汪宪股匪在我沉重打击之下土崩瓦解，匪特们胆颤心惊，惶惶不可终日。

我进剿部队抓住匪特士气低落的心理，对土匪积极开展分化瓦解工作，促其向我投诚。许多遭受过严重打击的股匪或残余匪特恐慌动摇，不断来降。匪霍邱县“县长”管笃绅为立功赎罪，主动要求帮助部队到叶家集、顾店一带招降他的旧部，3 天时间争取了匪副营长汪亚东以下数十人携械投诚。在金寨县流波疃区，几天内有 100 多名匪特陆续向我军投降，其中有“立煌挺进支队”第 4 团团副、“第 10 支队”军需主任等 17 人。

到 9 月 20 日，仅在东线剿匪的三野部队就歼匪 879 人，俘匪保安第 6 团团长台玉祥、副团长台玉龙以下 340 人。

在此期间，进剿部队还占领了国民党军在金寨镇附近的宋家寨飞机场，切断了匪特的空中联系，使匪特孤立无援。

进剿部队的沉重打击，使逞凶一时的匪首汪宪等人陷入打又打不过，逃也逃不脱的两难境地。他们剩下的唯一指望，是上司白崇禧许下的“反攻武汉”的诺言能及早兑现。汪宪在给白崇禧的电报中惊呼：共军的攻势十分凶猛，弟兄们处境艰难，士气消沉……

其实，白崇禧的境况比汪宪也好不了多少。自从5月间从武汉撤逃后，白崇禧使出浑身解数，企图避免失败的命运。但是，中央军委毛泽东主席运筹帷幄，亲自确定了歼灭白崇禧集团的作战方针，促使白崇禧一步步陷入绝境。9月13日，人民解放军第四野战军的部队发起衡宝战役，将白崇禧打得损兵折将，节节败退。此时的白崇禧，已从湖南衡阳逃往广西桂林，他是泥菩萨过江——自身难保，哪里还能够兑现“反攻武汉”的诺言！

1949年9月下旬，第24军第71师213团1营，在金寨白水河摧毁匪大别山最高指挥机关“鄂豫皖人民自卫军总司令部”，总司令汪宪、副总司令樊迅、袁成英等匪首四下逃窜，如鸟兽散。

我各进剿部队乘胜追击，决心将潜逃之匪首一网打尽，以实际行动向即将成立的新中国献礼。

第213团1营进入金寨县城以南帽顶山一带山区搜剿，连续几天没有发现匪首，因而决定分散驻剿。

一天晚上，1营1连在搜山时捉住两个散匪，经审问他们分别是汪宪总部的报务员和译电员。

有报务员就有电台，而电台离匪首不会太远。但再一问，那两人是被打散的，他们不了解汪宪等匪首的下落，只知道电台给一个叫段长胜的匪参谋带回家隐藏起来了。

匪参谋段长胜的家住在何处？谁也说清不清楚。

线索，至此中断了。但剿匪部队毫不松懈，撒开大网抓紧搜剿。

这天下午，3连帮助群众秋收，劳动时谈起段长胜，一位老大爷说，离这里不远倒有个姓段的人家，他家儿子好像在外头当土匪，不知是不是你们要找的段长胜？

经过打听，段长胜的家果然就住在附近山里，翻几个山头就是。

第二天上午，通信员带来一个十几岁的放牛娃，报告说：“昨天晚上，这孩子亲眼看见段长胜的爹往山上送饭。”

“往山上送饭？这饭很可能是给段长胜送的。”

连队当即决定，派排长周小贵带1个班前往段家找段长胜。

周小贵带着4班战士刚进段家的大门，迎面碰见一个老头，个头不高，

肥头大耳。

"周排长，他就是段长胜的爹。"放牛娃躲在周小贵的身后悄悄说道。

周小贵问那老头："你儿子段长胜呢?"

"他……他在……家。"段老头迟疑半晌，才吞吞吐吐地回答，随后从屋角里拉出一个人来，说道："就是他。"

只见那人中等身材，长方脸，浓眉大眼，这跟侦察组了解到的段长胜的模样倒有点像。周小贵问："你就是段长胜吗?"

那人并不回答，口中发出"啊巴，啊巴"的声音，两手拼命地摇晃着。

"哑巴?"，周小贵不由得一愣，哑巴还能当参谋?

段老头急忙解释道："汪宪就因为他是个哑巴，不会吐露半点消息，所以才封他当个参谋。"

周小贵又仔细看了看那人：皮肤粗糙，一身破烂，闪着惊疑茫然的目光，不大像是汪匪总部的参谋。

"长官，他确实是我儿子段长胜。不信，我用颈上人头担保。"段老头见状赶紧发起誓来。

周小贵虽有怀疑，但又怕放错了人，便决定先将其带回连队审查。当他们走到村口时，一个村民见了急忙说："这哑巴在段家当了一辈子长工，怪可怜的，怎么把他给抓起来了?"

"什么？这个人真的不是段长胜?"周小贵一跺脚，飞快地折回段家。只见段老头正在收拾东西，准备逃走呢!

"好哇，你这个窝藏土匪的坏老头，竟然欺骗我们！还想逃跑!"周小贵气得大声吼道。

段老头见计谋败露，顿时慌了手脚，哭着鼻子说："长官，饶了我吧，我一时糊涂才做了这蠢事。"说完，又用手捶打自己的脑袋，"该死，该死"的叫个不停。

"不要再耍花招了，快把你儿子段长胜交出来!"

"长官，实不相瞒，他前几天回来过一次，可是拿了点东西就匆匆走了，如今不知去了哪里，我也在急着找他呢。"段老头表现出一副无可奈何的样子。显然，在思想顾虑没有打消前，他是不会说实话的。

此时，周小贵急躁的心情已平静下来，决定改变策略，来个"政策攻心"。他先让段老头坐下，然后耐心地向他讲清形势，说明政策，表示只要他儿子主动投案自新，可以从宽处理，如果帮助部队抓住匪首汪宪，还可以立功赎罪。

"真的？立了功就可以不杀头?"段老头怀疑地问。

"当然是真的!"

老头这才松了一口气："那好！我这就去把他找来见你们。"

当天下午，段长胜背着电台，向部队投降了，问他汪宪藏在何处，他说："这个我也不知道。不过，汪司令……不，汪宪对我有什么指令，都是通过情报员联系的。"

"情报员是谁？"

"跟我联系的情报员叫汪清堂，是汪家冲的地主。"

看来，汪清堂必定知道汪宪的下落。为了不让匪首闻风转移，1营3连立即分两路直扑汪家冲。

连长李桂华急匆匆地走在队伍前面。快到汪家冲时，迎面碰上一个干瘦老头，胳膊上挎个拾粪的柳条筐。那老头眯着眼瞅了队伍一眼，便慌慌张张地岔到稻田埂上让路。

"老乡，请问汪清堂家住在哪里？"刚才李桂华冷眼旁观，见那老头神色有些慌张，心中一动，便有意识地停下脚步问话。

老头闻声一怔，脸上肌肉不易察觉地抽动了一下，他不作回答，却反问道："汪清堂是个安分守己的人，老总们找他干吗？"

"这老头话中有话，莫非……"想到这里，李桂华向排长周小贵递了一个眼色。

周小贵心领神会，随即走上前去，接过老头手上的柳条筐，说道："老乡，看样子你对汪清堂挺熟悉的嘛，那就劳驾你给我们带个路吧。"

老头顿时脸色煞白，结结巴巴地说："他就……就住在前……面，你们还……还是自己……"

李桂华打断老头的话："别害怕，我们只是找汪清堂打听点事，你只要把我们带到他家门口就行了。"

那老头没法推脱，只好随着队伍往回走。

来到汪家冲，村里的人见了那老头，悄悄议论起来："咦，汪清堂怎么跟解放军走在一起？""不，汪清堂是被解放军抓起来了，你没看见这家伙一副狼狈相吗？"

议论的声音虽轻，却早已进了大家的耳朵。周小贵一把抓住老头的衣襟，气冲冲地说："嘿！原来你就是汪清堂呀！刚才装什么蒜？"汪清堂顿时面如土色，耷拉着脑袋一动也不敢动。

李连长将他叫到屋里，告诉他段长胜已经被抓住，并已交代了一切，然后严厉警告说："你担任大匪首汪宪的情报员，这罪行可不小，要想宽大处理，就得赶紧戴罪立功！"

"我交代，我一定老实交代。"汪清堂见解放军已经从段长胜处掌握了他的情况，吓得直出冷汗。

"可是，汪宪经常换地方，只有他的老婆知道确切所在。"

"汪宪的老婆现在何处？"

"在狮子口，隔着好几座山，挺难走的。"

"再难也难不倒咱们！"战士们押着汪清堂，精神抖擞地出发了。他们一连翻过几座山头，来到一座叫做狮子口的山上。

汪清堂指着半山腰松树林里一个低矮的茅草棚，低声说："就在里面。"

战士们飞快地冲到草棚边，周小贵当先而入，只见屋内烟雾弥漫，灶口坐着一个正在烧火的女人，瘦削的脸黝黑黝黑的。

"这就是匪中将总司令的老婆？"周小贵心中有些疑惑，便问道："你是谁？为什么一个人住在这荒山野岭？"

那女人见几个解放军战士突然出现在眼前，顿时大惊失色。听周小贵一问，更是慌得不知说什么好，但她很快恢复了镇静，嘴里"啊巴，啊巴"地乱嚷起来，两只手还不住地比画着。

周小贵心想，怪事，怎么又碰上了"哑巴"？该不会又是玩弄掉包计吧？再仔细一看，那女人脸色虽黑，但脖子露出的皮肤却很白，哼，敢情脸上抹上了灰？他猛地大声喝道："汪太太！别再装哑巴了！"

那女人一听喊她"汪太太"，浑身一震，又看到情报员汪清堂也被押了进来，知道身份已被识破，便惊恐地叫着："啊！我的天哪，这下可完啦！"接着就一屁股坐在地上，嚎啕大哭起来。

汪清堂在一旁劝道："汪太太，山上呆不下去啦，你就说了吧！""汪太太"听了没吭声，继续呜呜地哭着。

一个性急的战士被哭声搅得直冒火，走上前一把将她拉了起来，吼道："别再嚎了，老实交代问题，否则就不客气了！""汪太太"这才收敛了一些。

这时，连长李桂华从口袋里掏出一张布告，耐心地向她宣传我军的宽大政策。"汪太太"一面擦着眼泪听着，一面低声抽泣，还是不开口说话。

李桂华又道："你要明白，宽大是有条件的，你现在不主动交代，到时后悔就来不及了！"

周小贵见状灵机一动，也大声喊道："来人，把这个拒不交代问题的女人带走，送到县里审判！"

"汪太太"见势不妙，连忙表示愿意交代，但又提出条件："长官如果对汪宪不打，不吊，有饭吃，我就……"

李桂华耐心地说："优待俘虏是我们一贯的政策。"

周小贵紧接着问："汪宪在哪里？"

"在……在一个山洞里。""汪太太"说到这里，转身对汪清堂说："我不能亲口出卖他，还是你……领他们去吧，他在……"她附在汪清堂耳边轻轻地说了一个地方。

这是一个狭长的山岭，阴沉沉，冷森森，陡壁悬岩，瀑布从上直泻而下，激起巨大的回响。汪清堂指了指瀑布后面的一个山洞，战士们迅速散开，隐蔽地运动到洞口两旁。

汪清堂来到洞口，大声喊道："汪司令，汪司令!"

"他妈的，谁在外面大喊大叫，老子毙了你!"洞里传出粗声粗气的喝骂声。

"我是汪清堂啊，找汪司令有事呢!"

"出去看看!"汪宪向手下吩咐道。

两个家伙大摇大摆地走了出来，刚到洞口，只听得一声断喝："举起手来，缴枪不杀!"其中一个匪徒正举枪顽抗，被周小贵飞起一脚踢倒在地。

战士们用枪抵住匪徒的胸口，"快！向洞内喊话，让他们缴械投降!"可是，凭借匪徒怎么喊，里面死不吭声。

这时，几个战士商量了一下，便齐声向洞里喊道："快把枪扔出来，不然老子要扔手榴弹了!"

这一着立即奏效，匪徒们慌得直喊饶命："别扔，别扔，我们这就缴枪。"于是，一支支枪从洞内扔了出来。

接着，十几个匪徒举着双手鱼贯而出，最后一个出洞的就是匪总司令汪宪。只见他臃肿的身上罩着一件皱巴巴的黑色长衫，头发蓬松得像堆茅草，苍白的脸上堆着奸笑，点头哈腰地说："弟兄们，你们来得正巧，我正打算下山向贵军投诚呢!"

擒获大匪首汪宪后，3连一面向团部报告情况，一面对汪匪进行政策攻心，让其交代其余匪首的情况，争取众匪投诚。

在强大的政治攻势面前，汪宪不得不给其部属写了劝降信，信中写道：

> 时值深秋，风凄凄雨绵绵，寒气逼人。解放军重兵包围，驻守各山口要道，日以继夜地搜山清剿，大有秋风扫落叶之势，深山老林也难有藏身之地，不如早日下山，争取立功赎罪……

汪宪写完信，又在3连干部的追问下供出了副总司令樊迅等匪首的联络地点。

可是，当10月2日1营1连副指导员丁以元带领2排前往汪宪交代的联络地点时，却扑了个空，狡猾的匪首早已逃得无影无踪。

丁以元及时安慰大家："同志们不要气馁，咱们部队早已把大别山封锁得严严实实，樊迅等匪首是逃不掉的，只要仔细搜寻，总能找到一些蛛丝马迹。"

说来也巧，当丁以元带着战士们返回时，却在无意间得到了一条重要线索。途中，他们抓住汪匪总部的一名挑夫，据其交代，他于几天前随汪匪总部行进到一个大树林里时，遭到剿匪部队攻击，队伍被打散，他吓得一个人东躲西藏，今天下山时，在郑家巷肉铺听到老板对人说："马参谋长这帮人死到临头仍想作威作福，解放军查得这么紧，还要找我赊肉吃，若被解放军抓住了，叫我找谁去要钱呀！"

有门儿！肉铺老板说的马参谋长，极有可能就是汪匪总部参谋处长马君慈，他与樊迅是在一起的。

这真是踏破铁鞋无觅处，得来全不费功夫。根据这一线索，丁以元立即带着 2 排去找肉铺老板。肉铺老板慑于土匪的淫威，担心将来遭到匪徒报复，不肯吱声。经过一番宣传解释，他才解除了顾虑，说前来赊肉的是一个姓郑的人。于是，由肉铺老板带着去找姓郑的人。

"我有罪，我有罪，不该帮助马参谋长赊肉，可我是被他们逼的，实在没办法呀。"姓郑的装出一副受委屈的样子。

丁以元严肃地说："你不必装无辜，只要你说出他们藏身的地方，咱们既往不咎。"

"啊呀长官，这可难煞小人了，肉是他们到我家里来拿的，人藏在什么地方我可真的不知道。"姓郑的拼命抵赖着。

这家伙固然十分狡猾，但狐狸再狡猾也斗不过好猎手，经过一番交锋，他的防线彻底崩溃了，无可奈何地说出了土匪的藏身之处："在……后山的树林里。"

"走！你随我们一起去！"丁以元抓住姓郑的就往外走。

夜幕低垂，山道上黑咕隆咚的。为了及早抓到匪首，战士们浑身是劲，枪装上了刺刀，又紧了紧腰带，押着姓郑的人，像离弦之箭似的向山林里飞奔，不大一会儿便来到了后山。

姓郑的走到一处所，用手指了指说："前面有一栋独立的茅草屋，他们就藏在里面！"

"5 班在左，6 班从右，包围茅草屋，4 班跟我上！"丁以元果断地下达了命令。

战士们犹如下山猛虎般地冲了进去："不许动，你们被包围了！""缴枪不杀！"

威风凛凛的喝声震得茅屋直摇晃，更把匪徒们吓得心胆俱裂，魂飞天外，只好束手就擒。匪首樊迅和马君慈正躺在被窝里睡大觉，当他们发觉情况不妙时，已经被拖下床来。

在 1 营 3 连生擒匪中将总司令汪宪、1 连 2 排活捉匪少将副总司令兼参谋长樊迅以及少将参谋处长马君慈的同时，2营5连又俘获了匪副总司令袁成英。

10月初的一天清早，第213团2营5连的战士们分头出发搜剿散匪。3排长吴少华带着两个班，在一座大山上搜了半天也没搜着。后来听到一位山民说，3天前有个叫做什么“袁司令”的土匪，好像在东南山脚下一户人家住过。

“那袁司令住在谁的家里?”吴少华赶紧问道。

山民犹豫起来：“这可说不准，我也是听别人讲的。”

“不要紧，你就把听来的情况告诉我们，我们会了解清楚的。”

“那户人家姓……周，大概叫周保贵。”

大家听了，都不顾疲劳，冒着细雨，快步向东南山脚下奔去。经过一番周折，终于弄清了周保贵的住处，并且得知他以前也是一个匪首，现已向进剿部队登记自新过。

周保贵见到解放军，开始也支支吾吾不肯说。吴少华显得很严厉：“你既已自新，就应与匪首划清界限，否则罪加一等!”

过了许久，周保贵才说出了袁成英藏匿的地方。

从金寨县城往南20公里，有座高耸入云的大山，叫做天竹山，是大别山区最高的山峰之一。匪第二副总司令袁成英，就藏匿在天竹山南山坡极其隐蔽的一个山洞里。

这个山洞约有两间房子大，里面用竹竿和树枝搭成一个床，上面铺着一层麦秸。在床的旁边有3个用火煨着的罐子，一罐是白米饭，一罐是红烧猪肉，还有一罐是用冰糖调的葛胜粉。匪首袁成英正在吃晚饭，他的儿子和一个远房弟弟站在一旁“侍候”。

当我搜剿部队如天兵神将一般突然出现在山洞门口时，袁成英吓得浑身发抖，把刚才吃的葛胜粉和猪肉都呕吐了出来。几个战士冲上前去，将他捆了个结实。

至此，白崇禧寄予厚望的所谓“第二战场”的指挥机关——“鄂豫皖人民自卫军总司令部”被彻底摧毁了。白崇禧得到这一消息，如丧考妣，大骂汪宪等人太不中用。

我各路进剿部队趁热打铁，继续扩大战果。在继续进行军事清剿的同时，向潜伏隐藏之匪特展开了强大的政治攻势，同时进一步发动群众协助剿匪。

这一着非常有效，在广大军民布下的天罗地网面前，残余匪特无处藏身，不得不走出深山密林，向进剿部队投降自新。

到1950年2月，鄂豫皖军民共歼武装匪特15413人。至此，大别山区匪患基本平息，压在山区群众头上的匪、特、霸三位一体反动统治终于被彻底摧毁。

饱受匪特蹂躏的大别山区，迎来了阳光明媚的春天！

3 逞凶一时的安我华毙命

1949年8月3日17时许，1辆吉普车和1辆大卡车从浙江省嵊县县城出发，沿着公路向金华方向开去。

吉普车上坐着6个人，他们是第三野战军后勤司令部参谋长李厚坤和妻子葛玉芳、两岁的儿子李新国及随行人员。

卡车上坐着1个排的解放军战士，他们负责保卫李参谋长的安全。

李参谋长是奉命到福建负责后勤工作的。第10兵团进军福建后，所需武器弹药等军需物资主要靠汽车运输。为探明沿途公路路况，8月1日，李参谋长一行从南京起程去福建。

经过几天颠簸，汽车驶离嵊县县城不远，便上了长（乐）东（阳）公路。行到仰档岭时，因山高路陡，大卡车行速减慢，吉普车与大卡车逐渐拉开了距离。

约20时，吉普车行至东阳县巍山胡村的一座桥头。忽然，一木制路障横在中央，吉普车“嘎”的一声停下了。

此时，从离桥不远的一平房里走过来两个人。他们二话没说，伸手就要“买路钱”。原来这是土匪以“经济委员会流动征募组”的名义设置的关卡。

“凭什么要钱！”李厚坤洪钟般的声音，把那两个家伙吓坏了，他们连忙向后退去。不一会儿，突然冒出40余名匪徒，举枪便向李参谋长他们射击，葛玉芳中弹牺牲了。

正在这危急关头，大卡车赶到了，战士们立即占领公路边的有利地形，向匪徒们还击。双方对峙了约1小时，土匪见招架不住，只得往后退去。李参谋长立即派1个班占领制高点，留1个班在公路两侧看守车辆。

忽然，枪声大作，约百余名匪徒从西面和北面的几个山头上向李参谋长等猛烈射击。李参谋长等一时被压得抬不起头来，只能依托两辆汽车和两间茅屋进行还击。

李参谋长隐蔽在小车旁边，不时向北面的小山瞭望。尽管此时夜幕已经降临，但仍能隐约看到百米外的山头上有一伙土匪，1挺机枪正不断射击。李参谋长决定先解决这个山头上的土匪。他组织10余人，分路悄悄匍匐前进，想强占这个山头。李参谋长亲自往山头靠近，也不幸中弹牺牲。

直到4日早晨，满是弹孔的吉普车才急驰东阳县委，要求派兵增援。5

日，金华军分区速派1个营赶到胡村。这次事件共有2人牺牲，1人负伤，7人下落不明，李新国等2人被俘。原来，李参谋长一行在嵊县稍停时，即被匪特探明行踪，中了埋伏。

事件发生后，潜回嵊县的安我华得意忘形，大喊大叫："我打死了共产党的大官"，反动气焰极其嚣张。

这只不过是浙江匪患的一个缩影。渡江战役后的1949年5、6月间，浙江境内的土匪慑于解放军的威力，不敢轻举妄动。到了7月份，入浙的野战军相继南进，而驻浙野战军下农村的工作队正在组建中，土匪就乘机猖狂反扑。7月底至8月下旬，是浙江省匪患最为严重的时期，个别地区甚至出现了匪占农村的严峻局面。

人民已经翻身解放，岂能让安我华继续作恶！在安我华蹂躏的地区，浙江军区所属军事机构组织人民群众积极参加民兵，进行武装自卫，不断打击安我华的嚣张气焰，迫使安我华稍稍有些收敛。

1949年7月24日，土匪头子施法明带领一伙匪徒窜到大昆乡山区，想"捞一把"。大昆乡民兵队长张中惠带领30多名民兵赶到钩沟岭，给这帮匪徒以迎头痛击，打得匪徒狼狈逃窜。民兵们一气追了五六公里，活捉1名土匪情报员，缴获一批物资，施法明偷鸡不成反蚀一把米。

8月下旬，土匪头子邢时祥带领一伙匪徒下山抢粮。他们一踏进扁担岙山口，就落入大昆乡民兵预设的伏击圈，结果被打得七零八落，在山沟里到处乱窜。

9月的一天，安我华集中100余名匪徒，偷袭通源乡白雁坑村民兵的白玉尖哨所。该村8名民兵面对强敌，毫无惧色，在白玉尖山头与安我华展开激烈战斗，打退匪徒4次进攻。大昆乡民兵闻讯来援，安我华见势不妙，不得不夹着尾巴跑了。

9月13日，大昆乡民兵干部周焕堂带领16名民兵，途经大昆山区烂回湾的独户山厂时，发现门口有土匪哨兵。周焕堂立即指挥民兵隐蔽占领有利地形，出其不意地向山厂内的土匪发起突然进攻，打得16名匪徒惊惶失措，从后门向山上猛逃。土匪头子林全福在逃跑时被周焕堂一枪击中，当场毙命。

为了彻底剿灭土匪，消除匪患，1949年9月下旬，浙江省委和浙江军区商定，实行分区包干与联合清剿相结合的办法，各地由党委统一领导，军分区统一指挥，公安机关与地方武装密切配合，在行动上打破地域界限，在战术上采取以集中对集中、以分散对分散的战法，坚决按分工剿尽辖区内的土匪。

9月21日，按照三野的统一部署，浙江军区司令员王建安、政委谭震林、谭启龙发布9、10两月剿匪作战命令，将全省划为5个清剿区，其中由安我华盘踞的嵊县、新昌一带，被划为3个重点清剿区之一。

浙江军区所辖的第312团很快进驻嵊县，第313团进驻东阳，第310团进驻诸暨。3个主力团在当地军民的配合下，在安我华股匪的主要活动地区展开了大清剿。

10月中旬，第313团1个排在东阳溪口农民俞元斌的引导下，跟踪追击安匪于东阳与诸暨交界之笠帽山一带，俘匪20余人。10月下旬，东阳县大队在追击安匪之刘炳润部时，俘副官1名。刘炳润吓得带着匪徒窜到诸暨县，又遭当地部队和民兵的打击。10月31日，安我华被白雁坑村民兵痛击后，率指挥部人员逃到安国乡东园村。312团闻讯赶到，从四面包抄进攻安匪占领的罗盘山，激战数小时，安我华不支，又向东阳县岭北周一带溃逃。

浙江军区发布剿匪令之后，逞凶一时的安我华到处碰壁，见到解放军就像老鼠见了猫。

11月10日，安我华的行动总队和情报总站11人从磐安县窜到嵊县。312团跟踪追击，在东长公路上抓获匪情报员。情报员供出这股土匪已潜入离上胡村不远的雷岩山庄。雷岩山庄只有3户人家，位于一块大雷岩下的深处，仅有上下两个进出通道，十分隐蔽。312团立即派出1个排，在长乐区中队的配合下，迅速占领雷岩山顶，自上而下进攻，又派1个侦察班沿雷岩由下而上夹击。两路人马突然冲进山庄，生擒行动总队头头安小男等10人，缴长短枪10余支。行动总队原有15人，当地百姓称他们为“十五大盗”，此前已被剿匪部队毙2人，俘2人，还有1人幡然醒悟，洗手不干。这样，安我华的行动总队和情报总站被摧垮。

在对安我华股匪进行军事围剿的同时，主力部队和县区武装也发动了政治攻势。10月初，东阳县委派巍山区干部重返巍山区，配合313团发动群众。嵊县大队3中队进驻安国乡，中队长安辛乐是本地人，又在当地打过游击，人熟地熟，群众关系好，他带着队员深入群众，宣传党的政策，健全乡村政权，成立农会组织，耐心细致地做土匪家属的思想工作，动员他们规劝亲属弃暗投明，立功赎罪。大气候变了，有的隐藏的土匪也主动向政府自首登记，有的还带枪投诚，有的检举他人。安小男的行动总队被歼后，经过广泛宣传，几天之内就有40余名土匪自首。

军民的军事围剿和政治攻势，迫使安我华带着一帮匪徒整天东逃西窜，简直没有安身之处。然而，顽固的安我华并不甘心自己的失败，他见大股土匪无处藏身，就让众匪化整为零，分散活动。他让副指挥官何守乾带义乌籍土匪回义乌，命参谋长张震带一股土匪去嵊北，他自己则继续潜伏在老巢嵊西。

1950年元旦前夕，安我华在东阳县桑梓、宅口等地又纠集百余匪徒，在东白、梓溪等乡勒索猪牛羊鸡，准备在新年好好享受一番，让匪徒们解解馋。

谁知这事很快就被解放军侦知，解放军迅速赶到，将匪徒们包围，匪徒们仓皇突围而逃。

安我华眼看自己连个元旦都过不好，恨得咬牙切齿："共产党不让我过好元旦，我也决不让共产党有好日子过!"

经过一番策划，安我华下令攻打长乐镇。当安我华带着匪徒窜至胡村附近时，恰巧解放军的1个连正在召开群众大会。他似乎找到了发泄的对象，疯狂叫嚷："我要活捉共军，杀几个以解心头之恨!"

"对!"几个拍马屁的匪徒也跟着瞎嚷嚷。

"胡根招，你熟悉这里的地形，给我们带路!"安我华命令道。

那个叫胡根招的匪徒带着众匪向胡村摸去。

匪徒们杀害了解放军的哨兵。安我华这回倒不怕死了，他带头窜入村北的营房，用轻机枪和冲锋枪朝解放军方向猛扫。

留守营房的解放军战士听到枪声，立即占领屋角、楼道，以火力阻止土匪进攻。正在参加群众大会的副营长李秀珍听到枪声，立即率领战士们投入战斗。

这次战斗持续数小时，解放军牺牲7人，受伤10余人，安我华也遭到沉重打击，丢下4具死尸，拖着8名伤兵，狼狈逃窜。途中又被县大队3中队俘获20余人，其余的逃往东阳县宅口等地。解放军连续几昼夜穷追猛打，匪徒们被追得疲惫不堪，走投无路。

1月9日，安我华带着残匪20余人窜到诸暨县廖宅村，钻进一座大屋里想喘口气。安我华饱餐一顿，亲自察看了一下周围的地形，就回到房内睡觉去了。但他没有想到，金华军分区警备团和东阳、诸暨、嵊县3县军民联防队，早已在这里布下了天罗地网。

一阵枪响，安我华从睡梦中惊醒。困兽犹斗，急红了眼的安我华3次下令突围。但20余人怎能突围得了？这帮家伙被迫退回房间。警备团官兵冲入室内，安我华早已吓得瘫成一团，乖乖就擒。这次战斗除小头头安志荣逃脱外，其指挥部成员20余人均被抓获。

血债要用血来还。1950年5月2日，安我华这个罪大恶极、恶贯满盈的匪首被押赴东阳县巍山枪决。

侥幸漏网的匪徒最后也都没有好下场。"副指挥官"何守乾流窜温州，1954年被捉拿归案；"参谋长"张震1950年被嵊县大队在嵊北剿匪中俘获；安家老三安茂荣及其子安志荣逃往安吉后，分别被当地部队击毙和活捉；老四安剑平在东阳县里柏山被3中队抓获；叛徒戴功炳在绝望之际向诸暨县政府自首；叛徒刘炳润潜逃杭州等地，1950年8月被捉拿归案。

浙江军民用剿匪斗争的胜利，祭奠李厚坤等被匪徒残害的一大批英灵；他们更以自己的赤胆忠诚，为新生的人民政权增添了牢固的基石!

枪声震长汀

为大造声势，259团十六个连队两千五百余人一路张贴标语，浩浩荡荡直插武北。部队到达武北后，首先封锁交通路口，检查过往行人，切断土匪与外界的联系，然后对土匪进行分割包围，迫使土匪既不能相互联系，又无路可逃。

1 一个黑影悄悄地打开教堂大门

1950 年 9 月中旬的一天晚上，福建省长汀县河田区的一座天主教堂。

这座教堂就是河田区政府所在地。区政府工作人员及区中队 40 余人大都进入了甜蜜的梦乡。

但区中队有一个人却始终没有睡，那就是打入区中队内部的土匪奸细。只见这家伙悄悄地从床上爬起来，打开了教堂的大门。紧接着，早已埋伏在教堂周围的 350 名匪徒冲进教堂，顿时枪声大作，区政府及区中队工作人员全部被杀害，无一幸免。

这一惨案，轰动整个福建。第 10 兵团副政治委员刘培善特为此事赶到闽西。他把第 259 团团长阮文炳和龙岩军分区警 8 团团长游梅跃找去，当面下令：

“你们一定要在最短的时间内肃清这帮匪徒。”

“请首长放心，我们坚决完成任务!”阮团长首先表示。

“国民党的正规军都被我们打败了，这帮乌合之众肯定也不会有好下场!”游团长也说了一句。

其实，长汀河田区的惨案，只不过是解放初期闽西土匪猖獗的一个缩影。

闽西是福建匪患严重的地区。这里东跨戴云山、波平岭，西依武夷山脉南段，与江西、广东毗邻，山高林密，地形复杂，便于土匪出没。由于历史的原因，这一带一直匪患严重，有的甚至祖孙父子数代为匪。据不完全统计，1949 年底，这一带匪特 100 人至 1000 人以上的有 15 股，另外还有乡绅、恶霸、地主掌握的反动武装及散匪。

当时，人民政权刚刚建立，这帮匪徒认为有机可乘，四处骚扰，采取埋伏、偷袭、暗杀等手段，抢劫钱财，破坏交通，攻打区乡政府，闹得许多新生的基层政权无法生存。漳平、宁洋的“县长”张景清、俞水潮，分别带领一股匪徒在新桥、赤水立署办公，公开出“布告”，发“禁令”。上杭“县长”林汉强在城关秘密设立了办事处。他们到处设卡，强行收税征粮。长汀、连城、漳平股匪经常集中活动，一些新生的区村人民政权被迫撤退，有的县长、区长及工作人员只好呆在碉堡里抱着机枪坚持。1950 年，长汀县的区村政府被袭 13 次，政府人员和部队被阻击 11 次，干部、民兵和积极分子被杀害 122 人，松毛岭一带的土匪曾串联 400 多人伏击解放军文工团，企图抢漂亮的女演员做老婆。连城土匪接连攻打区公所，围攻县政府，并策动县大队叛变。

2 10兵团捅开“打不进的匪铁桶”

1950年1月中旬，第29军87师师长林乃清、政委王义勋、参谋长汪治国，率第259、261团和师直属队进军闽西。匪徒们闻风丧胆，纷纷弃城上山。永安、三元（今三明）、大田、明溪、清流等地相继被我军占领。

山上土匪如麻，应从哪儿下手呢？龙岩军分区和259团领导分析认为，闽西土匪虽然受蒋介石派遣的特务操纵，但还未形成统一的力量。他们各霸一方，占山为王，凭借人熟地熟和长期统治的优势，与人民政府作对。剿匪部队虽然在兵力总数上不如土匪，但装备好，战斗力强，应先集中力量作战，在一个地区先打开局面，然后再扩大战果。经研究，决定将突破口选在武平。

武平地处闽粤赣边界，南连广东蕉岭，西靠江西寻乌、会昌。这里山高林密，峰回路转，交通极为不便。长期以来，封建统治势力根深蒂固，村村有武装，姓姓有族长，匪霸统治有上百年的历史。特别是武北大禾地区，乡绅村霸明文规定，16岁以上的男女乡民都要出钱买枪制刀，这一带的乡村几乎家家都有土匪，有的良家妇女也被迫为匪。当地流传着这样的顺口溜："出门不带刀，不如在家坐。"土匪们只要一有机会，就三五成群，抢夺钱财。多年以来，没人敢到这里当区乡长，也没人敢到这里收缴税款。解放前夕，一些土匪头子又收编大批散兵游勇和流氓无赖，武平匪患更加严重，当地群众称武平为"打不进的匪铁桶"。

农历大年初四，龙岩军分区司令员王胜率259团开向武北地区，郑金旺副司令员率警8团及武平县大队开向武南地区，形成南北夹击之势。

为大造声势，259团16个连队2500余人一路张贴标语，浩浩荡荡直插武北。部队到达武北后，首先封锁交通路口，检查过往行人，切断土匪与外界的联系，然后对土匪进行分割包围，迫使土匪既不能相互联系，又无路可逃。

但初入武北的部队并没有贸然上山。受匪霸长期宣传的影响，剿匪部队一到，老百姓几乎跑光了，连个人影都见不到。部队分散在村庄、路口，后勤供应极其困难，夜晚还常遭土匪袭击。战士们自背粮食非常有限，人民币在当地不能用，就是用光洋也买不到东西，分散的部队经常吃不上饭。

看来，要消灭土匪必须先发动群众。然而，狡猾的土匪也在争取老百姓，因为谁有老百姓的支持，谁就有后勤保障和情报来源；谁失去了群众，谁就失去了存在的基础。259团当即组织了由政府和部队组成的武装宣传队，深入宣传“首恶必办，胁从不问，立功受奖”等政策，对土匪进行强大的政治攻势。宣传队还宣布不肃清匪霸决不离开武平，动员群众将私藏的枪支上交政府，逐步打消了群众的顾虑。这些工作收到了明显的效果，各地陆续交出了枪支，一些土匪还携枪投诚。259团还派出3名营干、10多名连排干部，组成大禾、桃溪、永平3个临时区政府和数个临时乡政府，开展减租减息运动，为剿匪斗争和后勤供应创造了条件。

狡猾的土匪被分割包围之后，一面以游击战术与259团周旋，一面利用“胁从不问”的政策，有组织有计划地派土匪假投降，交坏枪不交好枪，交长枪不交短枪，化匪为民，保存实力，伺机反扑。同时，他们还联络外地土匪，不断袭扰259团。为狠狠打击外围土匪，259团派9连、3机连、团炮兵连强行军160里，在宁洋县赤水庄打了一场漂亮的攻坚战。

盘踞在赤水庄的正是被261团赶出宁洋县城的俞水潮等人。俞水潮逃到赤水庄后，即在赤水庄白土楼安营扎寨，嚣张一时。1950年3月21日，259团在民兵和随军工作组配合下，前往赤水庄围剿，300多人的队伍从武平城关出发，沿山路直插赤水庄。部队到达黄山头时，忽见一股土匪正围攻剿匪部队一支20多人的小分队，他们迅速击溃这股土匪，为小分队解了围。接着，他们攻下安坑下洋土匪据守的土楼，毙匪1名，俘匪12名，最后将龟缩在白土楼的俞水潮股匪100多人团团围住。

白土楼占地400多平方米，共3层，楼墙厚3米多，楼内有粮食、水井，楼前是开阔的水田地，易守难攻。土匪见259团一连3天3夜都未能把土楼攻破，得意忘形，不听劝降。23日深夜，259团1个炮排赶到赤水。24日上午，火箭筒首先向白土楼射击，白土楼顿时瓦飞窗裂。土匪发现这次火力不同往常，顿时惊慌失措。259团继续喊话，指明前途，劝他们放下武器。25日晨，土匪不得已派一人用绳索从楼窗吊下来同259团谈判，但没有无条件缴械投降的诚意，楼上的土匪继续顽抗，谈判代表也不愿回土楼去。土匪不投降，259团即用炸药包将楼墙炸开1个洞，突击队迅速从墙洞突入楼内，盘梯而上，用冲锋枪逐层扫射，群匪乱作一团。经40分钟激战，共俘匪97名，毙匪8名，缴长短枪66支，子弹近千发，军用物资一批，解救了被捕群众26名，夺回被劫稻谷200多公斤，259团无一伤亡。

老奸巨猾的俞水潮自知在白土楼呆不下去，早在3天前就佯称请救兵，带着亲信悄悄溜走了。但自此以后，俞水潮再也无法举旗集众，不得不到处流窜。1951年3月9日，俞水潮只身逃到和尚山时，被剿匪部队击伤，后又逃到漳平南洋，被南洋区队和民兵捕获。

宁洋赤水战斗是剿匪部队进驻闽西后第一次规模较大的攻坚战，首战告捷，鼓舞了剿匪部队的斗志，震慑了其他股匪。

到了1950年3月底，87师259、261团全部接管了闽西原为股匪控制的所有县城和重要乡镇，为下一步全面展开剿匪创造了有利条件。

3 李森在蒋介石面前吹嘘是唐太宗的后代

1950年3月的一天，一个看上去文绉绉、约三十六七岁的男子进入了蒋介石父子的别墅。

“李主任，蒋总统正等着你呢。”一中年模样的人对刚进来的人说。

那位被称作李主任的男子是国民党“国防部”第三厅参谋部主任李森，中年模样的人是特务头子方先觉。原来，蒋介石、蒋经国和方先觉把李森找来，是给他布置一项重要任务的。他们要李森潜回大陆，把那些乌合之众组织起来。这次面见，主要是给李森封官许愿，撑腰打气。

方先觉与李森也算是老熟人了。方先觉在台湾举办特务训练班时，李森曾受训1个月，并任第1队队长。一阵寒暄之后，方先觉故意当场在主子面前夸奖李森，并对李森说：“你潜入大陆后，首先要利用、控制潜入人员，尽快把联络上的反共力量整编掌握起来，授予番号。具体可分三步走：第一步，叫潜入以观动静，也就是说先潜伏下来了解熟悉情况；第二步，叫渗入以建关系，就是与那些零零散散的反共人员取得联系，将他们拉到你的手下；第三步，叫化入以争工作，具体讲就是让他们为你卖命。这次蒋总统亲自接见你，是总统对你的信任，是你的光荣。蒋总统还任命你为中国人民自由军闽粤赣区总司令，事成之后，你就可以由少将晋升为中将。你可要尽心尽职，不辜负蒋总统的期望啊。”

受宠若惊的李森听到这儿，像打了一针兴奋剂，他当即表示：“我是唐太宗李世民的后裔，我将不遗余力地为党国效劳，把中华民国建成过去的唐朝，绝不让‘总统’失望！到大陆后，我就化名‘唐宗’，以时刻牢记自己的使命！”

蒋介石满意地笑了。

经过几天的准备，唐宗便带着经过特务训练班训练的上尉以上军官80余人，从台湾渡海至金门。这帮人有3名是少将，除唐宗外，另外两个是吴寿涛、汪泰辅。为便于活动，吴寿涛化名吴佑，汪泰辅化名王潜。金门防卫司令胡琏接见他们后，亲自派军舰送他们到东山岛，由当时驻东山的国民党第17军58师分批送往诏安宫口、广东南澳偷渡登陆。因人员较多，目标较大，登陆后他们约定好联络地点，即分散活动。

唐宗在诏安登陆后不敢停留，当夜即赶至广东黄岗，次日又乘车赶到汕头，本想见刘昌武、钟振人，但没见到。唐宗随即又去潮州找徐建中，也没找到。于是，他又赶到兴宁，住在兴宁车站对面的一家旅社，探听有关人员下落。接着，在兴宁新街见到了刘正民，到五华城西见到了钟国雄，又在龙川见到了吴佑。这伙登陆上岸的家伙密谋后，决定以粤东北为据点，在广东收编11个纵队，由副总司令吴佑指挥。这些武装约2万人，1万余支枪。

唐宗在广东完成收编任务后，于4月上旬潜入赣南，转至南昌，找到王潜，决定以赣东南为据点，在江西收编12个纵队，由副总司令王潜指挥，准备发展2万名武装。

4月中旬，唐宗在江西收编残匪、股匪后，又转下赣南，窜入闽西长汀、上杭、武平。下旬，又由武平潜入连城朋口，在朋口上桥客栈住两夜后，由预先潜回大陆的国民党军官罗晋煌接进莒溪清风山。罗晋煌是连城莒莲村人，他对这一带的风土人情、地形等非常熟悉。在清风山，唐宗会见了当地匪首、封建头目华仰侨、罗柏盛、罗岐山等。仅两个多月，唐宗就在福建组建了14个纵队。

4 唐宗将罗龙洞命名为“清风山”

1950年7月，唐宗在清风山正式成立“中国人民自由军闽粤赣区总司令部”，自任总司令，军衔也由少将正式升为中将。唐宗从香烟盒里取出蒋介石的委任状发给各位头目，任命华仰侨为副司令兼汀连龙宁督编处长，罗廷徐为参谋长，罗凤歧为福建第7区专员。此时的唐宗在闽粤赣3省共收编了“中国人民自由军”37个纵队，实际人数近10万。为邀功请赏，他向台湾汇报时声称，自己“已收编反共游击队37个纵队，人员达30多万”。

唐宗一手操建的“中国人民自由军闽粤赣区总司令部”这个反革命匪特组织，机构庞大，编制完整，总司令部设有正、副司令，正、副参谋长，侍从长、侍从副官等官衔10名，还设有参谋处、秘书处、政工处、总务处、闽西指挥部、抚编处、汀连龙宁督编处、直属单位（含突击大队、警卫联队、独立联队、直属支队）等，共有大小头目296名。各纵队编制有的徒有空名，但也有的相当整齐，如在连城组建的第1纵队，设有司令、副司令、参谋长、随从参谋、作战参谋、随从副官、上尉情报官等11人，另设参谋处、政工处、总务处、补给处、军医处、戒哨司令部、警卫联队、大刀队、独立联队（下设大队、分队、支队）等，共有大小头目448名。

唐宗潜入连城后，曾周旋于莒溪乡的隔口、白岭与文亨乡的湖峰之间一带山区，先后在太平山、望江山、凌云山呆过，最后选清风山为据点。

唐宗选连城的清风山为据点，自有他的道理。连城地处闽西山区，山高林密，地形复杂，是土匪活动的理想场所。据史料记载，自宋设治以来，连城就有氏族武装，当时的统治者称他们为“土寇”、“山寇”。到了20世纪初叶，国内军阀混战愈演愈烈，一些氏族武装便组建民团，上山为匪。土地革命战争时期，这些民团把斗争的锋芒转移到红军和当地游击队。抗战时期，国民党福建省党部迁至连城，当时红军和游击队已经撤离，一些民团土匪又卷土重来，相当猖狂，就连国民党也不得不依靠地方势力维护统治。解放战争后期，连城的民团获悉解放军在各个战场上节节胜利，预感末日来临，反动气焰有所收敛，有的还弃暗投明，参加起义。但唐宗到连城后，这些反动民团又认为有了“坚强后盾”，纷纷投靠唐宗。

据说清风山原本并无此名。该山共有四五十个山洞，其中包括有名的“梅花十八洞”。有的山洞洞口很小，只能钻进去一条狗，但洞外是水，洞口长满了藤草，既不易发现又无路可通，但洞里面却很大，最大的可容纳100多人。唐宗刚踏进连城的罗龙洞时，恰巧阵阵清风徐徐而来。他来了“灵感”，随即将它命名为“清风山”。唐宗听说罗龙洞还是元朝一位民族英雄罗龙祭旗起义的地方，便决定将他的指挥部设在该洞里。成立“总司令部”时，匪徒们还牵来一头大水牛祭旗。唐宗口出狂言：“我们先打区公所，后攻县城，争取农历八月十五到连城过中秋节，年底占领龙岩。”

唐宗在清风山还架有电台，直接与台湾联系。他们约定每天上午7时和晚上9时半联络。波长、呼号每月变动，由台湾临时通知。密码是普通明码数字，挨次加“道远几时通达，路遥何日返乡”12字。加后再减，名曰“去加来减”。

5 匪徒把挑煤妇女剥得一丝不挂

唐宗拉起队伍，即按照蒋介石的旨意，紧锣密鼓地从事反革命活动。一时间，连城中部、东部和清流南部、长汀东南一带的土匪、恶霸、大刀会、童子军、国民党残渣余孽，纷纷活动起来。他们由隐藏转为公开，由小股骚乱转为有组织的统一行动。

1950年5月28日，新泉、朋口区农民代表到连城开会，路经马山时遭曹半溪股匪伏击。武工队员被迫反击，结果仍被土匪打死3人。6月1日，连城县正在开农代会，文亨区罗义胜部土匪从福地集中前来骚扰。紧接着，新泉区中队被土匪抓走5名队员，姑田区公所被华仰侨匪部围攻，税务所主任卢孚被抓。新上任不久的税务所主任赖龙华携带税金上县城开会，在金鸡岭遭土匪抢劫，赖龙华被土匪割成4块，分尸挂在金鸡岭树林里。

眼见唐宗一伙如此嚣张，人民政府内部的一些投机分子便错误地估计了形势。连城县共有6个区，其中4个区的区长都公开勾结土匪，朋口区中队叛变，连城县县大队也有些不听招呼。连城县工委只得派苏养泉等去改造县大队。项文俊任中队长的1中队问题较多，苏养泉便派人去担任这个中队的排长、班长，并由这些骨干掌握机枪。项文俊看到上面已经对他不信任，更加牢骚满腹。龙岩军分区决定由参谋长刘殿玖带队，派教导队100余人去连城，参与改组县大队。不巧，教导队到朋口时，小桥受阻，过不了车辆，只好步行。到了连城，大家走得很累，有的人脚也崴了，便商定当晚休息，待第二天再行动。岂料项文俊得到这个消息后，抢先行动，当晚就将派进去的五六个人杀害，拉走120余人上山为匪。时值8月4日。

到了9月，匪第1纵队和36纵队乘连城县召开第一次人代会期间，曾3次联合攻打连城。11日晚，土匪攻至北门。警备团闻悉后立即组织一个加强排主动出击，一直追到冠豸山脚下。17日凌晨两点左右，北团、文亨等地土匪联合攻城，准备抢枪。土匪从东门、北门、西门分3路围攻。警备团架在县政府背后碉堡里的两挺机枪一响，匪徒们胆颤心惊，不敢轻举妄动。这时恰有3辆汽车从龙岗方向驰来，土匪以为是增援部队，吓得四处乱窜。

没隔几天，又有两股土匪同时进攻连城，一股从南门窜进中山街，一股从北门冲进北大街。守卫在骑楼上的战士一枪就击中了从南门冲进中山街的大刀会头目，其余土匪见势不妙，掉头就往西门水南街逃窜。从北门进犯的土匪听到枪声、喊杀声，也抱头鼠窜。

攻打县城的阴谋没有得逞，唐宗又指挥部下烧桥梁，挖公路，砍电杆，到处抓人派款，强行掠抢，奸淫烧杀，无恶不作。据连城县1950年底统计，全县有17座大小桥梁被烧，800余根电杆被砍，4万多公斤电线被盗，2500多头耕牛被杀。唐宗还强行向群众索要7万余块银元，15万公斤大米，6万公斤谷子，2000万元（当时人民币）税款。

匪徒们还杀害了32名基层干部，46名无辜群众。天马村一妇女上山挑柴，被土匪脱光衣服，轮奸后捆绑在树上，活活折磨致死。城西有8名妇女上西山挑煤，全部被匪掳到姚坊祠堂里，绑在屋柱上，身上被剥得一丝不挂，肆意蹂躏。有的妇女根本不敢回家睡觉，晚上只得躲进埋死人的坟堆里……

6 叶飞再派重兵赴闽西

福建严重的匪患，引起了党中央、毛主席的关注。1950 年 11 月 17 日，毛泽东主席电令第三野战军：

> 闽浙两省剿匪工作极为重要，特别是福建匪患必须使用四五个主力师用全力穷追猛打、限期肃清……我提议从现在起，和广泛展开土地改革工作相配合（福建必须迅速实行土改），限六个月内剿灭一切成股土匪，责成叶飞鼎丞全力以赴，作出成绩。只要福建的土匪消灭，土改完成，即令蒋介石登陆进犯，也是容易对付的。

接到毛主席的电令；叶飞、张鼎丞立即决定，再派主力部队参加剿匪。第 253 团奉命赶赴闽西，团主力全部开到连城对付唐宗。11 月中旬，253 团主力 2700 余人从龙岩出发到达连城。团领导和连城县委、县府领导随即合并办公，很快作出了剿匪部署。剿匪工作具体由 253 团副政委（尚缺政委）、团党委书记张茂勋和副团长（尚缺团长）王健行负责。县委、县政府抽调骨干和一中教师、学生，为剿匪部队当向导、翻译。他们深入城镇农村，广泛宣传剿匪政策，动员苦大仇深的贫苦农民开展诉苦运动，广泛发动群众。253 团还抽出营、连干部参加组建基层政权，组织乡村民兵，全县逐步形成了党政军民同仇敌忾、团结战斗的新局面。

就在 253 团进驻连城之前的三五天，唐宗已从其特务组织政工队那里获得了剿匪部队将要进入连城的情报。11 月 13 日和 14 日，唐宗在清风山召集司令部成员及第 1、第 35、第 36 纵队约 400 多人参加的骨干会议，专门研究对策。他们决定化整为零，分散骚扰，同时安排少数出头露面较少的匪特假装积极，设法打入我基层政权内部，掌握军政情报。唐宗还安排部下大造假情报，企图使解放军误认为他已率主力离开了清风山一带。

唐宗安排土匪们分散后，自己只带 1 名侍从副官、几名贴身警卫在清风山掌握情况。他的如意算盘是，如果国民党反攻大陆，他就把土匪集中起来把解放军吃掉；如果解放军来清剿他，他也只有三五个人，随时可以逃掉。

狐狸狡猾，终究斗不过猎手。253团早在龙岩军分区集训期间，就认真研究了作战部署，10兵团副政委刘培善还亲自给部队作动员，要求253团3个月之内捉到唐宗。为了不让唐宗发现，253团在龙岩就把部队展开。在副团长王健行率领下，1营主力和2营4连抄小路急行军，一夜就把唐宗的老窝清风山一带包围起来，在朋口、湖峰、莒溪等地搞了一个大包围圈。2营两个连则驻扎在华仰侨盘踞的姑田一带，只有团部及直属单位进驻县城。

由于部队采取重点清剿、包围和搜山相结合，发动群众与打击匪霸相结合等战术，剿匪工作很快打开了局面。从11月17日至23日，仅1个星期就抓获土匪32名，其中成绩最显著的是驻湖峰的2营4连，他们1个连就俘匪大队长以下匪徒18名，缴步枪5支，手榴弹4枚，子弹70发，文件2箱，大米80公斤，布30米，烧毁土匪茅窝数十个。26日，土匪有个支队20多人见大势已去，主动向县公安局投降。

7 30公里山地被围得水泄不通

为了摸清唐宗的行踪，253团注意审讯被俘匪徒。在重审匪总司令部第2课课长吴先仁时，吴先仁吞吞吐吐透露说，唐宗仍在园鱼坝、增地附近的山上。11月29日，2连副连长抓到匪大队长吴昌达，吴昌达也讲其岳母知道唐宗仍在园鱼坝、增地附近。253团连夜找到吴昌达的岳母，她讲9天前，通匪分子吴里古曾碰到匪第1纵队副司令周明乾和他卫士谢佑生的老婆，吴里古知道唐宗仍在园鱼坝、增地一带山区。

看来唐宗仍未离开清风山。253团决定立即集中兵力，在清风山周围布下天罗地网。29日晚开始调动分队，30日上午部署完毕，下午开始搜索。这时调来的兵力是1连3个排，2连两个排，3连3个排，1营部两个担架班，团直1个侦察班，1机连4个半班。以1、3连各两个排负责搜索，其余全部负责包围封锁。团侦察班、1营部1个担架班、3连3排负责封锁西山到南坑一线，距离约5公里；1机连4个半班负责封锁南坑至马山前一线，距离约5公里；2连两个排与1营部1个担架班负责封锁马山前经石庵前到隔口，距离10公里；1连两个排负责隔口到西山一线7.5公里，周围共约30公里。担任搜索任务的3连两个排负责园鱼坝、增地一线以南，1连两个排在该线以北。

253团的战士们在“活捉匪首唐宗，为民除害立功”的口号鼓舞下，一大早喝了点稀饭，就踏着露水上山。到了中午，就用油炒饭充饥。油炒饭一冷，就像一粒粒的细石子。没有开水，战士们只能硬吞。但无论怎样艰苦，战士们都始终保持着高昂的斗志。搜山的战士碰到陡壁深沟，毫不犹豫地从高处往下滚。遇到密林丛草，难免会割破手脸，挂烂衣服。但战士们根本顾不上这些，做到“洞洞检查，沟沟搜索”。

1连连长李德胜带着10多个人已经从早上搜到天黑了，但因为发现了唐匪住的茅棚，想乘机活捉唐匪，就饿着肚子，分组埋伏在茅棚四周的稻田里。稻田里的水结了冰，战士们硬是蹲在冰水里，肩上、背上蒙了厚厚一层寒霜，身子发抖，牙齿“打架”，脚冻僵了，手冻硬了，有的战士甚至渐渐失去知觉，晕倒在冰水里。就是这样，他们仍一直坚持到天亮。担任警戒封锁的部队也不轻松，因岗多人少，一昼夜只能休息3小时。

30日晚，1连终于抓住了吴里古，但吴里古却守口如瓶。12月1日上午，1连在大坑背岩前西山边搜索，发现500多米外的一个山头上，有一穿黑大衣的家伙正东张西望，准备逃跑，1连追击未获。3连在湖峰至南坑沿河搜索，发现有三四个土匪，但未捕获，也未打死。下午，1连搜到3个山洞及隐蔽的茅棚1座，缴获匪自由军闽粤赣区总司令部关防条戳、官章及一部分大米、猪肉、鸡蛋等，说明唐宗确已被包围。

为了加强封锁与搜索，12月2日，253团又调4连两个排到西山至南坑一带，将侦察班和担架班抽回。同日又决定由营长带领驻姑田的5、6连各5个班增援南坑。2日晚，警备8团8连抵马山前、石庵前加强封锁。3日，团直又抽两个担架班，1个辎重班，1个警卫班；4日，4连又增加两个班，团直再增派两个警卫班；5日，4连又到达3个班，警备8团1连也到达马山前。这时，剿匪兵力相当集中，负责封锁的战士白天约四五十米1个岗哨，做到“人见人”，晚上则用松枝点火，做到“火见火”，同时还设有伏兵、流动哨，把唐宗潜伏的方圆30公里山区围得严严实实，使之插翅难逃。

8 当岔道口的火花渐渐熄灭时

唐宗被包围后，急得像热锅上的蚂蚁。但唐宗毕竟是反革命老手，在这种危急的情况下仍算尽机关，妄图逃窜。

12月1日晚，唐宗安排3名随从人员从我军1连4班负责的哨所乘夜往外冲。4班战士发现后开枪，两名匪徒吓得逃回包围圈，1名逃出。

2日，唐宗又安排侍从副官王治安出来假投降。王治安先假冒唐宗，假冒不成又谎称自己是唐宗的挑夫，说唐宗已经跑了，妄图迷惑剿匪部队。

3日，唐宗在饥饿难忍、困倦难解的情况下，只好派卫士周九生外出搞东西充饥，并寻找脱逃之径。不料周九生又被253团3连战士活捉，周匪也说唐宗已经逃出包围圈。

4日，唐宗已4天未吃东西，又不见卫士回来，情况不明，心慌意乱。这时他只好冒险单独行动，从南坑转至章坑岭隐藏，打算只身逃出警戒线。

6日凌晨约2时，万籁俱寂，月亮刚爬上树梢，淡淡的月光透过密林。唐宗蹑手蹑脚地从隐藏处溜了出来……

唐宗下山后，只见到处篝火明亮，只好先潜下来观察动静。当一岔道口火光渐渐熄灭时，唐宗以为是天赐良机，决计从这里逃出包围圈。

但他没有想到，1连8班战士刘万金早已注意到了他那鬼鬼祟祟的黑影。刘万金见这个黑影从西边绕过章坑岭，直向岔口的路上走来，每走四五步又停下来歇息，似乎探听四周有没有动静。刘万金屏住呼吸，握紧枪杆，沉着地隐蔽在小树林里，专等猎物走近。

机警的刘万金忽又想起前面还有岔道，万一这家伙从斜向东南或岔向东北的岭边逃掉怎么办？他又轻轻地移到直对黑影来路的小草丛里隐蔽好。当黑影在不足20步的地方又停下来时，刘万金大喝一声“站住，不许动！”接着随手放了一枪，一个箭步猛扑上去，那个黑影倒在地上装死了。

刘万金一面喊流动哨兵查仲家帮助搜查，一面进行盘问。那家伙磕头跪拜，连连哀求道：“我是老百姓……教书先生……此地人……”当查仲家从他身上搜出一支崭新的加拿大手枪后，他又无耻地掏出两块光洋说：“同志！给你们钱！放了我吧！”

“解放军不要你的臭钱，少废话，跟我们走！”查仲家回答得很干脆，并迅速将那人押送到连部。副连长审问时，那家伙狡猾地说：“我是36纵队书记。”一会儿又说：“唐宗是胖胖的脸，左眼上有个痣，他已经逃出去了，要捉唐宗是不容易的！”可是，狡猾的言辞毕竟隐瞒不住铁一般的罪证，最后，他终于无可奈何地说：“我就是唐宗。”

唐宗被捉后，253团副团长王健行、副政委张茂勋都找他谈过话。经做工作，他也垂首流泪，悔恨起来，吞吞吐吐交代出一些问题，还给他下属的几个头目写了几封信，要他们出来投案自首。

树倒猢狲散。唐宗被捉后，“自由军”所属土匪成了无头苍蝇，只好各自为战。蒋介石本想在大陆建立“游击区”，并利用这些乌合之众反攻大陆，这只能是痴人说梦。1951年4月30日下午2时，唐宗被福建省军事法庭判处死刑，在榕枪决，结束了罪恶的一生。

9 刘永生怒气未消

唐宗被捕后，“自由军”虽不能进行大规模的行动，但仍寻机捣乱。1950年12月，259团主力奉命进剿，直插长汀西部。1951年1月初，259团开始实施重点清剿。他们对盘踞在汀西四都、苦竹山、腊口及汀瑞交界的古城等地的股匪实行围剿。团主力在地方武装和民兵的配合下，组成大包围圈，采取全面封锁、分进合击、分片压缩、重点反复清剿等战术，经数日苦战，匪首赖步荣、赖兴帮、廖强等被活捉，另击毙、击伤、俘虏匪徒近700人，土匪遭歼灭性打击，其疯狂气焰一落千丈。

紧接着，259团又趁势掉头跃进汀东，对盘踞在河田、赤坑一带的土匪实施重点清剿。“自由军”第35纵队吴锦林部、第37纵队郑江部、长汀县“县政府”等大股土匪武装约1000余人就藏匿在这里。团长阮文炳率主力及地方武装共16个连，以及新桥、童坊、河田、罗坊等区中队和民兵共2000余人，于1951年1月10日直插匪窝，黄昏之前包围了赤坑。

这一带地形险峻，气候恶劣，前后峰峦叠嶂、山高林密。赤峰嶂主峰海拔1000多米。当地群众流传着这样的顺口溜：“赤坑三百三十六个窝，树林当屏障，茅草作被窝，窝窝能藏匪，地瓜当粮秣。”

莽莽密林，七回八拐，突兀的山崖，龇牙咧嘴，令人生畏，数十米深的道道深涧，宽宽窄窄，使人每前进一步都很困难。那几天正逢大雪纷飞，飘落在地面上的雪花开始融化，林间腐叶经雪水浸透，变成了泥浆，给部队行动增加了很大困难。但指战员们斗志仍然十分高涨，他们不顾天寒地冻，翻山越岭，深一脚、浅一脚、一步三滑地行进在密林之中。军衣划破了，手脚刺伤了，他们全然不顾。他们只有一个信念，那就是早日消灭土匪，为民除害!

可是，当各部抵达赤坑后，两天过去了却没有发现任何匪情，龟缩在深山窝里的匪徒一个也没有露头。12日，259团侦察队和7连走进赤峰嶂一座寺庙时，发现庙里一片狼藉，显然土匪撤走的时间不长。团长阮文炳立即命令各部昼伏夜搜，不搜到土匪决不收兵。这天中午，1营逮住了一个想溜出包围圈的干瘪老头，这老头说：“涂金标十分迷信，到哪里都要带着菩萨保佑，我就是为他背菩萨的，跟随他左右。”

涂金标是“自由军”第37纵队副司令。那老头交代说，赤峰嶂主峰北端山崖下有一个十分隐蔽险峻的地方，叫巴山寨。那里有个大岩洞，岩洞周围搭有寮子，那个大岩洞就是“第 37 纵队”司令部及长汀县“政府”所在地。

阮团长立即命令侦察队和 7 连投入战斗，兵分两路，沿着狭窄的山道顺岩壁往下寻洞。当侦察队顺着陡峭的岩壁往下搜索时，被土匪发现，侦察队当即开火封锁洞口。这时，7 连立即围拢过来，班长王民发不顾个人安危，从几十米高的山崖滑向洞口，先将手榴弹甩入洞内，接着举起冲锋枪猛射，死死卡住洞口。土匪见状，当场就有几个家伙举枪投降，洞内垂死挣扎的土匪也很快被歼。

巴山寨一仗，大获全胜，长汀县“政府”文教处长刘跃进被当场击毙，“第 37 纵队”参谋长刘炯俊及其老婆、交际处长刘少俊等被活捉。

剿灭涂金标股匪的枪声，使得藏匿在各个山窝子里的土匪犹如惊弓之鸟，企图突出包围圈溜走，这恰好暴露了他们自己。巴山寨外围部队和民兵从四面八方向赤坑压过来。他们夜间露宿在密林里，四处设伏，捕俘逃匪；白天分进合击，逐山逐坑搜索，一下子就毙匪 100 多人，俘匪 250 余人，匪大队长钟猎子被击毙。尔后的几天，连战皆捷，数十个匪窝被清剿一空，残匪向策武和南山方向窜逃。

这次大规模的围剿战，历时 13 天，“自由军”第 35、37 纵队基本被消灭，毙俘匪连、队长以上 20 余人，共歼匪 700 多人。25 日，长汀县“[illegible]”兼“自由军”第 37 纵队司令郑江、副司令涂金标在天风山的一座庙里[illegible]

此战结束，临近春节，259 团对潜逃出去的残匪作了分析研[illegible]封山，天寒地冻，衣被短缺，粮食不济，残匪很可能潜回各自[illegible]令 1 营与地方武装密切配合，对修坊、蔡坊、深渡、东华山[illegible]剿，经 3 天反复搜剿，蔡登楼、刘思基等 12 名匪首及 100 多[illegible]

赤坑会剿战后，259 团又在地方武装的配合下，连续搜剿逃[illegible]汀县河田区政府和区中队工作人员的 17 名土匪骨干分子也被抓获。2[illegible]旬，团长阮文炳按照 10 兵团首长的指示，亲自带着团侦察班，将这帮匪徒装上汽车押回龙岩。当汽车行至南山坝时，正巧遇上了从龙岩方向赶来的兵团副司令员刘永生，刘永生听了汇报后，沉着脸对阮团长说：“你把他们都押下来，我要审问。”

阮团长命令侦察班把匪徒们押到公路边。

刘副司令员走到土匪面前，用土话逐个问道：“你叫什么名字？打河田时打了几枪？”匪徒们有的说 3 枪，有的说 5 枪。问完后，刘副司令员顿了一会儿，突然转过身来，把手用力一挥说：“阮团长，给我通通毙了！”阮团长当即命令侦察班执行，这些罪大恶极的刽子手得到了应有的下场。

在回团部的路上，刘副司令员怒气未消，他气愤地对阮团长说：“以后凡抓到攻打长汀河田区政府的，就地枪毙，一个不留！”

第九章 虎啸戴云山

刘子宽、陈伟彬、林青龙、苏玉英等股匪，解放前是划割地盘，相互对立，互有恩怨，极少来往。陈伟彬与林青龙曾有激烈矛盾，苏玉英与林青龙还有杀夫之仇。一九五〇年二月，陈伟彬、林青龙之间的矛盾调和后，各股土匪统一由刘子宽领导。他们臭气相投，互相策应，反动气焰极其嚣张。

1 “中将副司令”潜回戴云山

1949年7月15日，厦门。

国民党特务头子毛森正召集所谓“六十一君子”开“应变会”。与会的是闽南匪首刘子宽、陈伟彬等人。会上决定，成立“东南人民反共救国军闽南军区”（以下简称“闽南军区”），王盛传为司令，刘子宽为副司令兼闽中军分区指挥官。为给刘子宽撑腰打气，毛森还宣布授予刘子宽中将军衔。会后，王传盛继续留在厦门，刘子宽潜回戴云山区组织“游击武装”。

戴云山海拔1800多米，位于德化、永春、大田、尤溪等县境内。解放前由于政府腐败，历年民军蜂起，土匪横行，反动势力根深蒂固。刘子宽潜回家乡永春湖洋后，即着手收罗国民党反动官吏和地方反动势力，正式成立“闽南军区”。该部下辖刘子宽直接指挥的“闽中军分区”，以及涂达德、康仲华、康明深、苏玉英为首的“先锋纵队”等反动武装，共6000余人，活动于德化、永春、尤溪、安溪、永泰、仙游等县。

刘子宽、陈伟彬、林青龙、苏玉英等股匪，解放前是划割地盘，相互对立，互有恩怨，极少来往。陈伟彬与林青龙曾有激烈矛盾，苏玉英与林青龙还有杀夫之仇。1950年2月，陈伟彬、林青龙之间的矛盾调和后，各股土匪统一由刘子宽领导。他们臭气相投，互相策应，反动气焰极其嚣张。

1949年10月，刘子宽在德化下山屯亲自组建“闽中纵队”，自任司令，国民党德化县县长兼县自卫总团团长陈伟彬、德化匪首林青龙之子林荣春两人为副司令，陈伟彬还兼任参谋长。刘子宽匪部所到之处，派款派粮，抢劫勒索，杀害干部群众，其罪行难以枚举——

1949年10月25日，刘子宽率领100多名匪徒攻陷永春湖洋区公所，捕杀干部2人；

1950年初，刘子宽部到德化七区十二岸抢劫，杀害行商小贩，农民彭孝宝家的财物被洗劫一空；

1950年4月19日夜，刘子宽部之徐坤、郑秀椿、郑侨等，到德化一区奎斗村，杀害该村村长徐文欣；

1950年5月，刘子宽命令“闽中纵队”突击大队和白云纵队，联合攻打永春县政府，由于白云纵队代司令戴天春被擒，该计划破产；

1950年农历五月间，刘子宽部的郑扬宝、曾炳煌、林知、郑火炭等匪10余人，在德化雷亭岐伏击因公途经该地的德化县副县长毛票等人，杀害解放军258团炮兵连3排排长、德化县连山乡乡长曹干、晋江军分区独立6营战士黄绳赞、德化县人民政府通信员黄祖肯，击伤警卫员黄能讲、通信员黄福德，晋江军分区独立6营3区队战士黄绳凤、县人民政府警卫员黄绳元、德化县农会代表毛保定，被抓后惨遭杀害；

1950年6月间，刘子宽部郑扬宝到苏洋村派大米250公斤，林青龙又派饷银500元，该村每户被勒去银元10块和大米5公斤。同月，永春4区一个小贩到硕儒卖东西，亦被郑扬宝杀害……

刘子宽这股土匪罪行累累，人民群众无不切齿痛恨！

2 刘子宽还往哪儿跑

1950年1月，第三野战军第10兵团把围剿刘子宽的任务，交给了第29军87师260团。政委范银根、2营营长邵勇率部进驻覆山，迫使刘子宽离开老巢下山屯，到处流窜。2月，260团1营营长王德成又率队进军连山，清剿刘子宽部的江联珠、林万出股匪。6月，剿匪部队在水口久住的虎头山及三坡洋一带，缴获了刘子宽发往祥光江联珠和梁秉忠匪部的全部名单和委任状等物，进一步掌握了清剿的主动权。

8月17日，晋江军分区司令员叶克守赶到德化下山屯，把德化、永春、永泰、仙游等县大队负责人召集一起，全面部署剿匪工作。叶克守拿着缴获的土匪名单和委任状，说："我想我们先围剿刘子宽，再围剿陈伟彬，最后消灭林青龙、苏玉英。只要我们把刘子宽包围起来，我看他刘子宽还往哪儿跑！"

会后，叶克守亲自指挥260团、警备5团和德化、永春、永泰、仙游县大队和当地民兵共3000多人，对位于德化、永春、仙游边界的刘子宽部进行重点围剿。剿匪部队把方圆30多公里的刘子宽活动地区全包围起来，白天搜山，晚上伏击。

在那荒无人烟的原始森林里，每个战士身负10多斤重的装备，行动相当困难。但任何困难都难不倒英勇的剿匪战士。他们一手握着枪，一手拄着木棒，穿梭在丛山峻岭之中。每到安全地带休息时，他们总是愉快地唱着自己编的歌儿："难爬的山头要强爬上去，难钻的草丛要硬钻进去，想要立大功，就往草里攻；要捉刘子宽，就得往前冲。"

重点围剿很快取得了成果。8月18日，260团在德化与仙游交界的霞碧乡一举毙俘"闽中军分区"参谋长、秘书、无线电员等共27名。刘子宽在剿匪部队的追击下，被迫在山沟、密林、深草中窜来窜去，跌断了一条腿，只好坐着担架，带着几个警卫员，向永春锦洋一带逃窜。

为瓦解土匪，剿匪部队组织了“土匪自新委员会”，积极做匪属工作，促使匪属动员土匪出来自首。在强有力的政策感召下，土匪纷纷自首。经过两个月的政治攻势和武装围剿，刘子宽股匪大部被歼，只有少数顽匪还在负隅顽抗。剿匪部队决心乘胜穷追猛打，不捉住刘子宽决不收兵。

3 赤手空拳的通信员急中生智

天刚蒙蒙亮，部队就把包围圈拉好了。包围线上，岗哨一个接一个。无论是山头水边，还是草丛森林，只要是土匪可能漏网的地方，都有剿匪部队的战士。包围圈里，战士们穿来插去，专门搜捕那些已被包围的土匪。

时间久了，部队就在房屋稀少的包围线上造起“房子”来。这些“房子”，矮得像鸡窝，其实就是用茅草、树枝、野藤搭起来的小草棚。连队干部还亲自动手，搭了个能容纳10来个人的连部。为了把蚊子赶得远一点，草棚周围的茅草都被割掉了。草棚里面的床铺是用树干、竹片拼成的。大米是从大山外的粮站挑上来的，菜还是老毛笋——山芋叶子。战士们每昼夜要担负12个小时以上的警戒任务。虽然条件艰苦，但战士们却没有一句怨言。

在包围圈里担负搜索任务的战士更艰苦。他们越深山，钻草丛，遇到悬崖陡壁，就这手抓住一把草，那手抓住一棵树，这脚踩住草根，那脚踩住石缝，一点一点艰难地往上爬。有的树看上去很结实，但一抓就断，害得个别战士差一点摔下来。

旁边的战士见状，就开起玩笑来了：“这倒像美帝国主义，外强中干，腐烂不堪呀！”

在各个部队的共同努力下，又消灭土匪100余人，缴获了刘子宽的电台。战士们听到这一消息，更是来了劲。一个叫颜德农的战士头头是道地评价说：“重点清剿好！这样就把土匪搞得躲不住，逃不出，上天无路，入地无门！”

刘子宽最终是在永春被活捉的。10月19日下午2时，260团3营营直担架班、通信班及勤杂人员等19人，带了1支汤姆枪和1支驳壳枪，到距离驻地1公里远的庵坑山上去砍柴。赤手空拳的通信员沈凤岐忽然发现草丛里藏着人，估计是土匪，他机警地让担架班长张学芝开枪扫射逃窜的土匪，一面让通信班长芦文彬派人飞报营部。一个身上背着卡宾枪、手上握着汤姆手枪的家伙朝通信员陈太农走来。陈太农机智地举起了砍柴刀喊道："不许动!"接着大声喊道："把机枪拖上来!"那家伙一听要拖机枪，吓得转过头来拔腿就逃，另一个家伙更是惊慌失措，拼命向山沟里窜。不一会儿，3营营长、教导员、副营长率营部全副武装的战士们赶到，7、9两个连也将这一带包围起来进行搜索。营部副供给员陈荣发现草丛中有人，纵步向前，朝着企图逃走的那个家伙打了3枪，那家伙颤抖地举起了双手，陈荣将其擒获。经审讯，这家伙就是作恶多端的土匪头子刘子宽。

刘子宽被活捉，民心大快。12月15日，经上级批准，在永春湖洋召开公审大会，德化、永春、仙游等地的群众纷纷赶来参加。当宣判刘子宽死刑、立即执行时，数千名群众欢声雷动，欣喜若狂。刘子宽伏法后，"闽中军分区"残匪还有4股60余人，由刘苟代司令，刘子宽的小老婆张雪明任副司令。到了1951年6月，刘苟被捕，张雪明走投无路，自尽于德化霞山。

4 陈伟彬刚窜到大陆就被击毙

刘子宽被捕后，匪"闽南军区"所部并没有停止活动。刘子宽的参谋长陈伟彬仍指挥所部与剿匪部队周旋。

陈伟彬原名吴前，1900年生于尤溪县二十三都一户农民家庭。他从小放荡不羁，少年时就在尤溪民军团长陈帮龙部当勤务兵，后随陈帮龙到德化葛坑受国民党旅长陈国华收编。陈国华叫他当勤务兵，因他打仗不怕死，1917年被陈国华收为养子，从此改名陈伟彬。

自跟随陈国华之后，他的足迹遍及大田、尤溪、永泰、仙游、永春、永安、福州等县市以及湖南、广东等省份，曾任国民党党、政、军职，解放前夕任国民党德化县县长兼县自卫总团团长。

1949年11月24日，第260团在晋江军分区警备团和当地游击队配合下，一举解放了德化县城。当天，260团即兵分两路剿匪，一路直插匪首林青龙老巢美湖，另一路向葛坑进发，进剿陈伟彬。陈伟彬率部逃窜。1950年2月，260团一部及德化县大队2中队进驻汤头，俘陈伟彬部警卫营3连连长黄清时部下6人，缴长短枪7支。3月，县大队2中队在桂涌开展政治攻势，国民党县政府科长和乡长、排长计10余人缴械投诚。4月，260团1营和县大队2中队到溪洋永丘村、葛坑、安村、白叶一带清剿，陈伟彬在琼溪、桂林、陈侯祠一带流窜，继续与剿匪部队周旋。5月，黄清时逃窜至汤头被俘获。

1950年10月3日，剿匪部队在德化与尤溪交界的杨梅白叶村一带，活捉了陈伟彬之义父、原国民党旅长、“闽中区人民反共救国军”五县（永泰、德化、大田、漳平、宁洋）指挥官陈国华及4名匪兵。陈伟彬闻讯，慌忙纠集400多人，妄图营救陈国华。10月10日，260团在重点围剿刘子宽后，由参谋长邱奕晋、2营营长邹勇、教导员黄明，率4、6两个连，在德化县大队的配合下，直捣葛坑陈伟彬匪巢。11日，4、6两个连与县大队两个中队抵达葛坑花树格村时，与陈伟彬相遇，双方激战3个多小时，陈伟彬的警卫排长陈金珑及匪卒3人被击毙，陈伟彬见势不妙，乘夜逃走。12日下午，剿匪部队分3路围剿，中路在葛坑附近的白叶长坑，活捉了陈伟彬之妻林桂英（任陈伟彬之财政出纳），及其子陈海荣等3人。陈伟彬带次子陈海涛化装潜逃至尤溪与德化交界处的西土乾和二十三都一带，隐蔽于深山野林之中，不敢公开活动。

剿匪部队把陈国华从尤溪带回葛坑，利用活教材做分化瓦解土匪的工作。在强大的军事压力和政治攻势下，陈伟彬部开始动摇。陈伟彬部3连连长、陈国华三子陈宣石和陈伟彬的亲信连长陈福中，带步枪7支、短枪两支、机关枪两挺向部队自首。几天内，就有130多名匪徒出来自首。10月30日，尽管林荣春纠集匪徒200余人突入赤水街巷，妄图挽救陈伟彬覆灭的命运，但很快就被剿匪部队击退。

剿匪部队翻山越岭四处出击，至11月中旬，计缴获陈伟彬股匪步枪86支，驳壳枪14支，子弹2000多发，蚊帐布13匹，棉被6条，担架3副，收发报机1架，银元8552元，铜币1万枚以及其他物资。

1951年1月11日，260团2营4连冒着飘飘雪花进剿白叶村，向陈伟彬残部进行扫荡。这时，葛坑乡乡队副陈国志报告说，陈伟彬部排长陈长庚等30余人，正隐蔽在尤溪县二十三都华口光村的一个山沟里。4连冒着严寒，急速步行10多公里山路。在二十三都附近的一个密林里，2班长黄思忠首先发现土匪哨兵，全班跟着黄班长猛扑过去，击毙陈长庚等4人，俘2人，缴冲锋枪、短枪各1支，步枪4支，其他20余名土匪逃跑。其余散匪在剿匪部队压力下陆续自新。匪连长李世树在赤水向剿匪部队缴械自新，但不久又继续为匪，最后在大铭山上被击毙。陈伟彬见大势已去，即带着儿子陈海涛由白叶村逃往福州，又从福州偷渡去了乌龟岛。

逃到乌龟岛的陈伟彬，不甘寂寞又窜到金门，纠集各地逃亡散匪，重新拼凑“闽中反共游击总队”。经过美蒋特工人员训练，得到美式装备，企图重返戴云山。9月4日凌晨，陈伟彬与另一匪首陈令德率股匪300余人从惠安登陆。不料，惠安军民早已严阵以待，军分区参谋长徐瑞亲临惠安指挥战斗。匪特刚一登陆，就落入解放军的重重包围之中，至上午8时，大部分匪特被歼。陈伟彬逃至仙游与莆田交界处的白洋山时，被密集的枪弹击毙。真是逃过了初一躲不过十五，这个在戴云山区重点围剿中侥幸漏网的顽匪，最终还是得到了应有的下场。

5 林青龙在山林中死去

第260团在向葛坑进剿陈伟彬的同时，另一路也向美湖进军。1949年11月25日夜零时30分，260团抵达尊美附近的山顶。清晨，林青龙等溃逃山林，林青龙长子林昭树被活捉。1950年1月和2月，260团先后两次进驻美湖，并派工作组协助地方建立乡政权，大力宣传剿匪政策。260团离开美湖时，特留下1个班开荒种菜，秘密发展情报人员，掌握林青龙动态。林青龙在老巢待不下去，只好在双阳乡及赤水、锦福、桂涌和大田、尤溪边境地区流窜。8月，260团东调围剿刘子宽时，林青龙再次抬头，乘机骚乱，窜回美湖反攻倒算，先后打死农会干部和民兵4人，军属2人，妄图分散260团的兵力。

刘子宽、陈伟彬大部被歼后，260团回师南下，集中兵力对林青龙展开猛烈攻势。10月5日，260团1营在尊美设伏，击毙“德大县独立自卫团”1营1连连长、林青龙之子林荣中。260团2营、晋江军分区警备团在美湖、大儒、上春、尤床、新阁等地继续围剿林青龙。剿匪部队白天围山，晚上设伏，迫使林青龙带病在山林中东逃西窜。1951年1月8日，林青龙绝望地病死于苏园村的湖仔厝里，结束了他罪恶的一生。

林青龙死后，其子林荣春感到末日将临，四处乱窜。为了防止林荣春外逃，德化、永春、大田、安溪4县在阳山设立了联合剿匪指挥部。

2月6日，正是农历大年初一，260团500余人及德化县独立大队300余人进剿林荣春。260团团部设在赤水，部队分布于赤水以南的美湖、大儒、洋坑、阳山、林地、赤水、东里等地区，2营营部设在美湖，教导员黄明率1个连驻在尊美。县独立大队则由诸葛率领，驻赤水西北地区的双翰、十八格、尤床、新阁、铭春等地，大队部设在双翰。德化县4区人武干部陈文美和一位参谋带领民兵营驻格头。林荣春的整个活动地区完全被剿匪大军包围。

2月10日，剿匪部队在十八格、双翰、古春等地，围歼“德大县民众独立团”2营中校营长陈鸣皋、3营少校营长卢振唐、8连上尉连长卢有悦等部。林荣春见这阵势，不得不率残匪5人逃离老巢，向永春流窜。260团

4连和永春2区陈坑乡、德化上阳乡民兵冒雨跟踪追击。3月11日，林荣春终于在德化、永春交界处的山沟里被击毙。

3月12日，剿匪部队集中全力，连夜围剿困守在大张白马庙的卢振唐、陈鸣皋两股土匪，歼匪17人，卢振唐、陈鸣皋乘夜逃脱。至3月15日，在剿匪部队强大的政治、军事压力下，匪团长陈公亮以下80余人缴械自首，匪排长以下12人被俘，卢振唐、苏子厚、苏万邦、林青献4股土匪主力被歼。

4月，德化、大田、尤溪县大队各一部，在2000多名群众的配合下，对陈鸣皋、卢有悦、“德大县民众独立团”4连上尉连长陈鸣凤及陈伟彬残部进行围剿。9日，陈鸣凤被活捉。陈鸣皋走投无路，于15日被迫自首。此前，匪政治委员徐宗汉、营长林玉龙、林仁毕、卢振唐等也先后缴械自首。匪副团长徐登云在福乡一个瓦窑内上吊自杀。至此，林青龙苦心经营40多年的“林家王朝”彻底崩溃。

6 康明深要提前行动

匪“闽南军区”头子刘子宽、陈伟彬、林青龙等覆灭后，众匪像无头苍蝇，到处乱窜。但也有一些股匪不甘心失败，继续兴风作浪。“闽南军区”所属的“先锋纵队”就是其中一股较顽固的土匪。

“先锋纵队”实际上由副指挥康明深、顾问苏玉英掌管。

康明深1909年出生于永春坑仔口乡玉西村，幼年被卖到玉斗乡竹溪村。他与永春西部民军头子林妙庆、涂友情有姻亲故旧关系，青年时期就参与地方势力之间的倾轧争夺，残忍凶悍，阴险毒辣。1936年，因与民军连长康明三有宿怨，他便勾结德化土匪数十人，把康明三击毙于玉斗街，夺取长短枪20余支，掳走坑仔口乡联保主任康仲华等6人为人质，然后一起拖枪上山，向国民党当局提出谈判条件。在这之前，康明深就卖力参与“围剿”红军，后又与叛变革命成为土匪的汤己土合伙为匪。不久，康明深又诱杀了汤己土，夺其枪支，既壮大实力，又向国民党当局捞取政治资本。从此，他独霸玉斗、坑仔口，成为永春西半县的一霸。抗战期间，经涂友情推荐，康明深到贵州息烽军统训练班受训，并被授予少校军衔。

1948年，康明深见国民党大势已去，便接受中共党员张强的策反，进入坑仔口，开辟游击根据地。游击队还策反涂友情遗孀苏玉英等国民党军政人员起义。1949年五六月间，游击队先后夺取永春、大田、德化县城，康明深曾一度与游击队合作，担任过永春县人民游击大队长、永（春）德（化）大（田）人民游击总队队长、闽粤赣边纵队8支队4团副团长兼3营营长等职。1949年10月，游击队与南下大军会师整编，3营改编为永春县警备大队，康明深调任晋江军分区参谋。

康明深对军分区参谋一职的安排，疑心重重，报到后即离职返永，后又带小老婆到厦门鼓浪屿暂时住下。恰在这时，军统特务康仲华找到他，拉他入伙，康明深自以为武力称雄是他的拿手本领，便放弃了往香港的念头，妄图东山再起。

康明深、康仲华等人回到坑仔口蛇头村。他召集旧部，去大田县济阳参加军统特务涂达德召开的会议，康明深被委任为“东南人民反共救国军闽南军区先锋纵队”副指挥，苏玉英为顾问。

苏玉英当时40多岁，喜欢抽鸦片，有一手好枪法，平时带一长一短双枪，有“双枪老太婆”之称。她生活奢侈糜烂，心毒手辣，平常身边的保镖、丫头、佣人不下七八个，常带土匪横行乡里，无恶不作，大田屏山一带群众既恨她又怕她。

1950年1月26日，康明深、苏玉英把永春1区群团主席涂良愈抓到下洋后山活埋，开始进行反革命暴乱。2月，康明深指使其安插在革命队伍内部的玉坑乡乡长康传锹，公然把县里派人在2区收缴的枪支截留在乡里。这时，1区横口的章先鹏、一都的郭国煌等曾参加过起义的地方武装也相继倒戈，追随康明深重新走上反革命道路。永春的1区、2区局势顿时紧张起来，大有“山雨欲来风满楼”之势。

2月26日清晨，康明深在永春蓬壶八乡村康家振住处召开匪首会议，计划先抢劫永春锦斗横坑一侨户的财物作为暴乱经费。会间，康明深的亲信康重泉、康仁软匆匆忙忙赶来报告说，2区武装委员郑联春带人到玉斗收缴民兵枪支被扣留起来，现关在土楼里。康明深闻讯后，大发雷霆，狂叫道：“我们要提前行动，在场的人立即回去，把人马拉出来！”接着，他让康重泉立即回去，把扣押在土楼内的人看紧；命令康仁软召集人马控制玉坑制高点，封锁路口，行人只准进，不准出，切断县城的电话；叫警卫员通知其兄康明水把所有枪支收集起来。

玉斗的反动势力闻风而动，诡称农会主席被土匪抓走，紧急集合民兵，以检查枪支为名，缴了民兵全部枪械。当天晚上，匪徒们用同样手段，把坑仔口的西坪、诗元、玉西、魁斗等村的民兵集中在火烧店，强行缴械，并把县公安员陈土、农会干部康明取和康明春、区干部康国新等人，骗到康明水楼上扣押起来，关在玉坑乡公所。这伙丧心病狂的匪徒认为时机已到，捕人、抢劫、派饷，无所不为。

2月27日，玉坑一带血腥洗劫继续蔓延，康明深派人通报涂达德、苏玉英，要求他们派武装支援。下午3时，康明深从蓬壶八乡回玉斗之前，分别向康仁软、郑学宝下达手令，要他们把郑联春、周景阳、白露洲、林尚渭、王兴士、郑学万、赵习计7人押到深山老林的洋头村活埋。当夜12时，7位同志壮烈牺牲。

2月28日，康明深在坑仔口小学操场上召集玉西、诗元、魁斗等村农会会员开会，宣布解散农会和民兵组织，恢复国民党保甲制度，另立乡政府，委任康明从为玉坑乡乡长，并当场烧毁乡公所和农会的清册及文件。他还威胁老百姓说，不得与共产党联系，不得为共产党做事，否则抄家灭族。最后，他限各保百姓在两小时内交白银200元，粮谷400担。

3月1日，是康明深横行玉坑的最后一天，300余名匪徒集中在坑仔口，划分各股土匪的活动范围。当夜，各股土匪撤出玉坑前，康明深又下令郑学宝、康仁软，将康明取、康国新、康明春、陈玉明、陈土等5位干部活埋。

3月3日，永春县大队挺进玉坑。潜伏下来的匪徒虚放几枪，逃亡山上。

7 整个山谷顿时枪声大作

康明深发动暴乱后，东逃西窜，避实就虚，还是不断损兵折将，只好潜赴金门求援。5月初，康明深率台湾武装匪特56人携带大量武器、弹药、经费及1部电台返回，自立门户，组织起200多人的“永安纵队”，自任指挥。随后，攻陷1区区公所，在坑仔口杀害永春县公安局秘书康鹤年等3人，在安溪潘田杀害自新土匪。刘子宽、陈伟彬、林青龙等股匪主力被歼后，“东南人民反共救国军闽南军区”已土崩瓦解。但蒋介石仍不甘心失败，不断派特务从海上、空中潜入大陆。1951年1月11日，蒋介石又策动康明深，在漳平县新桥镇召集永安、大田、德化、连城、宁洋、漳平、永春、华安等8县匪首联席会议，成立所谓“福建省反共救国统一行动委员会”，并确定康明深为主任，漳平的曾文光、永春的张景清为副主任，设总务、经济、政治、军事、军法5部，统一领导5个纵队、1个总队约1200余人。土匪们四处张贴布告，散发反动传单，大造反革命声势。他们扬言先攻漳平县城，再打大田、宁洋等县，搞得人心惶惶，人人自危。

乘“8县联席会议”尚未收场之机，龙岩军分区奉命指挥259团（欠3营）、253团3营、晋江军分区永春大队、永安军分区大田大队火速前去围剿，出其不意地打击匪徒。259 团当即租下 3 部汽车运送团指挥所、侦察分队和弹药，其余部队强行军 3 昼夜，行程 300 余里，全部赶到了龙岩城。接着，259 团侦察队立即出动，了解匪情，很快与漳平县取得了联系。

259 团主力在龙岩稍作准备，即于 1 月 17 日下午轻装直奔漳平，当天傍晚到达白沙时，与接应配合他们的漳平县领导和县大队两个中队共 200 余人会合。接着，他们兵分 3 路向新桥合击。团指、1 营及侦察队经线坂进至丁坂，由西向新桥攻击；3 营经南洋、大窑煤矿、上坂，由北向新桥攻击；炮兵连、警通连及县大队两个中队由白沙经钱坂到城门，尔后再拐向安仁、东南埔、西埔等地，从东南方向向新桥攻击。

当夜月色朦胧，各部队按照预定的路线急速行进在崎岖的山道上。康明深早有准备，在新桥周围数里内部署了一些土匪。1 营先头部队进至新桥附近的丁坂时，便遇上了一股担任警戒任务的土匪。该匪一触即溃，仓皇逃窜。拂晓时分，各路队伍共 2000 余人到达指定地点，对新桥形成了包围。

3 颗信号弹划破了黎明前的夜空，整个山谷顿时枪声大作，部队向土匪发起猛烈攻击。刚从睡梦中醒来的土匪，有的连衣服都来不及穿就举枪顽抗。1 营从正面发起进攻，10 多挺机枪构成的强烈火力网，扫得匪徒抬不起头来。3 营迅速向新桥合围，侦察队则趁晨雾未散直插新桥小街，匪徒里外挨打。匪徒们发现已被全面包围，剿匪部队火力甚猛，顿时慌作一团，有的慌忙逃窜，有的四处寻找藏身之地，有的则以土楼房舍为依托顽抗。

新桥镇西有一座大土楼，共 3 层，层层有枪眼，是土匪在新桥的核心工事，七八十个匪徒龟缩其中，胡乱向剿匪部队打枪。1 营干部见状，立即派出爆破组。爆破组在火力掩护下靠近土楼，只听一声巨响，土楼被炸塌一个角，部分土匪被压死，其余全部投降。新桥一战，共打死土匪大队长以下匪首 10 余人，匪徒 170 余人，俘匪 180 余人，缴获机枪 3 挺，步枪 300 多支，手榴弹 90 多枚，子弹万余发。

就在 259 团等部打得正欢的时候，253 团 3 营、永春大队、大田大队也包围了盘踞在漳平县德厚村的土匪民堡，经一昼夜的战斗，大田县大队将德厚村火烧煸民堡攻克，歼匪一部，但孟尾民堡久攻不下。20 日上午，261 团炮兵连赶到，集中火力摧毁了民堡，将孟尾民堡内守敌全歼。随后，大田大队协同永春大队逼近洋下民堡，土匪在军事压力和政策感召下放下武器。

新桥、德厚战斗共歼灭股匪 350 余人，康明深、苏玉英的“永安纵队”、“先锋纵队”主力被歼，“福建省反共救国统一行动委员会”副主任曾文光被击毙，张景清被活捉，其余匪首突围逃窜。剿匪部队仅牺牲大田大队副连长高超桥、郑起板等 7 人。

狡猾的土匪在遭到攻击时，利用熟悉的地形，抓住各部正投入战斗之机，在各县匪首的带领下，分别向 3 个方向流窜。一股逃往大田、永春交界处的屏山一带；一股逃往华安一带；一股逃往宁洋、永安一线。剿匪部队决定立即追剿逃匪，不给匪徒以喘息之机。259 团 1 营及炮兵连、侦察队向灵地、大田、永春方向追剿，3 营向双洋、赤水、紫云洞山、冷水坑方向追剿，其余部队向华安方向追剿。

259 团团长阮文炳随 1 营行动，一连几天，他们都在大山里转。当追至漳平与大田交界处的福德地区时，追上了华安的黄以定股匪 100 余人，给予沉重打击。之后，又在屏山、下洋等地歼灭匪徒数十名。

将计就计杀了个回马枪

4 月 1 日，苏玉英股匪 200 余人被 1 营紧紧咬住，部队冒雨紧追不舍。当追到永春与大田交界的屏山爱文街村时，该股匪突然不见踪影。此地四面都是大山，苏玉英是当地人，非常熟悉这里的地形，阮团长分析她一定藏在附近的山上。当天 1 营驻在后坪村休息，司号员有意吹号，以引起匪徒注意。下午 4 点多，部队提前吃晚饭，阮团长命令侦察队挑选两个班带上两挺美式 30 轻机枪，秘密埋伏在爱文街村里的一幢土楼里，其余部队向西行动。大约走了 10 公里，天黑了下来，1 营旋即折回到爱文街村附近，在离村不远处埋伏下来。苏玉英压根没想到 1 营会杀回马枪，晚上 11 点钟，她带领 200 余名匪徒，从山上下来，吆三喝四，乱晃手电，进村后一片嘈杂声。见此情景，1 营兵分两路向苏玉英发起攻击。留在村里的两个班如同两枚定时炸弹突然炸响，匪徒们被打得晕头转向，沿着狭窄的山道向村外逃窜，摔死不少。苏玉英带着 100 余人夺路而逃。机枪连跟踪追击，翻越 1300 多米高的大山，紧紧咬住苏玉英不放。连长张志清率领全连追剿至大田半山村时，将苏玉英击毙。

第二天，永春县人民政府将苏玉英用一个竹制的担架抬着上街游行示众。老百姓兴高采烈，纷纷燃放鞭炮，欢呼解放军为民除了大害。永春县还特地赠送给 259 团一面“为民除害”的大锦旗。第 29 军、龙岩军分区也特地电贺打死匪首苏玉英。

消灭苏玉英股匪后，259 团 1 营及侦察队紧接着又投入到追剿康明深的战斗中。康明深虽然逃脱，但犹如丧家之犬，东躲西藏，陷入绝境。康明深被迫打了近 10 天左右，疲于奔命。4 月 19 日，双手沾满烈士鲜血的康明深逃到永春县尾岭头一带，正想休息，便遭到 1 营机枪连指导员张鹏率领的追击部队的袭击，康明深当场被击毙，跟随他作恶的兄弟、儿子，以及各股匪大小头目 40 多人死的死，伤的伤，被擒的被擒，都得到了应有的下场。1 营缴获机枪 1 挺，驳壳枪 7 支，冲锋枪 9 支，步枪 20 余支。

康明深、苏玉英等被歼，“福建省反共救国统一行动委员会”彻底崩溃。4 月 25 日，福建军区司令员叶飞、政委张鼎丞等首长，特致电祝贺并嘉奖 259 团，并在全区通报表彰：

> 剿匪中，由于你们正确掌握了剿匪战术原则，发扬了艰苦勇敢的战斗作风，抓住战机，连续追剿，主动出击，以少的代价，获得了大的胜利。尤其是在艰苦环境中开展剿匪斗争，没有指战员们崇高觉悟和坚强的毅力，要想战胜土匪是不可能的。

康明深、苏玉英被击毙后，戴云山一带只剩下一些零散土匪。剿匪部队在人民群众的大力支持下继续清剿漏网散匪。极个别狡猾的家伙，仍要尽各种花招，梦想蒙混过关。匪徒李万映 1951 年 2 月被捕，2 月 18 日在押往洪田审判时，假装上厕所逃脱，将衣服丢在溪边并留下“遗书”一份，伪装投水自杀，长期隐藏在山洞里。1953 年其妻怀孕，李万映怕暴露真相，故意让其妻与他人“结婚”。土匪陈生存 1950 年自新后，在劳教所学习，因病情严重，由其家属保回就医，不到 3 天，其妻即报称丈夫病亡，假行葬礼，1953 年乡里曾派人开棺检查，见棺内有骨头，便信以为真，未继续检查。陈生存隐藏密林达 6 年之久，最后他们不得不向人民政府投案自首。

第十章 踏平千顷浪

丁治磐对自己网罗了如许人物颇为得意。在他的指挥下，海匪以马鞍列岛的嵊山、嵊泗列岛的泗礁、崎岖列岛的大小洋山，以及滩浒山岛为中心设防，肆意劫掠海上商船和民船，破坏海上航运和渔业生产，还不断派遣特务骚扰大陆，妄图把苏南沿海岛屿变成蒋介石『反攻大陆』的桥头堡。

1 国民党陆军中将到苏南沿海诸岛落草为寇

天苍苍呀水茫茫，
长江口外匪猖狂，
因为来了姓丁的，
家破人亡去逃荒。

这首民谣，是苏南沿海人民对海匪恶行的血泪控诉。民谣中所言姓丁之人，在江苏一带可谓大名鼎鼎，他就是国民党江苏省主席兼保安司令、国民党军队陆军中将丁治磐。

丁治磐，字似庵，江苏东海县人，1894 年 1 月生，初毕业于江苏讲武学堂，后毕业于陆军大学第 12 期，1927 年就被授予陆军中将军衔。1948 年 9 月，他任国民党江苏省政府主席，兼江苏绥靖总司令、江苏省保安总司令。这个丁治磐，干了许许多多反共害民的坏事。

1949 年 4 月，毛泽东指挥人民解放军百万大军进军江南，丁治磐带着“省政府”机关仓皇撤离省会镇江，逃到长江口外苏南沿海的一些小岛上安营扎寨，并以嵊泗列岛为基地，继续与人民为敌。

丁治磐之所以看中此地，一方面是走投无路，另一方面是因为此处地理位置十分重要。

包括嵊泗列岛、马鞍列岛和崎岖列岛等岛在内的苏南沿海诸岛，共有大小岛屿近百个。这些岛屿散布于长江口外，构成了上海、宁波、杭州的天然屏障。

老谋深算的丁治磐知道，长江口是上海港及长江流域各港口对外贸易、航运的咽喉要道，无论在经济上还是军事上都占有十分重要的地位，素有中国东大门之称。占据了苏南沿海诸岛，也就可以控制长江口。

为了扩充势力，以图东山再起，丁治磐在蒋介石授权下，收编了苏浙沿海的几股海匪武装，主要有平湖的黄八妹、川沙的张阿六、苏北的袁国祥等股匪。这些海匪共 600 余人，丁治磐将其组成“东南人民反共救国军”，自任总司令，下属 3 个纵队，由黄八妹、张阿六、袁国祥分任纵队司令。

丁治磐的 3 个司令当中，黄八妹是一得力干将。

1949 年 5 月上海解放前夕，特务头子毛森将黄八妹召到沪上参加“应变”会议，并委以国民党“京沪杭警备司令部苏浙沿海游击队第一纵队”纵队长，任务是在国民党军撤退后，留下坚持“敌后游击斗争”。

上海解放，毛森逃往厦门后，黄八妹便改换门庭，投到了丁治磐的帐下。

其余如张阿六、袁国祥之流，也都是凶残狡诈之徒。

丁治磐对自己网罗了如许人物颇为得意。在他的指挥下，海匪以马鞍列岛的嵊山、嵊泗列岛的泗礁、崎岖列岛的大小洋山，以及滩浒山岛为中心设防，肆意劫掠海上商船和民船，破坏海上航运和渔业生产，还不断派遣特务骚扰大陆，妄图把苏南沿海岛屿变成蒋介石“反攻大陆”的桥头堡。

更为可恨的是，这些海匪还协助国民党军，在长江口进出航道上布设了许多水雷。由于我华东海军刚刚建立，尚无扫雷设备，因而长江口的水雷严重阻碍了水上航运，并且造成了十分严重的后果：一些民船、商船和外船相继触雷沉没！

国民党当局在台湾得知长江口频频发生船只触雷事件，欣喜若狂，国民党《中央日报》在头版以醒目标题报道：大快人心事，大陆5艘轮船在长江口触雷沉没。

美联社也发表评论员文章，说什么中共大陆轮船相继触雷沉没事件，充分说明了共军没有能力疏通长江水道，更不用说渡海与蒋介石军队作战了。

参与这一“杰作”的丁治磐之流，更是躲在阴暗的角落里幸灾乐祸，得意洋洋：“炸吧，炸吧，再多炸几颗；沉吧，沉吧，再多沉几艘；好好地封锁长江口，封锁大上海，封锁共军的舰艇，咱们就可以放心大胆地干了！”

一时间，恐怖的阴云笼罩在长江口这片蓝色的国土上。

由于长江口被封锁，使上海的工商业面临着重重困难，也给国家的国民经济造成了严重影响。1950年1月24日，华东军政委员会副主席马寅初在上海发表广播讲话中说：“百货业有了东西卖不出去，机械业几乎濒于崩溃，纺织业的成本超过了卖价，粮价上涨，其余物价也跟着上涨……”

2 周恩来总理下令打通长江口航道

匪情，敌情，雷情，震动了共和国的最高层。中央人民政府政务院总理周恩来给华东军区下达指示，要求迅速组织力量，一定要打通长江口航道，扫荡苏浙沿海残匪。

随着周恩来总理一声令下，一场剿灭苏浙沿海残匪的战斗全面展开了。

这天晚上，在华东军区司令员陈毅的办公室里，坐着副司令员粟裕、军区海军司令员兼政治委员张爱萍、淞沪警备区司令员兼政治委员郭化若等高级将领，他们正在研究扫除长江口水雷和清剿海匪之事。

陈毅司令员首先打开了话匣子："前一阵子，我们把主要精力放在准备解放舟山群岛和金门、台湾上，顾不上沿海岛屿的小股散匪，现在舟山已经解放，我们要腾出手来剿灭苏南沿海岛屿的海匪。军区决定，由淞沪警备区派部队负责岛上进剿，军区海军出动部分舰艇担任输送和护航任务，海、陆军密切协同，一定要把这些小毛贼全部清除掉！"陈毅说到这里，看了一下郭化若，接着问道："你们是怎么安排的？"

"先打滩浒山岛。"郭化若呷了一口茶，继续汇报："滩浒山是长江口南侧的一个小岛，海匪黄八妹部100余人盘踞于此，人数虽然不多，但是十分狡猾，黄八妹和她的部下都是渔民打扮，利用众多的岛屿和河汊，来无声，去无踪，抢了就走，劫了就跑。尤其是那个黄八妹，滑如泥鳅，居无定所，很难抓到。因此，这次'杀鸡'须用'牛刀'，地面部队，拟派第98师293团1个加强营，由师参谋长鲁突指挥。至于海上输送、护航，爱萍同志另有良策。"

张爱萍接过话茬："海上输送和护航由第5舰队负责，参加这次作战的有4艘登陆舰，另抽25吨炮艇8艘及25吨登陆艇4艘组成炮艇队，担任火力掩护和截击匪船的任务。组织指挥，在海上由炮艇队大队长陈雪江负责，陆上由第98师参谋长鲁突负责。"

陈毅听得频频点头："你们的剿匪部署很好，我同意。不过还得请粟副司令给你们指点指点。"

粟裕笑着连连摇手："有陈老总亲自掌舵，你们还愁个啥？这次进剿滩浒山海匪，就力量对比来说，犹如以石击卵。但这是海军和陆军第一次协同作战，也是军区海军舰艇部队第一次出海作战，我们的小炮艇能否适应海上作战？看来，征服大海比征服敌人要困难得多。希望大家遇事多从困难处想想，把准备工作做细致，做扎实，做充分，务求一举成功，为以后的进剿作战打个好基础。"

"我说那个丁治磐，还有什么黄八妹，也该知足了，占了几个小小的岛子，竟让解放军这么多高级将领为他们安排后路，不知道哪世修来的哟！"陈毅说完，爽朗地笑了起来。

于是，会议在一片愉快的笑声中结束。

作战命令很快下达到了各参战单位，大家紧张地准备开了。

在吴淞海军码头，负责海上编队指挥的华东海军炮艇大队大队长陈雪江，正在考虑如何给炮手、航海手们进行战前动员。

陈雪江原是第三野战军第25军74师221团的副团长，1949年8月才调来海军工作，1950年2月任炮艇大队大队长。上任伊始，就赶上了年轻的华东海军部队第一次出海作战，心情十分激动和自豪。但是，当他了解到部分同志对小炮艇出海打仗信心不足时，顿感肩头责任重大。

原来，炮艇大队接到解放滩浒山的任务后，艇队里的一些原国民党海军起义人员，对25吨炮艇的抗风浪性能怀有疑虑。这种炮艇原是日军侵华期间在上海制造、专门用于江河湖泊的巡逻艇，抗战胜利被国民党海军接收后，也只用于在江河中活动。这种25吨的小炮艇出海会不会翻船？作战行不行？陈雪江自己也没有把握。不过他认为，现在只能是有什么武器打什么仗，既不能因此而畏缩不前，又必须充分估计到可能出现的危险，把准备工作做得更细致些。

于是，陈雪江在动员大会上说："我们炮艇大队是人民海军第一支进入华东沿海作战的部队，是开路先锋，是突击队，任务既光荣又艰巨。当然，出海翻船的危险性是有的。我是指挥员，我在指挥艇上走在前头，要翻先翻我的艇。如果我们担心这担心那，就不能如期拿下苏南沿海岛屿，不能彻底打破国民党残匪对上海、对长江口的封锁，我们华东军区海军也无立足之地！"指挥员身先士卒，给大家很大鼓舞，战斗情绪顿时十分高涨。

3 出征部队面临险情的考验

1950年6月15日，作战编队出航了。

16艘舰艇，以"古田"号为前导，载着陆军1个加强营的3艘小型坦克登陆舰"陈集"号、"车桥"号、"卫岗"号居中，12艘炮艇殿后，编成一路纵队，驶离吴淞口，向长江口破浪前进。

陈雪江站在"古田"舰指挥台上，手拿望远镜，警惕地注视着前方，只听他不时地下达着"往右"、"靠左"的命令，指挥编队规避江中的水雷。

俗话说，天有不测风云。当编队行驶到上海浦东的南汇嘴附近海面时，天空飘着的白云骤然多了起来，而且快速地移动着。

"这是起风的征兆！"

陈雪江立即下达了"注意防风"的命令。

果然，天上的白云不知啥时已变成了乌云，重重叠叠，铺天盖地。不一会儿，风大了起来，并下起了雨。大风吹得乌云犹如千万匹脱缰的野马，裹着大雨劈头盖脑地向大海扑来，原本平静的海面立时波涛翻腾，浊浪排空。

军舰在左右晃动，炮艇在上下跳动，编队已不能保持完整的队形。

风力继续加大，5级，6级，7级!

7级！一般来说，这种25吨的炮艇，只能抗五六级风，现在已增至7级，危险！如果风力再增强，后果将会不堪设想。

就在这时，后面12艘炮艇上，不断传来了呼叫声：“航行困难!”“舱已进水……”

紧接着，居中的3艘小型坦克登陆舰，也传来了呼叫声：“舰身摇摆35度!”“舱面已经无法站人!”

陈雪江望了望滔滔怒海，知道前进很危险，左转向更危险。

“各舰艇抛锚!”陈雪江果断地下了命令。

4艘小型登陆舰尽管像烈性野马，还在乱蹦乱跳，但毕竟已被扎入海底的铁锚拴住了。可是，12艘炮艇却不断发来呼叫：“我艇拖锚!”“我艇锚链崩断!”“我艇锚链丢了!”

……

炮艇连锚链都拴不住，还能有其他什么好办法？陈雪江头脑里突然萌生了抢滩的念头。

他把这个想法给大家一说，一个“老海军”点了点头：“只有这个办法了。”

“好，通知各炮艇。”陈雪江右手向南汇嘴沙滩一指：“抢滩!”命令迅速传达下去，除了指挥艇外，其余11艘炮艇，向右一拐，直向沙滩驶去。

11艘炮艇终于稳稳地坐上了沙滩；4艘小型登陆舰及1艘指挥艇则仍在原地抛锚，艰苦地与风浪搏斗着……

天亮了。一轮红日从东方冉冉升起。肆虐了一夜的风暴，随着太阳的升腾悄然引退了，波涛连天的海面也已平静下来，在金色的霞光下显得格外壮丽。

陈雪江和他的战友们却无心欣赏这海上美景。因为昨夜涨潮时抢滩的12艘炮艇，因为潮水退去而远远地离开了水线，被搁浅在沙滩上，只能等到涨潮时才能退下水来。

怎么办？是组织现在能动的4艘登陆舰及指挥艇马上出击，还是等11艘炮艇脱浅后一起行动？为争取时间，出其不意歼灭海匪，陈雪江和陆军指挥员果断决定：不等11艘炮艇脱浅，即率4舰1艇向滩浒山开进。

编队立即起锚。中队长张大鹏的指挥艇为前导，“古田”舰居中，3艘运载陆军的小型登陆舰殿后，成一路纵队迅速向南驶去。

4 平静里面有蹊跷

16日中午时分，编队进抵滩浒山岛。随着一声令下，运载陆军登陆部队的3艘登陆舰迅速靠上了北岸。

出乎意料的是，没有抵抗的枪声，登陆时海匪未露头，上岛搜索许久，也不见一个海匪的影子。

这就怪了，据战前侦察，岛上明明有100多个海匪，怎么都没了？这平静里面明显透着蹊跷。

鲁突和陈雪江商量，决定把全岛居民召集起来，宣传党的政策，了解海匪的去向。

不大一会儿，全岛的居民都来到一个水塘边集中，共有300余人。

“陈大队长，你注意到没有？”鲁突轻声地说：“这里面男青年特别多啊。”

陈雪江也发现了，人群中男青年竟占了近一半，根据他的经验，300多人，男青年最多占五分之一左右。现在占了近一半，这就不符合常情了。

“海匪肯定混在岛民中间！”陈雪江与鲁突交换了一下眼色。

“哪些个是海匪？赶快站出来！”鲁突参谋长突然大声喝道。

一片沉默。

有个岛民嚅动着嘴刚想检举，突然被一道阴冷的目光给堵了回去。

“当过海匪的，只要坦白交待，一律从宽处理。否则……”鲁突继续提高嗓门，严厉地说：“一经查出，一律从严惩处！”

又是一片沉默。

鲁突参谋长正想再说什么，这时，有两个年轻人走出人群，喊了声“报告首长！”

鲁突很惊奇，问道：“你们是什么人？”

“我们是淞沪警备区后勤部队的战士，前不久被海匪抓来的。”接着，他们讲述了被抓的经过：两个月前，他们班5个战士，护送一船物资，由吴淞码头开往崇明岛，经过长兴岛附近时，突然被一股海匪劫持到这里。这5名战士，有3人已被送往外岛，他俩被留在这里当伙夫。他俩几次合计逃走，都因海匪监视得紧没有成功。

鲁突问：“那你们知道这里有海匪吗？”

“有！”他俩一指人群。

于是，他们就指认起来："这个是海匪大队长，那个是中队长，这个是……"经过一番指认，海匪们全都现了原形，一个一个地被揪了出来，并且交出了隐藏的武器。

原来，海匪们满以为有大海阻隔，解放军陆军部队难以到达，他们悬居孤岛可以高枕无忧。当发现我5艘海军舰艇骤然而至时，都慌得不知所措。海匪大队长见逃已来不及，便命令喽啰们把武器扔进一个水塘里，然后装成普通老百姓的样子，混在人群中。不料，蒙混并未过关，被指认出来的46名海匪一个个耷拉着脑袋，自认倒霉。

鲁突仔细瞧着这群俘虏，还觉得不对头，便问道："你们不是有100多人吗？怎么才46个？其他人到哪儿去了？"。

"一大队出去了，留在岛上的是二大队。"

"谁领着出去的？"

"黄八妹。"

这边鲁参谋长刚问完话，陈雪江想起了什么，又将海匪中队长带到附近一所房子里审讯。

"一大队出去干什么？"

"到海上去抢劫。"

"什么时候回来？"

"说不准，只知道有一股明天早上可能要回来。"

"他们的船有什么特征？"

"是两条三桅帆船。"

那海匪为了"立功赎罪"，又主动交代了一个秘密，说是在滩浒山岛的西南几百米处，有个小礁，上面有一个洞，洞里藏着1部电台及一些武器。

陈雪江立即派出1艘炮艇和1只帆船前去搜索，果然找到了海匪放在那个礁石洞里的1部电台和8支步枪。

"看来海匪中队长供认的情况不假，"陈雪江作了一个决定："明天出海去拦截那两条海匪船！"

第二天一大早，陈雪江率领"古田"舰和另一艘炮艇，驶进了待机点，严密注视着杭州湾方向的来船。

约摸两个小时后，前方出现了两条帆船，哦，是三桅的！再一看，船上的人都背着枪，一个个凶神恶煞。是那股海匪！

这时，海匪也发现了我军舰艇，情知不妙，慌忙掉转船头，朝嵊泗列岛方向逃去。

陈雪江大手一挥，我一舰一艇立即冲了过去。

海匪船加大马力，逃得更快了。

“全速前进！”陈雪江命令道，他对着拼命逃窜的海匪船冷笑一声：“龟孙子，往哪儿逃！任你逃到天涯海角，也要把你消灭掉！”

半个小时后，两艘舰艇追上了海匪船。海匪见逃不脱，便架起机枪嗒嗒嗒地向我舰艇射击，进行垂死挣扎。

“来而不往非礼也，开炮！”陈雪江下了命令。

“咚！咚！咚！”一颗颗炮弹砸在匪船周围，溅起高高的水柱，海匪们被这强大攻势吓呆了，再无招架之力，只好乖乖地缴械投降。

就这样，两只帆船、40 多名海匪及他们抢劫来的绸缎、布匹等物资，全部被我俘获。

“你们的司令黄八妹呢？”

“她叫我们回岛，自己去了嵊山。”

这个可恶的黄八妹，真是狡兔三窟！

在解放滩浒山战斗中，人民解放军陆、海军共俘海匪大队长以下 86 名，缴获帆船 4 艘及一批武器弹药。

5 丁治磐接连两次向蒋介石发出乞援电报

太阳落进了西边的海平线，最后一抹晚霞也渐渐隐去，夜幕笼罩下来，海上一片漆黑。

在嵊山丁治磐住处的一间大厅里，8 盏大汽灯将四周照得一片通明。灯光下，丁匪带着黄八妹等匪首及直属队的喽啰们正在饮酒取乐。

“弟兄们，干！”几杯酒下肚，丁治磐早已红云满面。乘着酒兴，丁治磐搂着黄八妹，吆五喝六地猜起拳来；其他匪徒也醉态百出，东倒西歪地哼着淫词小调。

过了一会儿，丁治磐招手唤来一个小喽啰：“去，把外面的岗哨叫进来，让他们也喝几杯过过瘾。”

“总司令，这岗哨可不能撤。”黄八妹可比丁治磐清醒多了。

“没事！长江航道上布下了水雷，共军又没有扫雷的能耐，哪敢放船到海上来？哈哈哈哈！”丁治磐开心地笑着。

正在这时，一个海匪跌跌撞撞地从外面跑了进来，哭丧着脸嚷道：“报……报告总司令，大事不……不好啦！”

“什么事？”丁治磐不由得一惊！

黄八妹一见来人，“噌”地一下站了起来，抢在丁治磐前面冲了过去，一把揪住来人衣领，厉声喝问：“‘大海龟’，你来干什么?”

那被称作“大海龟”的海匪，惊魂未定，上气不接下气地报告道：“滩……滩浒山，出……出事了!”

“什么?快说!”

“今天傍晚，我们几个弟兄从外岛回去，快到滩浒山时，远远看见岸边停着好几艘舰艇，我们估摸着，这个时候国军的舰艇不会开到这儿来，八成是来了共军。于是，悄悄地绕到岛后，上去一看，我的妈呀！岛上全是共军的部队！呜呜呜，我们的窝给共军端了，岛上的弟兄们算是全完啦。”说到最后，“大海龟”竟大声哭了起来。

“哭什么劲?哭顶个屁用!”黄八妹一面喝骂，一面抡起巴掌打了过去，“啪!”的一声，打得“大海龟”后退了好几步，一脚没站稳，四仰八叉地摔倒在地上。

要在平时，海匪们准会为黄八妹的如此“神威”而喝彩，也会因看到“大海龟”的狼狈样而哄堂大笑。可如今，大厅里面一片寂静。海匪们面面相觑，半晌说不出话来。

滩浒山岛这个据点丢了，对海匪们的打击是巨大的。海匪们明白了：凭借海峡天险，依靠长江口的水雷，都阻挡不住失败命运的降临。

就那么一会儿工夫，狂欢变成了哀鸣。海匪们犹如惊弓之鸟，个个坐立不安。

匪首丁治磐更是如丧考妣，他接连两次发电报给蒋介石，请求“紧急派舰队增援”，否则长江口外的据点“难以固守”。

可是，蒋介石连舟山群岛都保不住，12 万守军由舟山不战自退，哪里还顾得上这些小岛?虽然整天喊着“反攻大陆”，可那毕竟是喊喊口号壮壮胆子而已，真要那么干可不容易。蒋介石看了看手中的电报，觉得爱莫能助，还是让他们见机行事，设法坚持吧，抑或还有绝处逢生的机会，随手便把丁治磐的求援电报扔在了一边。

丁治磐久等不见“老蒋”回复，知道求援无望，又得知解放军即将进剿嵊泗列岛，急忙收拾抢来的民脂民膏，带着黄八妹、张阿六、袁国祥等匪首逃往台湾，将大部分喽啰留下，主力收缩到嵊泗列岛，继续“坚持斗争”。

嵊泗列岛由大小 380 多个岛礁组成，军事地理位置十分重要，历来被称为江浙屏藩，是上海和华东地区的大门。

丁治磐深知其重要，所以千方百计地妄想保住这个反共阵地。

据当时侦察所知，丁治磐的“东南人民反共救国军”残部分布情况为：第 3 纵队张阿六残部联络参谋长张祥云率匪百余人盘踞嵊山，吴桂全、唐连祥率80余人盘踞绿华，季中率30余人盘踞壁下山、野猫洞，朱梅产率数十人盘踞东库，封企曾率百余人盘踞枸杞，施元苟（施学文）率80余人盘踞花鸟山，泗礁、大黄龙岛、马迹山等较大岛屿亦有海匪百余人，第1纵队（海北纵队）黄八妹残部由其夫谢友生代理司令，分别于大、小洋山一带活动。

丁治磐逃到台湾后，对他在嵊泗列岛的反共“基业”念念不忘，一直进行遥控指挥。特别是1950年6月25日朝鲜战争爆发后，国际形势发生了重大变化，丁治磐更是得意忘形，指使盘踞嵊泗列岛的海匪和国民党特务，加紧进行袭扰活动，在我海上航道抢劫商船，袭扰渔场，蹂躏岛民，与台湾岛上的“反攻”叫嚣遥相呼应。

6 张爱萍剑指嵊泗列岛

为了早日平定嵊泗列岛的匪患，华东军区决定海、陆军再次协同，发起渡海登陆作战。

6月下旬，淞沪警备司令部召开作战会议，研究进剿嵊泗列岛的具体部署，决定第98师抽4个营为清剿主力，松江军分区和吴淞要塞协同，以第98师参谋长鲁突、师政治部副主任寿文魁、苏南军区松江军分区副司令员朱亚民，以及军区海军舰队一位同志组成清剿总指挥部，由鲁突统一指挥。

华东军区海军也于6月底在南京召开渡海作战会议，司令部作战处副处长李进介绍了嵊泗列岛的匪情等情况，华东海军副参谋长陈玉生介绍了海军和陆军协同作战计划及注意事项。

会议确定：以第5舰队的步兵登陆舰“卫岗”、“车桥”号（排水量各为280吨），第7舰队的炮舰“瑞金”、“兴国”（排水量各为935吨），以及淞沪水警区部分炮艇、登陆艇，参加此次渡海进剿作战。

张爱萍司令员在会上强调，这次协同配合陆军登陆作战是第二次，但我华东海军的炮舰是首次参战，你们执行输送、护航和火力支援的任务，责任重大，一定要打好这一仗，并指定第7舰队参谋长肖平负责编队的海上作战指挥。

进剿嵊泗列岛的战斗分3路同时实施：第一路，由第293团1营、2营和师战防炮连、步兵炮连，乘坐“瑞金”、“兴国”两炮舰和由850吨级商船改成的“源江”号中型登陆艇，以及4只小登陆艇、12艘渔轮，进攻嵊山、枸杞、花鸟诸岛；第二路，由第293团3营及特务连，乘坐“卫岗”、“车桥”两艘登陆舰和一些小登陆艇及渔轮，配备步兵炮1门，进剿泗礁、马迹、黄龙诸岛；第三路，由第294团3营，分乘68号、105号两艘炮艇和3艘渔轮、4艘小登陆艇，配备步兵炮2门，进剿大、小洋山。

7月6日12时45分，舰艇编队按计划起航，驶离上海吴淞码头。航途中，因发现水雷，不得不改变航线，沿长江南航道行驶。因靠南岸太近，又逢退潮，“瑞金”、“兴国”两舰先后搁浅。

海上编队指挥员肖平果断决定采取紧急措施，将两艘舰上的部分压舱铁及淡水排弃于江中，以使舰体减轻重量，上浮脱浅。这一下，舰艇是浮起来了，但舰体的摇摆度也随之增大。剧烈的摇晃，使长期在陆地作战的指战员感到不适，晕船的人很多，“瑞金”舰舰员92名，第一天下来就有18人被海浪折腾得病了。

困难吓不倒英雄汉，指战员们以大无畏的英雄气概，与海浪顽强拼搏！

第二天清晨，我第一路部队首先行至嵊泗列岛海域。“准备攻击嵊山！”指挥部下达了战斗命令。海军“瑞金”、“兴国”两炮舰一马当先，飞速向嵊山岛挺进。

嵊山，是嵊泗列岛中一个较大的岛屿，地势极为险峻，周边悬崖峭壁，仅箱子岙一处可以登陆。而箱子岙又是腹深口窄，易守难攻。加之野猫洞等小岛的海匪因惧被歼均集中于该岛，因此更增加了进攻嵊山岛的困难。

当我攻击编队驶至嵊山附近海面时，岛上海匪疯狂地向我开炮，命中了“源江”号船尾，击毁我60炮1门，1名战士牺牲，另有几名战士受伤。

指挥部根据“源江”号因吃水较深不能直接靠岸，小登陆艇又因风浪太大无法换乘的情况，决定改变计划，先攻取枸杞山岛，以此为依托，尔后集中力量攻占嵊山。

岛上海匪见我攻击编队撤出战斗，十分得意，狂妄地叫嚣，如此天险，共军无可奈何也！

11时45分，“瑞金”、“兴国”两舰进抵枸杞山附近海域。肖平参谋长一声令下，两舰开始向该岛岸上目标射击，猛烈的炮火打得海匪抬不起头来。

3个多小时后，陆军两个连在炮舰火力的有力支援下开始登陆。接着，炮舰延伸炮火，掩护地面部队向纵深进攻，打得残匪纷纷逃窜。我地面部队乘胜追击，将海匪百余人歼灭于三大王一带，匪首杨品生率10余人落海而逃，枸杞山岛回到了人民手中。

第二天中午1时30分，“卫岗”、“车桥”两艘登陆舰运送陆军进抵泗礁、金鸡山海面。

泗礁海匪见我进剿部队浩浩荡荡开来，早已慌了手脚，未敢抵抗即仓皇逃窜。我步兵在几分钟内即登陆完毕，随即一面向纵深挺进，一面登陆附近的金鸡山岛。战至晚上 7 时，完全控制了泗礁和金鸡山两岛，活捉了百余名海匪。

再说担任第三路进剿任务的我 68、105 号两艘炮艇，于 7 日上午到达预定海域。10 时 10 分起，两艇掩护陆军部队首先向沈家湾岛发起进攻，当距岛 200 米时，艇上的各种武器一齐开火。

海匪们听见枪炮声响，吓得东躲西藏。我进剿部队顺利登上沈家湾岛，并迅猛向纵深挺进。经过搜剿，匪中队长廉金光、支队长应国瑞等匪首相继落网。沈家湾岛很快就解放了。

接着，两艘炮艇又分别掩护步兵在大洋山和小洋山登陆。在陆、海军的联合攻击下，残匪闻风丧胆，哪里还敢顽抗，纷纷缴械投降。

我军连夺枸杞山、泗礁、金鸡山、大、小洋山等岛屿后，嵊山之匪顿时急红了眼。匪徒们在万金山制高点架起大炮，居高临下，疯狂地轰击我舰艇。

海军指战员们怒火中烧，准备还击。这时，肖平参谋长下了命令："保存实力，不与海匪纠缠！待会再收拾他们！"

当晚，指挥部开会研究如何夺取嵊山，决定调"卫岗"、"车桥"两舰协助陆军船只由枸杞岛运送登陆部队。

8 日 13 时，两舰奉命来到，指挥部命 2 营 4 连乘"卫岗"和 1 艘小登陆艇，5 连乘"车桥"和另 1 艘小登陆艇，担任主攻。

总攻嵊山的战斗于 8 日傍晚发起。17 时许，"瑞金"、"兴国"两舰由枸杞山起航，半个小时后在箱子岙以北约 3600 米处海面抛锚，以猛烈炮火向箱子岙东侧的海匪射击。

载运步兵突击队的"卫岗"、"车桥"两舰，快速冲向箱子岙。当我舰船接近岙口时，遭到海匪战防炮和轻重机枪的疯狂阻击，5 名战士伤亡。

面对凶顽的海匪，渡海勇士们怒火满腔，登陆舰疾速冲向箱子岙口。"卫岗"、"车桥"两舰一边冲，一边用艇上机关炮向岛上猛烈扫射，经过 10 余分钟短兵相接的战斗，冲上了滩头阵地。

19 时 10 分，嘹亮的冲锋号划破长空，登陆舰的铁门打开了，陆军指战员们不顾海滩上锋利的碎石和荆棘，冒着敌人居高临下的弹雨，勇敢地涉水冲上滩头。

我军冲过敌前沿滩头阵地后，"瑞金"、"兴国"两舰继续以火力支援纵深战斗，海、陆军携手奋战，打得海匪节节败退，其中一股海匪钻进了左、右山头鞍部台地上的一栋房子里。

看样子，这是海匪的指挥部。4、5 两连立即分头向左、右山头冲击，5

连的1排和2排很快攻占了右侧105高地，控制了制高点；4连攻上左侧山头后，2排长石金亭带着突击排猛打猛冲，迂回到海匪指挥部后面，与5连3排前后呼应，堵住了海匪的进退之路。

我登岛部队乘势向海匪发动了政治攻势，高喊："缴枪不杀！""解放军优待俘虏！"但海匪仍在顽抗。

2排长石金亭见状，毅然抱起炸药包，冒着密集的炮火，一阵猛冲，就地一滚冲到海匪指挥所前，只听"轰"的一声巨响，匪指挥所被炸塌了，焦头烂额的海匪不得不举起白旗缴械投降。

驻在庙里的一股海匪见指挥所被炸，便一窝蜂地前来增援。石金亭立即命令突击排战士抢占指挥所与大庙之间的战壕与石坑，当援匪靠近时，子弹、手榴弹一齐在匪群中爆炸开花。

我军乘海匪晕头转向四窜逃命之际，迅速包围了大庙，俘虏了用美式武器装备的、每人都是双枪的海匪一个加强排。

接着，4连与5连3排又分头歼灭了大玉湾和后头湾溃逃之匪。但西嘴头3纵队的特务大队和东侧双胖嘴头的嵊泗支队，凭着险要地形仍负隅顽抗。

为迅速解决战斗，3连1个班战士组成"敢死"队，乘着小帆船渡过"枸嵊"海峡，从双胖嘴后岸攀登上陆，切断了海匪退路，后续登陆的6连、5连战士以迅雷不及掩耳之势一举夺得了西侧高地。

战至24时，嵊山战斗胜利结束。战前躲到嵊山的原驻花鸟山的匪首施元苟，驻守绿华、野猫洞、壁下的匪首吴桂金、唐连祥、季中等，也在嵊山被我军俘虏。

7月9日，进剿部队又攻占了花鸟山岛和东、西绿华岛，肃清了散匪。

7月11日，新华社播发了一条振奋人心的消息：人民解放军第三野战军一部，在人民海军配合下，已于7、8两日全部占领长江口外的嵊泗列岛。亡命海岛的国民党残匪已大部就歼。该岛解放后，来往上海、浙江间的商旅船只行驶已日趋安全，附近渔民已纷纷下海捕鱼……

嵊泗列岛解放后，其他小岛的散匪更加恐慌，我舰艇编队乘胜追击，苏南沿海诸岛全部获得解放。

笼罩长江口的乌云散去，匪患消弭，黄金水道从此畅通无阻。

丁治磐根本想不到他留在苏南沿海岛屿的"东南人民反共救国军"覆灭得如此之快，心灰，沮丧，使他斗志消沉，干脆脱离了军界，后来醉心于诗文和书法的研究，不再过问世事。

1988年3月8日，丁治磐在台北病逝。

怒潮涌东海

解放初期，从浙江大陆溃逃的国民党军残兵败将不甘心失败，窜踞沿海岛屿，收编散兵游勇、海盗渔霸，以及从浙江大陆潜逃的顽匪，形成了数十股、近万人的海匪组织。这些海匪以众多岛屿为基地，凭借其熟悉沿海情况和海上机动能力较强等优势，与国民党军沆瀣一气，在海上对大陆进行骚扰破坏活动。

浙江大陆海岸线漫长而曲折，沿海岛屿众多，2100余个岛屿星罗棋布于辽阔的海面上。

解放初期，从浙江大陆溃逃的国民党军残兵败将不甘心失败，窜踞沿海岛屿，收编散兵游勇、海盗渔霸，以及从浙江大陆潜逃的顽匪，形成了数十股、近万人的海匪组织。这些海匪以众多岛屿为基地，凭借其熟悉沿海情况和海上机动能力较强等优势，与国民党军沆瀣一气，在海上对大陆进行骚扰破坏活动。

“庆父不死，鲁难未已”。为肃清沿海岛屿匪特，保障海上运输和生产安全，浙江军区部队采取有计划、有步骤、有重点地攻占匪占岛屿，歼敌有生力量，控制岛屿使顽匪失去立足点的方针，与海匪们展开了惊心动魄的大较量。

1 剿匪部队的船只悄悄驶进大海

1950年5月中旬舟山群岛解放后，浙江军区把攻击目标转向了台州列岛等岛屿的海匪。

6月下旬，华东军区海军炮艇大队的10艘炮艇奉命南下，进驻浙江海门（今椒江），准备配合第21军62师随行渡海进剿大陈岛的海匪。

华东军区海军成立才一年多，炮艇大队则是3个月前才组建的，所配备的艇只都是日本侵华时期使用的江防炮艇，吨位小，速度低，不宜海上使用。年轻的海军立足现有装备，对旧炮艇加以装修，作为主战艇只，担负起海上进剿和护航任务。10多天前，炮艇大队在长江口滩浒山岛取得了协同陆军部队进剿海匪的胜利。首战获胜，初步积累了海上进剿作战的经验。

7月9日黄昏，由海军炮艇和陆军机帆船组成的攻击编队从海门起航。当航行至琅机山岛与大陈岛之间海域时，天气突变，风雨交加，海面波涛汹涌，浊浪滔天。

攻击编队顶风冒雨，破浪前进。海浪接二连三地从艇船上空呼啸而过，甲板、火炮、水兵，船、艇上的一切，都像在经受着山洪的冲洗，从山峦般的浪头上落下来，又冲上去……

风刮得更急，雨下得更猛。“风浪太大，航行困难!”指挥部里不断传来机帆船队的紧急报告。几位首长一合计，决定攻击编队先撤回琅机山金清港避风，待机再战。

谁也没有料到，就在第二天早晨，我3号炮艇在海面警戒时遭到匪舰的暗算，不幸中弹沉没。

这次失利，不仅损失了一艘炮艇，而且暴露了我军进剿大陈岛的作战意图，岛上海匪得意忘形，大肆吹嘘所谓“胜利”，气焰十分嚣张。

志在必得的大陈岛未能拿下，参战部队指战员心情沉重，大家都在考虑这样一个问题：再选一个匪占岛屿，打一个漂亮的歼灭战，狠煞一下海匪的嚣张气焰。

攻打匪占岛屿，必须慎之又慎，不能有丝毫的轻率和随意性。为了确定好下一个攻击目标，第62师师长周纯麟、副师长孙云汉、海军炮艇大队大队长陈雪江等几位首长，在指挥所里认真商议开了：

这一海域较近的匪占岛屿还有两个，一个是一江山岛，一个是披山岛，两岛各有国民党游杂部队和海匪800人左右。

打哪一个好呢？一江山，距大陈岛仅7海里，容易得到大陈之敌的增援；披山，距大陈岛27海里，攻击时不易被附近敌人发觉。因此，打披山岛较有把握。

“好吧，就打披山!”师长周纯麟拍板作了决定。

接着，他们又详细商定了佯攻大陈、主攻披山的作战方案，并向浙江军区首长请战。

1950年7月11日黄昏时分，进剿披山海匪的战斗行动开始了。

攻击部队分成两路，第一路以一个炮艇分队和不载部队的机帆船30多艘，在周纯麟和陈雪江指挥下，浩浩荡荡地向大陈岛方向佯动。

约两个小时后，第二路在孙云汉和廖云台率领下，以两个炮艇分队和装载陆军第62师第186团两个步兵营的30余艘机帆船，悄悄起航，直奔披山岛。

夜色昏暗，海面弥漫着浓浓的雾气。指战员们都把眼睛睁得大大的，密切注视着前方。

忽然，4连3排的船上有人连呼“糟糕”! 原来，3排机帆船的舵被渔网缠住了，前进受阻。战士们抱住舵柄使劲往上拉，但渔网紧紧地裹在舵片上，力量再大也拉不上来。

大家眼睁睁地看着兄弟单位的船一只只向前驶去，急得直跺脚。

为了排除障碍，不识水性的指导员陶庆学挺身而出，他将绳子拴在腰部，然后下到海中，一手拉住舵，一手摸网。海浪不断地扑到他脸上，打得他睁不开眼，嘴巴里直呛水，但他仍然顽强地坚持着，最后终于清除了渔网，使3排赶上了前进的队伍。

经过一夜航行，攻击编队于拂晓时分驶抵披山岛海面。

这时，指挥部里传来先头船的报告："披山岛西面锚地发现4艘炮艇，还有几艘机帆船和帆船，全都锚泊着，没有动静，看来海匪正在睡大觉。"

岛上也无动静。十有八九是海匪认为我3号炮艇被击沉后，不敢再行攻击，所以正放心大胆地做黄粱美梦呢！

指挥部决定，先集中火力掩护登陆，然后由炮艇收拾锚地的匪船。

"目标，滩头阵地，开炮！"

刹那间，各艇各船的火炮怒吼起来，炮弹呼啸着砸向目标。披山岛上烈焰滚滚，硝烟弥漫。登陆部队以迅雷不及掩耳之势冲向海匪滩头阵地。

从睡梦中惊醒的海匪还没顾得上抵抗，便被打得直往后退。我军乘胜前进，迅速向纵深进攻。

海军艇队也不甘落后，立即冲向岛西匪船锚地。

这时，锚地的海匪已慌作一团，正手忙脚乱地起锚逃窜。"精忠"1号见我炮艇飞速冲来，仓皇砍断锚链，开足马力向大陈岛方向逃窜，其余两艘炮艇紧紧跟着。

张家麟见状，当即率领3艘炮艇奋勇追了过去，一会儿便截住了匪艇群。

"集中火力，揪住'精忠'1号狠狠地打！为3号炮艇报仇！"随着张家麟一声令下，3艘炮艇便将"精忠"1号围了起来。

经过一阵猛烈射击，匪大队长李锡邦当场被打死，其余的匪徒不敢再战，只得挂起白旗投降。

在我炮艇围追"精忠"1号之时，一股海匪逃上了停泊在披山岛西面的"新宝顺"号炮艇上，为首之人乃是国民党当局委派的玉环县"县长"林淼。

我107艇发现后，立即冲上去攻击。

这艘"新宝顺"系由日式150吨渔轮改装，吨位比107艇大了6倍，所以尽管107艇火力很猛，但由于火炮口径小，无法将其击沉。

在打不沉靠不上的情况下，艇长杜克明发现"新宝顺"号艇体是木壳的，便想出了撞击匪艇的办法。

脊背已经负伤的操舵兵陈贵松忍着剧痛，将艇首对准"新宝顺"号尾部，来了一个"进车"，径直撞了过去。

"轰隆！"随着一声巨响，"新宝顺"号的尾部被撞得裂了开来，后舱开始进水。

可是，107艇的艇首也被卡在里面，一时进退不得。

林森见此光景，哈哈哈地狂笑起来："共军的炮艇走不脱了。好！临死抓住个垫背的，够本啦！弟兄们，快给我打!"在林森的指挥下，垂死挣扎的匪徒们发疯一般地向107艇开枪射击。

107艇指战员奋起反击，双方展开了一场短兵相接的血战。

这时，分队长张家麟在击沉"精忠"1号后，率103艇和104艇赶来助战。他发现"新宝顺"号正缓缓下沉，107艇再不退出，就可能被其拖下水，便立即指挥107艇"倒车后退"。第一次，没退出；第二次，还是没退出。大家焦急万分！

张家麟再次下令："全速倒退，再试一次!"只听得"呼啦"一声，107艇终于退了出来。

107艇刚刚退出"新宝顺"号艇尾，突然又是"轰隆"一声巨响，只见"新宝顺"号腰部又被撞出了一个大窟窿。

原来，当107艇第3次全速倒车时，张家麟命令103艇做好准备，对准"新宝顺"腰部再撞一次。

在103艇撞上"新宝顺"号腰部的一瞬间，枪炮兵龙钦样猛地向匪艇上投去两包炸药，紧接着，炊事员历安保和在艇上当向导的青年渔民梁瑞义，也各自扔出了一捆集束手榴弹。

爆炸声中，龙钦样等高喊着"缴枪不杀"，飞身跃上匪艇，与海匪展开了英勇的搏斗。

战斗中，梁瑞义凭着手中一支汤姆冲锋枪，指东扫西，打得十分出色。他刚射死一个海匪，忽见被称作"参谋长"的家伙举着驳壳枪对准他要开枪，梁瑞义眼明手快，抢先扫出一梭子子弹，将这个匪首身上打成了马蜂窝。接着，梁瑞义又冲进舱里，活捉了5个海匪。

经过一场激战，匪首林森被打死，其他匪徒也都死的死伤的伤，剩下的乖乖地缴了枪。

然后，龙钦样等人又用手榴弹和炸药包将匪炮艇舱底炸裂，"新宝顺"号载着20多具海匪的尸体沉入海底。

正在这时，盘踞小披山的海匪数十人仓皇乘船逃跑。我3艘炮艇立即快速追击，仅半个小时，就将逃窜的海匪连船带人全部俘获。

至此，进剿披山岛的战斗胜利结束，海军艇队共击沉敌"新宝顺"号炮艇1艘，俘敌"精忠"1号炮艇1艘（拖带回港途中被敌舰击沉）、机帆船1艘、帆船2艘，俘匪100余人，毙伤50余人。陆军部队俘匪瓯江指挥官林卓、瓯江总队长赵中友、"0712"第1支队长林安琪、匪温州区总队长代瑞安县"副县长"谢国鸿等400余人，毙匪70余人，还缴获大批武器弹药。

1950年9月16日，炮艇大队受到华东军区通报表扬。

2 一艘艘战船摆开了攻击队形

在第21军一部进剿披山岛海匪的第3天，第25军一部又发起了剿灭北麂山岛海匪的渡海登陆作战。

北麂山岛位于浙南重镇温州东南、瑞安县以东，距大陆海岸约75公里。自1949年5月我第21军挺进浙南后，当地一些土匪窜往北麂山岛，与岛上渔霸海盗勾结在一起，组成所谓“江浙人民反共纵队”，在台湾蒋匪的指使下，大肆抢劫过往船只，扰乱我沿海地区社会治安。

7月7日，这股海匪伙同大陈岛的敌人近千人，偷袭瓯江口外的洞头岛，致使我守岛部队受到较大伤亡，被迫撤出洞头。随后，该匪在岛上烧杀抢掠，并抓捕了700多名群众，将其中一部分劫往北麂山。该股海匪还狂妄扬言要攻打温州城，实施更大的抢劫。我指战员义愤填膺，决心渡海进剿北麂山，为民除害。

1950年7月15日晚上7时30分许，第25军74师222团1营附6连并警卫连1个排，乘坐木帆船从瓯江口起渡，向盘踞在北麂山岛的海匪发起了攻击。

波澜壮阔的海面上，桅帆如林。一艘艘战船摆开了战斗队形，火力船在两侧担任护航，指挥船不断地进行指挥和联络……攻击编队劈风斩浪，齐向北麂山岛挺进!

夜色渐浓，海天漆黑一片，啥也看不清。指战员们经过艰苦的两栖作战技术战术训练，练就了海上夜战的本领，他们早就等待着这么一天：一定要跨海解放匪占岛屿，消灭沿海残匪。

翌日凌晨1时30分，编队抵近北麂山。指挥员一声令下，火力船上的火炮吼了起来，跟着机枪、冲锋枪也响了起来，枪炮声划破了寂静的夜空。

在火力掩护下，突击部队开始强行登陆。

这时，1连有一只战船在黑暗中碰上暗礁，船底被撞得裂开了一个口子，海水汩汩地直往舱里涌，不能继续前进。此处离岛岸还有七八十米远，岛上海匪的火力点又向这里疯狂扫射，英勇的战士们在这危急情况下，一个个纵身跳入海中，一面向岸上还击，一面泅水前进，以敏捷的动作攀上陡壁悬崖，登上岛岸，摧毁了海匪前沿阵地。

与此同时，3连在1连右侧实施登陆。奇怪的是，这儿没有抵抗的枪炮

声。是海匪疏于防守，还是另有阴谋？

“冲上去！纵然是刀山火海，也要坚决把它攻下来！”连首长带领战士们冲了上去。

突然，一个战士扑通一声摔倒了，紧接着，好几个战士也都摔了跤。原来，这是一片不知经过多少年海水冲击成尖刀一样的岩岸，真如同刀山一般。难怪海匪不在此处设防！

然而，“刀山”同样奈何不了英勇无畏的登陆部队，指战员们跌倒了爬起来，再跌倒，再爬起来。尽管尖厉的岩石刺伤了手脚，划破了军衣，身上伤痕累累，但大家谁也不喊一声疼，不叫一声苦，勇猛顽强地向前冲击，最后终于越过了百余米的“刀山”地带。

随后，3 连指战员不顾伤痛，迅速向匪纵深挺进，并与左翼 1 连会合，共同攻下了匪“指挥部”所在地大岙，歼灭了该处的海匪。

从左侧实施登陆的 6 连和 2 连同样打得十分勇猛。2 连夺取淡菜岙后，继续向纵深横扫，一举攻占了该岛制高点 1677 高地；由毂菜岙登陆的 6 连亦连克三四个山头。

接着，两个连以迅雷不及掩耳之势直扑海匪扼守的一座庙宇，庙里海匪来不及抵抗，便被缴枪当了俘虏。

在我强大炮火的掩护下和战士们的猛打穷追下，海匪望风披靡，土崩瓦解。

2 时 30 分，各路突击部队于校场岙附近胜利会师，夜空中升起了战斗胜利结束的有色信号弹。从登陆到占领全岛，总共才 1 个小时。

第二天，部队展开全面搜剿，石缝间、草丛中、小茅棚里，一一搜了个遍。东躲西藏的残匪，终难逃出罗网，乖乖地缴枪当了俘虏。

海匪纵队长李东明躲在一个狭小的山洞里，我搜索部队发现后，在洞外大声喝令：“快出来投降！不然就开枪啦！”

李东明吓得魂飞魄散，哆嗦着连声喊叫：“大……大爷饶……饶命，我……我投降。”战战兢兢地爬了出来。

3 连 6 班在大岙搜剿，从一间茅棚里搜出了许多武器弹药，其中有一门威力很强的美造火箭炮，海匪在我进剿部队神速攻击下，还没来得及使用其台湾主子供应的新式火炮。

这次渡海进剿作战，全歼岛上海匪 600 余人，其中俘匪纵队长李东明以下 574 人，缴获汽艇 5 艘及其他武器弹药。

3 土匪躲进一个隐蔽的洞穴

1953年5月下旬，人民解放军陆、海军部队联手出击，一举攻占了被海匪占据的大、小鹿山和鸡冠山、羊屿4座岛屿。

鸡冠山、羊屿及大、小鹿山4岛位于温州湾的出海口，地理位置十分重要，在浙江大陆解放后的3年时间里，我军与海匪曾数度争夺这4个小岛，但双方均未在此设防，“我进匪退，我走匪来”，犹如过去陆地上的游击区。

1952年10月初，驻大陈岛的“江浙人民反共救国军”得知我浙江公安部队将派两个连进剿鸡冠山岛，遂出动海匪1200余人，秘密进至鸡冠山、羊屿两岛设伏；另以一部海匪前往玉环县寨头角登陆骚扰，造成鸡冠山、羊屿空虚的假象，引诱我军出击。担任进剿任务的公安第17师1个团对海匪的这一行动部署未予察觉，仍按原计划于10月8日以两个连兵力渡海攻击鸡冠山岛，结果遭到优势之敌的疯狂反扑，虽经浴血苦战，终因寡不敌众，被迫撤出战斗。

此后，匪“江浙人民反共救国军独立四十二纵队”司令何卓权部200余人，奉命占据了大、小鹿山等4岛。

提起匪司令何卓权，当地人民无不深恶痛绝。这个凶狠毒辣、恶贯满盈的家伙，曾任国民党军统杭州奋勇队上校副大队长、交警局行动队队长等职。1952年11月，何匪率部驻守大、小鹿山等4岛后，与盘踞南麂、披山等岛屿的海匪相呼应，控制南北航道，封锁温州湾，对我浙江沿海的海上运输和渔业生产构成了严重威胁。另外，这几个岛又是国民党输送内潜大陆特务的基地。

为摧毁匪巢，拔除国民党匪特在温州湾安下的钉子，保证海上航运畅通和渔业生产安全，巩固海防，浙江军区报请华东军区批准，决心以第20军60师和公安第17师各一部，在华东军区海军舟山基地温台巡防区部分舰艇配合下，发起渡海攻岛战斗，解放大、小鹿山和羊屿、鸡冠山4座岛屿。

参加这次渡海进剿的部队多，兵力强。第20军60师刚从朝鲜战场回到浙江沿海，经受了抗美援朝战火的考验，战斗力较强；公安第17师长期在沿海地区清剿海匪，对海上剿匪作战情况熟悉；担任海上掩护任务的温台巡逻艇大队，这几年在剿匪斗争中多次与陆军部队协同作战，配合得较好。

据此，我陆、海军参战部队在玉环县坎门镇成立了联合指挥所，负责统一指挥这次渡海攻岛作战。联合指挥所的成员有，第60师政委汪大铭、参谋长王昆、公安第17师副师长刘金山，以及温台巡防区主任兼政委陈雪江等。

5月初，参战部队领导在海门召开作战联席会议，研究了解放大、小鹿山和鸡冠山、羊屿4岛的作战部署。会议决定：以第60师179团一个营攻击大、小鹿山两岛，以公安第17师第50团约一个营攻击羊屿、鸡冠山两岛，华东军区海军温台巡逻艇大队的任务是以火力支援陆军登陆，堵截海匪海上退路，阻击海匪增援舰艇。

为打好这一仗，海军温台巡逻艇大队派出了精兵强将。参战部队是第1、第2两个炮艇中队，每个中队4艘炮艇，1中队中队长是陈立富，2中队中队长是张家麟。这两个中队长都是海上剿匪的得力战将，屡建战功。参加渡海作战的8艘炮艇，都是我国自己设计制造的50吨新炮艇，与原先那些日本造的25吨旧炮艇相比，不但速度快，而且火炮口径也大。

5月29日下午，太阳渐渐西斜，渡海进剿战斗即将开始，攻击出发阵地上，突击部队已做好了一切准备。

18时许，部署在玉环县寨头角和坎门的第60师的5个炮兵连，首先以猛烈、连续的炮火轰击羊屿和鸡冠山两岛；与此同时，海军温台巡逻艇大队第1、第2中队的8艘炮艇，也分别由楚门、坎门港起航，掩护公安第17师第一梯队两个连乘坐的机帆船，向羊屿和鸡冠山挺进。

当我登陆突击部队抵近羊屿、鸡冠山海面时，寨头角的炮兵对该两岛进行了第二次急速射击，守岛海匪被我突然而猛烈的炮火打得晕头转向。

在地面炮火和海军艇队火力的支援下，我登陆突击部队以迅雷不及掩耳之势扑向岛岸，海匪哪里还敢抵抗，纷纷抱头鼠窜。19时，我第一梯队成功地登上了羊屿和鸡冠山。

19时30分，寨头角炮兵群按预定部署转移火力，向大、小鹿山两岛实施急速射击，海军温台巡逻艇大队1中队4艘炮艇随即开到大、小鹿山东北，2中队4艘炮艇于大鹿山东南展开，对大、小鹿山岛实施抵近射击，支援第60师179团一个营的登陆作战。

大鹿山岛是何匪的主要巢穴，其兵力主要部署在此，但海匪在我陆、海攻击部队的猛烈打击下，毫无招架之力，我登陆部队自19时30分开始攻击，到20时30分登陆完毕，半个小时后即结束了地面战斗。

随后，海军艇队按预定部署进至四岛与披山岛之间的海面巡逻警戒，防匪逃窜，并准备打击披山方向增援之海匪。

攻占4个岛的战斗虽然打得很顺利，可是当时只抓到60多个俘虏，盘踞大鹿山岛的匪司令何卓权也不知去向。

何卓权部海匪共有200余人，登陆战斗中也未见有船只从海上逃跑，怎么只抓了这几十人？原来，这里与南韭山等岛屿一样，自然洞穴比较多，渡海攻岛战斗发起后，海匪们自知难敌我进剿大军，便纷纷躲进了山洞。尤其是大鹿山岛，不少洞穴外面低里头高，有的洞口只露出水面一半，有的一涨潮就全部淹没水中，但洞里地势高的地方仍可以藏人，海匪就在这些洞穴里藏匿起来。

我登陆部队立即展开了搜剿，但由于地形复杂，搜山找洞比攻岛占岛要困难得多，艰苦得多，一直搜剿了半个多月，才把残余的海匪清剿干净。

再说那个凶残狡诈的匪首何卓权，见无法抵挡我登岛部队的强大进攻，便只身带着侍从卫兵东逃西窜，累累如丧家之犬，最后躲进一个非常隐蔽秘密的洞穴里，企图等待时机，重温当年从杭县潜逃的旧梦。没料到进剿部队"不见鬼子不挂弦"，在岛上连续进行搜剿。

何匪虽然藏得挺隐蔽，可是十几天下来，水也没了，粮也断了，他又饿又渴，实在忍受不住，黑夜里派卫兵到我登陆部队伙房偷冷饭，结果卫兵被捉，供出了他躲藏的地方。

何卓权被活捉时，已饿得两眼浮肿，患了色盲症，什么也看不清了。这个昔日威风八面的国民党军统特务，如今气息奄奄，活脱脱一条垂死的癞皮狗。

不久，何卓权被押往杭县归案，经浙江省人民政府批准，于 1954 年 1 月判处死刑，执行枪决。

四岛登陆战斗，是一次漂亮的歼灭战。我攻岛部队全歼四岛海匪 239 人，其中击毙匪分队长以下 53 人，俘匪纵队司令何卓权、副司令徐克强以下 186 人，击沉匪帆船两艘。

这次战斗还有一个重要战果，就是在大鹿山岛铲除了一个国民党特务的巢穴，缴获 8 部电台，在俘虏中还查出七八十个准备潜入内陆建立秘密电台的特务分子。这一战果，不仅摧毁了国民党当局用来派遣内潜特务的据点，而且通过缴获特务分子与大陆联系的电台，破获了一批潜伏在大陆的敌特电台及其人员，仅温州市就捕获匪特电台 6 部。

大、小鹿山和鸡冠山、羊屿四座岛屿解放后，解放军浙江前线部队乘胜向前推进，使浙江沿海的形势逐步得到改观。

第十二章 沪上保金融

一九四九年初，黄浩与艾中孚在南京开始秘密伪造人民币的试验，后因水印需时过长等技术问题不过关，未能得逞。当年三月，白崇禧认为在上海市伪造钱币的技术问题更容易得到解决，于是授命艾中孚、徐亚力和黄浩等人，将伪造人民币的地点从南京移到上海，并拨专款支持实施这一计划。

1 有人叫嚣："人民币进不了上海！"

十字路口，红灯闪烁，一辆黑色的轿车停了下来，陈毅坐在车内。

人行道上一家银行门前，黑压压地挤满了人，有人手举亮晶晶的银元高声喊着："袁大头，袁大头要伐？要伐？"这是银元贩子在倒卖银元。

一位老太太问道："今天是啥个行情啦？"

"1400。"

"昨天还是1100，过一夜就涨300，侬也不怕涨短命！"

"告诉侬老太太，侬今要不买，明天又要后悔啦，行情还要涨的！"

"还要涨?！再涨叫我们老百姓怎么过哟……"

马路旁的这一幕，只不过是上海解放初出现的金融危机的一个缩影，它深深地刺痛着陈毅这位新任上海市长的心。此时是1949年6月初，上海解放还不到1个月。

人民解放军进驻上海后，制度变了，币制也变了。上海市人民政府宣布国民党发行的金圆券作废，银元、袁大头等将退出流通领域，人民币为人民政府发行的合法货币。上海市军管会公布了1∶100000的比价，即用10万金圆券兑换1元人民币的比价，在全市120多个行庄开始收兑工作。

开始进行得很顺利，但是几天后，情况发生了逆转。一些投机奸商、不法之徒和隐蔽在地下的敌特分子，利用他们囤积的大量银元，在上海金融市场上刮起了一场黑色的"龙卷风"。他们利用市民们解放前饱尝通货膨胀之苦，而对外币、银元存在的盲目依赖心理，以及对刚刚使用的人民币尚未建立信誉的客观条件，进行大量非法的黄金、外币、银元的投机交易，疯狂打压人民币。1949年5月28日，即上海解放的第2天，人民币与银元的兑换比价为600∶1，而到了6月8日，这个数字竟变成了2000∶1，换句话说，10天前的1元人民币，10天后只值3角多一点。许多人把刚刚投放市场的人民币视同一只烫手的"热山芋"，不敢在手上多捂一会儿。人们为了保值，千方百计地设法把手中的人民币换成黄金、银元、外币等"硬通货"，一时间，上海市的大街小巷，到处可见银元贩子在叫卖。据当时华东财委的统计，仅上海市城内就有30多万人参与了买卖银元的活动。

不法分子的破坏不仅严重损害着人民币的信誉，而且引发了前所未有的金融危机和通货膨胀，在短时间内，大米、面粉、食油、煤炭等生活必需品的价格上涨了2至3倍，一些中小企业摇摇欲坠。而此时市面上又相继出现了大量伪造的人民币，更是给这场金融危机雪上加霜。一个原先有相当于上百万人民币资本的老板，其资本在一夜之间变得所剩无几，他只能靠开面包房度日。而一般普通百姓的日子更是苦不堪言。上海的反动残余势力狂妄叫嚣："解放军可以打进上海，但人民币进不了上海！"

深受金融危机冲击的上海市，经济风雨飘摇，社会秩序动荡不安，老百姓怨声载道。严峻的经济形势，无疑成为摆在刚刚入城的共产党人面前的"第二个上海战役"。

实际上，早在上海即将解放时，中共中央华东局就对不法奸商和敌特分子进行金融破坏活动的情况作了充分估计，并采取了相应措施。

1949年5月8日，华东局即针对已解放的一些城市不同程度地出现金融投机活动的情况，颁发了《关于禁止银元活动办法》，指出：银元买卖和在市场的自由流通，"造成物价波动，市场混乱，并破坏人民币信用与购买力，因而使人民蒙受损失，妨碍人民币的发行，对我极为不利。"要求新解放城市"在排斥与禁用伪币后，应紧接着对银元钱贩进行斗争"，禁止以银元为计价单位和买卖货物，对继续利用银元进行违法犯罪活动的人要予以惩戒。

上海市军管会在上海解放的第2天颁布的第1号布告中明确规定："中国人民银行发行之人民币为解放区统一流通之合法货币"，自即日起"不得再以伪金圆券或黄金、银元及外币为计算及清算单位"。6月3日，华东军区司令部也颁布了《华东区外汇管理暂行办法》，严禁外币在市场上流通。6月5日，市军管会金融处根据市军管会指示，责令金融危机的发源地市证券大楼的投机者立即停业。同日，《解放日报》、上海人民广播电台及其他主要报纸也纷纷刊文，谴责金融投机活动，并告诫投机分子，立即停止作恶。

但是，利令智昏的投机者们，对此置若罔闻，毫无收敛，他们继续以上海证券大楼为中心，变本加厉地从事金银外币的非法交易，哄抬物价。统计数字显示，人民银行为平抑物价，每天早上发出去的人民币，到了晚上又全部回到了银行里。与此同时，在上海淮海路等商业密集区，有人使用大量伪造的人民币套购紧俏商品，使原来已经十分混乱的金融市场更加混乱不堪，物价更像是一匹脱缰的野马，一个劲地往上蹿。

由于老百姓吃够了解放前通货膨胀的苦，人们往往不惜血本盲目地将人民币脱手，人民币一拿到手就赶紧去买米，或从银元贩子手中兑换成银元。这样人民币每周转一个轮回，银元贩子都要狠狠赚上一笔，物价也跟着上涨一截。人们对人民币的不信任程度在增加，金融危机导致经济大滑坡，失业人数增多。经济滑坡又导致了社会形势的动荡。难怪这时有人叫嚣："解放军可以打进上海，但人民币进不了上海！共产党进得了上海，却治理不了上海，他们将在第2个‘上海战役中’惨败而归！”

2 上海证券大楼被准时查封

事实证明，仅仅使用纯经济手段和舆论告诫，已经不能有效地制止投机买卖活动。

据此，6月7日晚，在中共中央华东局第一书记邓小平主持下举行会议，华东局财委会主任曾山向与会者报告银元投机活动的严重情况时，指出：如不采取断然措施，不出一个月，人民币就有被挤出上海的危险。会议决定查封上海证券大楼，以控制这个操纵金融投机的指挥中心，惩办为首的投机犯罪分子，坚决打击金融投机捣乱活动。看来这场金融大战非升级不可了。

位于九江路上的上海证券大楼，是当时上海市金融活动的中枢，其中光市内电话就有1000多部，每天上午九十点钟，一些专门左右上海金融市场的“大亨鼠”便来到这里，他们敲定的银元、美钞、黄金价格一公布，聚集在大楼内外的成百上千的行情掮客便一哄而散，分散到市区的各个角落，所有的银元贩子都参照这个行情进行交易。这里成为上海市金融黑市的信息中心，也是上海金融动荡的主要根源。

上海市人民政府对贯彻落实中共中央华东局会议精神作了认真安排与部署。陈毅市长强调指出：“要把这次行动当作经济战线上的‘淮海战役’，不打则已，打就要一网打尽。”会议决定，由上海市军管会金融处负责查实应扣押处理的人员名单，市公安局负责调集警力，配合实施取缔行动，华东军区警卫旅（1949年6月后改编为上海市人民政府警察总队）负责行动时对证券大楼的武装包围。行动当天，上海市工商界、新闻界继续发动声讨投机活动的舆论攻势，动员广大市民拒用银元；另一方面采取举办折实储蓄、发放失业救济等一系列措施，解决基本群众因货币波动而引起的实际困难，为杜绝银元买卖创造条件。与此同时，由淞沪警备区军法处负责具体实施侦查破获人民币伪造案。

毫无疑问，查封证券大楼的行动牵扯面和影响面更大一些，应该先行一步，并且要周密部署。

1949年6月10日上午8时许，上海证券大楼的大门一打开，市公安局长李士英便率领400余名便衣，按预定部署分散进入楼内，随后分5个组控制了各活动场所和所有进出通道，宣布禁止一切买卖活动。上午10时，华东军区警卫旅一个营的官兵，分乘10辆大卡车到达证券大楼前，在副旅长刘德胜、参谋长刘春芳的指挥下，对整幢大楼实行包围，12000名有组织的工人、学生则在证券大楼外围封堵交通，向市民做宣传解释工作。当时正在这里进行金融交易的有2000多人，他们对政府的行动毫无防备，许多不法金融商人立时傻了眼。

取缔行动主要是针对不法投机商的，公安人员逐个对投机商号进行了盘查，登记了所有人员及被查封财物，然后将全部人员集中到底层大厅，由人民银行代表进行守法教育，并宣布“惩办少数，宽大教育多数”的处理原则。根据金融处事先的摸底和查证，经过逐个审查、具体登记后，陆续释放了1863人，最后只将250名从事不法行为的主犯扣押起来。这期间，大楼周围聚集了许多市民，人们对政府的行动无不拍手称快：“这下大亨鼠完蛋了!”“共产党有办法!”

在查封上海证券大楼的同时，各公安分局也出动大批干警，在全市范围内对银元贩子非法买卖银元活动进行了取缔，拘捕了一批从事银元贩卖的不法投机分子，也教育了大批银元小额买卖和偶尔买卖者。

后据统计，这次行动共抄没黄金（含金饰）3624两，银元39747枚，美钞62769元，港币1304元，人民币1545多万元，其他各种国货商品折价人民币3553万元，以及美制手枪2支。

6月10日，也就是取缔行动的当天，华东军区司令部颁布了《华东区金银管理暂行办法》，重申禁止金银计价使用、流通和私下买卖，规定了处罚原则。根据这一法规，市公安局继续查处金银外币非法投机活动，至1949年8月初，共查处金银投机案件239起，查没银元12745枚，黄金119两，美钞250元，计处罚金995万多元。

打击金融投机的行动，不仅震动了上海，也影响到江浙两省甚至波及到全国，第二天，银元“袁大头”从2000元猛跌至1200元，大米跌价一成左右。第三天（12日）再跌三成，食油跌价一成半！那些提着米袋子、拎着油瓶子的大娘、大嫂，看着店门口挂出的当天的价格牌时，无不喜上眉梢，不少市民还明知故问地对店主说：“侬的价钱是不是搞错了?”

此次行动，使上海市金银元、外币非法交易活动得到了有效控制，投机不法分子的嚣张气焰大为收敛，人民币走势趋于坚挺，并开始在金融市场上站稳了脚跟。

3 白崇禧宣称："找到了对付共产党的软刀子。"

当国民党统治者发现他们无法在军事上取胜共产党领导的人民解放军的时候，便开始筹划"让共产党无法立足城市"的阴谋了。他们幻想着用金融这把"软刀子"，对共产党开上几刀，以期收到意想不到的"奇效"。于是制造金融危机便成为国民党特务所选择的重要的破坏手段，他们用这把"软刀子"对刚刚从农村进入城市的共产党人进行报复。

早在 1948 年冬季，国民党特务机关就开始筹划一项制造大量假人民币的计划，其目的在于破坏解放区的金融秩序，引起经济动荡，造成社会混乱，从而配合国民党在正面战场上的军事行动。

他们相信这将是一个对付中共的有效手段。

时任国民党华中"剿匪"总司令的白崇禧，直接授命华中军政长官公署交际科长徐亚力，率第二处上校参谋兼特工组长黄浩及少校副官艾中孚，秘密实施一项印制假钞，破坏新解放区经济的计划。从 1948 年底开始，上述人员便悄悄地来往于南京和上海之间，摸索印制假钞破坏民主经济的可能性，结论是"行之有效"。

1949 年初，黄浩与艾中孚在南京开始秘密进行伪造人民币的试验，后因水印需时过长等技术问题不过关，未能得逞。当年 3 月，白崇禧认为在上海市伪造钱币的技术问题更容易得到解决，于是授命艾中孚、徐亚力和黄浩等人，将伪造人民币的地点从南京移到上海，并拨专款支持实施这一计划。

徐、黄等人在受命后，率 4 名宪兵，携带活动经费赶到上海，艾中孚找到了一个名叫周月英的女人。通过周月英的介绍，艾中孚认识了曾在造币厂干过的张锡芳，又通过张锡芳找到了一个名叫林子道的人具体承办此事。林很快购置了 4 架印钞机，并招募 3 名印钞工。4 架印钞机相当于一个小工厂，需要有相应的场地，于是位于汾阳路 150 号的白崇禧公馆，成了他们开机造假的理想场所。

机器安装完毕，他们决定先拿票面较为简单的中州币开机"试印"。中州币是 1949 年 1 月由中共中原局中州农民银行发行的一种票币，当时中原广大解放区的人民群众，均使用这种货币购买商品，它就像眼下我们手中的人民币一样是当家的货币。当他们看到从机器上流出来的伪币居然与真币相差无几时，黄浩和艾中孚兴奋得几乎跳了起来。于是在黄艾两人的主持下，在头一个星期内的试印中，便炮制出100元面值的中州币伪钞1400万元。黄浩将1400万假钞空运到武汉后转往中原解放区。假币被投放市场后，严重地扰乱了流通市场的秩序，引起当地金融和物价的激烈动荡。

初试牛刀，这一结果使白崇禧十分满意，他喜不自禁地宣称："我们找到了一把对付共产党的软刀子!"这是在1949年4月初，南京、上海解放的前夕。

人民解放军百万雄师渡江在即，白崇禧命令副官给上海的艾中孚寄去了5000块银元，作为他继续活动的资金，同时命艾中孚等人"即刻开始尝试制造人民币"。

此时，艾中孚与周月英两人为了共同的不可告人的目的勾搭成奸，周月英的家自然成了艾中孚的住处，这对狗男女白天从事犯罪活动，夜里厮混在一起。肉体上的媾和使周月英也将灵魂与艾中孚捆绑在一起，她不仅在生活上对艾中孚关心备至，而且对艾中孚的犯罪活动也死心塌地地鼎力相助。伪造票面相对复杂一些的人民币需要有照相师，周月英通过自己的关系沟通了照相师王兴贤，以150块银元的酬金，请王代制100元与50元两种面值的人民币印版。在周月英的银元与姿色引诱下，王兴贤被拉下了水。

4月20日夜，人民解放军渡江战役正式打响，次日国民党统治中心南京解放，上海解放在即。形势的变化使白崇禧感到必须加快伪造人民币的步伐，他急忙电告艾中孚："务必在共军进沪前，赶制出足量货币!"

接电后，艾中孚感到要在短时间内完成伪造大量人民币的任务，必须依靠设备规模较大的印刷厂。于是他找到了上海金山印刷厂的工头李安庆。解放前该厂曾经承印过伪金圆券，有较好的设备和技术条件。这是一家由翁氏家族开办的私营印刷厂。艾中孚由李牵线认识了该厂的经理翁滋和，他许以30两黄金和800块银元的价格，由该厂承印这批假币。这笔不薄的酬金，对该厂厂主翁滋友来说，也是个极大的诱惑，因为这不仅解了厂子无"米"下锅的尴尬，而且可以得到一笔可观的收入。于是他睁一只眼，闭一只眼地同意了承印伪币业务。翁滋友的儿子翁文清是该厂的职员，他对该厂的工人谎称："这是一批（国民党）'政府'的订货，必须按时完成……"在这个见利忘义的家族的认可下，伪造假人民币的阴谋居然得以一路绿灯地顺利实施。

在通过一些技术准备之后，5月10日假币正式上机开印。随着印刷机日夜不停的轰鸣声，一张张50元、100元面值的假人民币如雪片般被炮制出来，仅用了三天两夜的时间，就印制出票面总值达1.69亿元的假人民币，如果把这些纸币一张张叠摞在一起，竟达5层楼房那么高。

印制好的假币被按500万元一捆，分别装入34个大木箱子里，准备启运。

5月16日，白崇禧的秘书黄子心亲自飞抵上海，将其中27箱共1.35亿元假人民币，用飞机运往长沙。临行时他嘱咐艾中孚和黄浩，分别保存好其余的3400万元假币，以待上海解放后将这些伪币抛入市场。

5月27日，人民解放军指战员将鲜艳的红旗插到上海的最高点国际饭店的楼顶。此时，艾黄两人所掌握的3400万元伪造人民币，对上海这个在当时就是金融化程度很高的都市来说，无疑是一枚无声的定时炸弹。艾黄两人随时准备引发“金融冲击波”。

4 将制造、贩卖假币的罪犯一网打尽

以陈毅为首的上海市委在打击以证券大楼为中心的金融犯罪的同时，也以另一只重拳向伪造人民币的敌特分子狠狠击去。

1949年6月上旬，一些商家反映，有人多次使用伪造假人民币在淮海路、四川路的商店里购买大批物资，受骗的商店叫苦不迭。这一情况立即上报市委，市委责成淞沪警备区保卫、侦查部门对此案作全权处理。担负侦破任务的淞沪警备司令部军法处得悉这一情况后，在有关部门的密切配合和人民群众的支持下，立即展开了缜密的侦查取证工作。

6月16日，一个店员向正在淮海路上巡逻的解放军战士报告：“有人使用大量崭新的人民币正在抢购紧缺商品。”警备区军法处侦查员闻讯后立即赶赴该商店。此时两位购物人尚未离开，经商家指认，两人中一个名叫黎明，是一名平时从事各种生意的商人；另一个名叫平仲秋，是淮海路中南水果店的老板。侦查员查看了两人刚刚交付的货币，发现所使用的全为崭新的“人民币”票子，而且都是连号。为了慎重起见，侦查员将两人及部分纸币带回做进一步调查。

淞沪警备区军法处请来行家鉴别认定，这些崭新的“人民币”均为伪造的假币。在事实面前，黎、平二人低下了脑袋，交待了这些假币是从一个名叫周月英的女人家拿来的。

根据黎、平两人提供的地址，军法处立即派人前往周月英的住处，将周月英堵在了家中，当场查出印制假币的机器2台、原版纸币钢印4套、假人民币和假中州币共上千万元。还从她的床底下搜出藏匿的3支手枪和150发子弹，进一步证实了周月英不同寻常的身份。在大量物证面前，周月英不得

不交代，这些武器是其姘夫艾中孚的；并交代了与姘夫同谋印制假币、窝藏匪特及推销发行假币的犯罪事实。她同时交代，艾中孚已去徐州推销假币，不日就回上海，表示愿协助军方抓住艾中孚。

根据案犯周月英、黎明、平仲秋的口供，军法处的侦查员们顺藤摸瓜，又将承担印制假币的昆明路金山印刷厂厂长翁滋和、厂主翁滋友和知情不报的该厂管账翁文清（翁滋友之子），同谋印制假币的照相师王兴贤、制版商林子道、地痞流氓张锡芳，用假币收兑黄金、银元的倪槐庭、姚企范，利用职权，收受贿赂，包庇匪特隐情不报的卢家湾公安局留用便衣警士冯伯钧、宋世珍等 20 名罪犯一一捉拿归案。

7 月 17 日，当艾中孚从徐州返回上海刚刚走进周月英的家门时，便被一双冰冷的手铐铐住了双手。

至此，虽然另一名要犯黄浩仍然在逃，但这桩国民党特务伪造人民币的大案，已基本水落石出！

5 审理中又牵出另一起人民币伪造案线索

正当我侦查员们为如此顺利地破获假币案感到庆幸时，办案人员在案件审理中又牵出了另一起人民币伪造案的线索，真可谓“拔出萝卜带出泥”！

我办案人员在一次提审翁滋和时，翁犯提到曾有一个名叫张永生的人向他了解过印刷钱币的事，他还回忆了与张永生见面的情景：

那天晚上，张永生上门拜访，手里还拎了一包吃的东西，开门后张永生自我介绍说：“我是从您的朋友那里打听到您的住址的，今天登门拜访有要事相求。”

翁滋和将其让进房内，落座后，两人先是漫无边际地扯了一阵，张永生才切入正题，他说：“今天登门拜访翁先生，知道先生搞印刷有一套，不仅能进行普通的印刷，对一些特殊的印刷也同样在行，这可是一门了不起的手艺呀！”

翁滋和答：“哪里，哪里，只不过是混碗饭吃，老弟过奖了。”

这时张永生用一只手遮住半个脸充满神秘地压低嗓音说：“老兄，我认识一位姓蔡的先生，想印点‘花纸头’（即钞票），不知你是否肯帮忙？如果老兄肯帮忙的话，蔡兄是绝对不会亏待你的。”

翁滋和心想，此时厂里已经承揽下一桩印制假钞的生意，眼下还未完全脱手，这事本来就担惊受怕，如果再接此活风险太大。于是推托说："实不相瞒，这一段厂里接了一个重活，一直加班加点，实在无暇顾及其他。"

看到翁滋和不想接手，张永生也没再勉强，坐了一会儿便告辞了，临出门还把自己的地址留了下来，并说："如果翁老板想通了的话，请告诉我，我等您的回音。"

我侦查人员在得到这一线索后分析认为，这个叫张永生的人很可能也与伪造人民币有染，是一个不应放弃的目标。军法处侦案人员根据翁滋和提供的地址在提篮桥居民区的一座平房里找到了张永生。一见到解放军指战员，张永生就全交代了。他说，那个蔡先生名叫蔡伯钧，是一个商人，曾委托他联系打听印刷纸币的事情，并答应事成之后，给他一笔丰厚的报酬。

根据这个线索，我侦查人员又马不停蹄地展开连续侦查，仅用十几天的时间，于7月3日一举挖出了以潜伏国民党特务李星宇、蔡伯钧、丁兆成为首的，有计划、有预谋伪造人民币的犯罪团伙，并将同案人梁秉衡、吴东海、戴狭德、张清波、沈勤生等一一缉拿归案。此案案情也随之水落石出：

首犯李星宇，52岁，河北人。曾任国民党辽、吉、安边区第3路军司令，忠义救国军第8支队司令。1948年6月到沪后即与国民党保密局取得了联系，并被吸收为国民党特务。上海解放前夕，他受汤恩伯委派，充任上海潜伏匪特第2挺进纵队司令。

主犯蔡伯钧，在日伪时期充当宪兵，此人不仅吸毒而且贩毒。上海解放前夕充任国民党海军谍报组上校督导员。上海解放后，曾以"中共地下耀字部队"和"华东保密局"的名义到处招摇撞骗，伺机破坏。

主犯丁兆成，解放前即为国民党情报人员，曾参与镇压工潮、学运。解放后，假冒中共地下工作人员潜伏下来，在办理接收敌伪财产时中饱私囊。

1949年6月初，台湾国民党保密局指示李星宇："伪造货币，搞乱金融，动摇人心，浑水摸鱼。"李星宇接电后立即开始行动，他和丁兆成出资黄金30两，由蔡伯钧出面拉来梁秉衡、吴东海等人同谋印制假人民币事宜。6月中旬，吴东海通过张清波向沈勤生购得印制假币的铜版3套，印币纸10令，又指派张永生联系假币的印刷场所，于是便有了张永生登门造访翁滋和的一幕。

在翁处碰壁后，李星宇犯罪团伙又通过其他渠道搞到了两台印刷机，开始试印。与艾中孚假币伪造团伙不同的是，在这个犯罪团伙印制的大量假人民币尚未来得及出手的时候，即被我警惕的侦查员们一举破获。侦查员们在李星宇家中缴获的3套印制假币的铜版、在丁兆成家中搜出的两台印刷机、在梁秉衡家中收缴的大量印币纸等，都成为他们无法抵赖的罪证。

此后，淞沪警备区军法处和保卫处的指战员们，又重点抓了金融案件的侦查保卫工作，仅用了一个多星期，又破获了第三起伪造人民币案。7月13日，该案主犯施子良、周胜官及其同伙，在转移印刷场地时，被军法处侦查人员发现，当场查获印刷机一台、假币铜版一块及刚刚印好的假人民币500万元。

经查，施子良、周胜官两人在上海解放前即为地痞流氓、投机奸商，与国民党特务机关也多有瓜葛。上海解放后，他们在一个月内，共印制出假人民币100元版8000张，200元版10000张，总面值近1000万元。施、周两人还通过杜云轩、孙新章、李中洲等人为其推销伪币，倪如亭、马阿毛、王文国等人积极参与了推销贩卖活动。孙新章、李中洲用假币收兑黄金数十两，银元近千枚。

6 严惩罪犯，人心大快

在前后不过两个多月的时间里，淞沪警备区总共破获了3起伪造人民币的大案，共有36名罪犯落入法网，他们的犯罪活动，激起了广大市民的切齿痛恨，纷纷要求政府予以严惩。

淞沪警备司令部军法处经过3个多月的调查审理后，报请上海市军管会核准，于11月30日对艾中孚等3起伪造人民币案作出最终判决，12月2日的《解放日报》全文刊登了由陈毅、粟裕签名的对艾中孚伪造人民币案的判决书：

被告艾中孚系潜伏匪特，屡次主持伪造中州币及人民币，有计划捣乱金融，并私藏武器，图谋不轨，判处死刑。

被告翁滋和勾结匪特秘密承印伪币，判处有期徒刑五年，并科罚金三千万，其在承印伪币的金山印刷厂中的股金没收。

被告蔡伯钧判处有期徒刑五年，并科罚金一千万元。其非法所得美钞八十元、黄金一两、金戒一只、镶宝石戒一只均没收。

被告黎明主动勾结匪特，贩运伪币扰乱金融，判处有期徒刑五年。伪币一百五十万元及银元二枚均没收。

被告平仲秋勾结匪特，贩运伪币，判处有期徒刑三年，并科罚金一千万元。其非法所得银元四十枚没收。

被告倪如亭贩运巨额伪币，收购金银，破坏金融，判处有期徒刑三年，并科罚金一千五百万元。

被告姚企范贩运巨额伪币，收购金银，破坏金融，判处有期徒刑三年，并科罚金一千万元。

被告翁滋友同谋承印伪币，判处有期徒刑三年，并科罚金五千万元。其在承印伪币的金山印刷厂中的股金没收。

被告周月英窝藏匪特及其武器，同谋印制伪币，判处有期徒刑二年。其非法所得美钞五百九十五元、黄金七两、银元二百九十枚、金锡一只、金戒一只、钻戒一只均没收。

同谋犯陈宝玉匿藏的黄金三两、金戒一只、人民币十二万元、银元十八枚一并没收。

被告宋世珍利用职权，收受贿赂，包庇匪特，隐情不报，判处有期徒刑一年，并科罚金三十万元。

被告翁文清掩饰匪特伪造人民币的活动，知情不报，判处有期徒刑一年。

被告张锡芳同谋伪造中州币，判处有期徒刑一年，并科罚金一百万元。

被告王兴贤协助匪特摄制伪币票版，收受非法酬金，判处有期徒刑六个月，并科罚金一百万元。

被告平根发协助贩卖伪币，予以训诫处分。

被告金天云以不知情而受利用推销伪币，宣告无罪。

伪币四万元，印制伪币器材及手枪三支，子弹一百五十发没收。

同时，上海市军管会对另两起人民币伪造案的罪犯也作出了如下判决：

判处李星宇死刑。

判处丁兆成死刑。

判处施子良死刑。

判处周胜官死刑。

判处梁秉衡有期徒刑二年，罚金五十万元

判处吴东海有期徒刑六个月。

判处杜云轩有期徒刑十年。

判处倪如亭徒刑一年六个月。

判处孙新章有期徒刑一年。

判处李中洲有期徒刑一年。

判处马阿毛有期徒刑六个月。

判处王文国有期徒刑六个月。

对平根发予以训诫处分。

罪犯得到严惩，老百姓欢欣鼓舞，奔走相告。当时上海市民们见面的第一句话就是："侬晓得不啦，造假大亨鼠被割掉脑袋了！人民币值钱了!"

1949 年 12 月 1 日，淞沪警备司令部军法处将 6 名罪犯押上刑车，执行死刑。为震慑敌特，教育群众，执刑车队途经四川路、南京路、西藏路、金陵路、外滩、吴淞路，沿途散发了对这 3 起案犯的判决书。车队所到之处，马路两旁及沿街的阳台、窗口站满了观看的群众，他们欢呼人民政府和人民解放军为人民扫除了这些害群之马，有的还当场燃放鞭炮，以示庆贺。上午 11 时 40 分，车队驶入江湾第一公墓墓区，6 名罪大恶极的制假贩卖假人民币的主犯伏法。

第二天，上海各大报纸纷纷发表消息、评论和照片，称这是全市人民在共产党领导下与国民党敌特及破坏分子斗争取得的又一次重大胜利。

1950 年 4 月，一直负案在逃的黄浩以为时过境迁，平安无事了。没想到，当他再度潜回上海伺机活动时，很快被淞沪司令部军法处侦查员发现并缉拿归案。同年 7 月 18 日，黄浩被判处死刑。

第十三章

血溅鸿生轮

原来，这伙匪特预谋策划在当夜抢劫江轮，准备用洗劫的财物从事反革命地下游击活动，企图对新生的人民政权进行捣乱破坏。当晚他们登船后发现，船上有解放军官兵，这是对他们行动的一个最大威胁。于是，黄志英与徐锡昌、朱国范等几个匪首暗地里商定，先除掉解放军官兵，而后再进行抢劫，深夜听黄志英的口令同时行动，这便发生了前述的一幕。

1 午夜时分，“鸿生轮”上突响枪声

自从上海成为著名的商埠以后，川流不息的上海黄浦江，总是日夜船只如梭，一片繁忙。

1949年9月22日，一艘舷号上印有“鸿生轮”3个字的客轮，静静地停靠在外滩13号码头上。

晚上6时许，扩音器里传出播音员的声音：“有前往崇明岛的旅客请到3号门检票上船，今天开往崇明岛的是‘鸿生轮’……”

3号检票口开始检票，乘客们手拎着大大小小的行李，急急忙忙地涌进栈桥。这时，有约20个眼中透露着异样目光的人混杂在熙熙攘攘的乘客中向舷梯移动，从装束上看，这些人像是做生意的商人。不过对忙于赶船的人们来说，似乎都无暇顾及这些。

“鸿生轮”是上海与崇明岛之间的定期班轮，每天对开一趟，搭乘此次航班的有200多名乘客。从上海到崇明岛约有50公里的水路，就是这么个距离，也足够以蒸汽为动力的“鸿生轮”跑上几乎一夜。

7时许，随着“呜”地一声汽笛长鸣，“鸿生轮”缓缓地离开了外滩13号码头。夜渐渐深了，人们刚刚登船时的新鲜劲逐渐被疲倦所代替，喧嚣的客舱内趋于平静，当乘客们把目光收回到舱内时才发现，乘船的有商人，有渔民，也有前往崇明岛走亲戚的上海市民，特别“显眼”的是船上有9位解放军官兵，他们是第30军88师师长吴大林、师后勤处长谷德奎、师后勤部袁股长及其妻子，另外5名也是后勤人员。他们分别佩带着长枪和短枪等武器，是刚刚执行完任务后返回崇明岛驻地的。

上海刚刚解放时，城市实行军管，市内外的一些重要目标都由驻沪的部队守卫，人们经常能够见到往返于市区与郊区间执行任务的解放军官兵。由于当时上海的社会秩序较为混乱，解放军在人们心目中是一种力量和安全的象征。

船上乘客是对号入座，9名解放军官兵都坐在3号舱内。

夜越来越深了，多数乘客们或靠在座椅上，或背靠背地进入了梦乡。9名解放军也手抱着武器打起了瞌睡，船舱内只有客轮的马达声和船舷与江水撞击时发出的“哗哗”声。

此时，混迹在乘客中间那20几个商人打扮的人开始活跃起来，他们时而聚在一起交头接耳商量着什么，时而分散到各个客舱尤其是坐在9名解放军官兵周围，像是在等待和寻找什么。这些人略显得凸鼓的腰际，似乎说明他们与别人的不同，但他们是些什么人？又在寻觅什么呢？素昧平生的乘客们并没有人更多地注意到这些。

时针指向深夜12点时，“鸿生轮”已经驶出吴淞口来到狮子林附近的江面，这里两岸野草丛生，人烟稀少，一片黑寂。

突然舱内有人大喊了一声：“开始行动!”紧接着响起了“乒、乒、乒”的枪声，9名毫无准备的解放军官兵同时受到了手枪从近距离上的射击，8名官兵身上都受了伤。人们从睡梦中惊醒，发现开枪的正是那些“商人”。

坐在吴师长身边的警卫员最先反应过来，他迅速用身体护住师长，尽管此时他的右胸部被子弹击中，但是他仍然立即操起自己怀中的武器，朝一名开枪的人还击，并当场将其击毙。由于他的保护，师长吴大林未遭伤害。

骤然而起的枪声，使船上的乘客陷入一片恐慌之中，在这么短的时间内，他们弄不清究竟发生了什么事情，一种求生的本能驱使一些胆小的乘客一边高声叫喊着，一边四散跑开，一时间你推我，我撞你，舱内秩序大乱，人群在无序的冲撞中挤成一团。

毫无疑问，受伤的解放军官兵意识到自己受到了歹徒们的攻击，但如果开枪还击，每一颗子弹都可能伤及无辜群众。为了避免误伤群众，尽管自己的生命受到了严重的威胁，解放军官兵还是没有使用武器，他们顽强地以徒手与歹徒搏斗。然而由于受到的枪击，他们渐渐体力不支。这时船上的一部分乘客自发地对受伤的官兵进行了保护，乘着混乱之时，一些乘客将两名年龄稍长的军官（即吴师长和袁股长）掩护进了后舱内，迅速为其换上了便衣，并在船员协助下将其藏进了船上的工具柜中。

甲板上的7名解放军官兵终因寡不敌众，被20多名凶相毕露的歹徒一一捆绑起来。这时，人们看到一个剃着光头的歹徒阴笑着走到甲板上。后来，人们知道此人名叫黄志英，系国民党军统特务。这伙行凶的匪徒，是以黄志英为首的反动地下匪特组织“长江纵队”（又称“通海纵队”）。

原来，这伙匪特预谋策划在当夜抢劫江轮，准备用洗劫的财物从事反革命地下游击活动，企图对新生的人民政权进行捣乱破坏。当晚他们登船后发现，船上有解放军官兵，这是对他们行动的一个最大威胁。于是，黄志英与徐锡昌、朱国范等几个匪首暗地里商定，先除掉解放军官兵，而后再进行抢劫，深夜听黄志英的口令同时行动，这便发生了前述的一幕。

此时已有4名解放军官兵因失血过多生命垂危。

看到这种情况，一个匪徒凑到黄志英身边说：“报告黄爷，这4个人伤的很重，恐怕不行了。”

“解放军攻占了大上海，把我的地盘全都夺走了，今天老子要出口恶气”，黄志英从喉咙里憋出了一句话：“把这4个人丢进江里喂鱼去!”

“是，黄爷!”

几个面带杀气的匪徒走上甲板，他们两人一组抬着重伤的解放军官兵，走到船舷旁，“扑通，扑通……”随着四声重物坠落水面的响声，4名生命垂危手被反绑的解放军官兵，被歹徒们丧心病狂地从甲板上投进了波涛汹涌的江中。

另外3名身负重伤的解放军官兵，也被他们五花大绑关进了船舱，由一个匪徒看守。7位解放军官兵所携的一支步枪、6支手枪和300发子弹均被这伙匪特夺去。

眼前所发生的一切是突然的，也是残酷的，面对杀气腾腾、荷枪实弹的匪徒们，乘客所能做的就是把脸转向另一侧……然而乘客们很快意识到，没有了解放军的保护，他们的安全也已失去了保障，这帮匪徒是不会轻易放过他们的。果然这种预感很快应验了。

在残害了4名解放军官兵后，黄志英转过身来对着挤在甲板一端的乘客大声喊道：“都给我听着，我黄爷眼下手头正紧，今天想跟你们借点钱花花，你们有钱的交钱，没钱的交物，谁敢反抗，刚才那几位共军就是他的下场!”

在匪徒的淫威下，全船200多人被驱赶到甲板上排成一排，匪徒们像过筛子一样将全体乘客的财物洗劫一空，共劫得人民币500余万元，棉布20余匹，面粉、大米10余袋，食油、火油8桶，手表8只，金戒指6只，以及其他物品若干。

得手后，这伙匪徒又用枪逼迫船长将船靠上了一条同行的帆船，把另外两名受伤的解放军官兵和袁股长的妻子转移到帆船上，很快隐遁在茫茫的夜色之中……

2 南通警方闻讯出动

被黄志英一伙所劫持的是一艘山东的运货帆船，船老大在匪徒们的威逼下，将船驶向匪特们要去的江苏南通方向。

黎明时分，货船驶近南通川港区竖积港附近。匪首黄志英对这一带比较熟悉，他曾经在这里生活过七八年，并且与这一地区的国民党残余势力和一些社会渣滓有深厚的渊源，这次参加行动的“队员”中有9人就是南通当地人，他们准备利用人地两熟的有利条件，以这次抢劫的财物为基础，在这一带建立地下武装，进行旨在与新生的人民民主政权相对抗的地下游击活动。

天色蒙蒙亮，20名余匪特在黄志英率领下上了岸，两名负伤的解放军官兵和袁股长的妻子也被带上了岸。离船时，黄志英没忘了对船老大进行一番恐吓："如果你还想在江上开船的话，对今天的这一切都没看到，得罪了我黄爷你肯定活不长！"

黄志英本打算将两名解放军官兵当人质，但发现这两人和另1名女的生命已奄奄一息，带着行动很不方便，遂命令部下："处理掉这3个人。"

随着一声呼应，6名匪特将3人拖至江边，用绳子勒昏后抛入江中。后来，只有袁股长的妻子一人苏醒后游到岸边死里逃生，另两名年轻的解放军官兵被这帮凶残的匪徒夺去了生命。

抢劫后，这伙匪特隐匿了几天，于9月25日与潜伏在当地的国民党特务取得了联系。他们密谋在当地建立反对人民政府的地下武装，自立番号为"长江纵队"，由于其成员一部分来自上海，一部分来自南通，故又取名为"通海纵队"（有两地结合并通台湾之意）。由黄志英任司令，徐锡昌为副司令，朱国范、江山为大队长。

组织建立后，他们有恃无恐地先后劫捕了当地的小学教员吴文亮、群众运动骨干顾仁修、复员军人顾其春和农村积极分子张根荣4人，朱国范、朱惠风两名"长江纵队"的骨干分子，对抓来的4人进行严刑拷打，要他们交代所谓"通共串共"的罪行，直至把他们打得昏死过去。看到从他们身上榨不出什么"油"来，在黄志英授意下，当夜由徐锡昌、朱国范、黄连宝、江山、朱敏鼎、陈文长6名匪特下手，将吴文亮、顾仁修、顾其春和张根荣4人用绳索勒死，并抛尸于江边。

一时间，"长江纵队"的反动气焰甚嚣尘上，弄得当地许多居民大白天不敢出门，"长江纵队"所到之处，恐怖的阴云笼罩天空。

新生的民主政权岂容匪特肆意践踏！南通公安机关接到匪情报告后，立即组织警力，并抽调民兵配合，对在这一地区的匪特进行拉网式搜剿。在我强大的攻势面前，"长江纵队"化整为零，分成若干小股分散行动，一部分潜回上海，一部分返回崇明岛，还有一部分留下来转入地下活动。

3 韩念龙亲作部署

"鸿生轮"血案，在上海引起了不小的震动。尽管上海刚刚解放时，社会治安尚不稳定，每天这样或那样的刑事案件时有发生，但像这样一次将6

名解放军官兵残杀的凶案，在上海解放后还是第一次。案件经过报纸披露后，在社会上引起极大的反响。许多有识之士认为，这不仅仅是一起杀人抢劫案，更是敌特分子向人民解放军和人民政权的公然挑战。

案件引起了上海市领导机关的高度重视。陈毅市长在听完关于这一案件的汇报后，极为震怒，他把手狠狠往桌上一拍说："几个国民党匪特如此胆大妄为，这是对我人民解放军的公然蔑视。淞沪警备司令部要力争限期破案，对这伙匪特一定要狠狠打击，严惩不贷！"

由于当时上海市公安局尚在组建过程中，加之自身所承担的治安任务已经十分繁重，人民解放军上海驻军淞沪警备部队责无旁贷地分担起了一部分市区治安肃特任务。对上海市委赋予的任务，淞沪警备部队领导十分重视，以郭化若为司令员兼政委、林维先为副司令员、韩念龙为副政委的上海淞沪警备部队领导，直接参与侦破此案的组织指挥，而具体实施侦破此案的任务落到了警备部队军法处的肩上。

这是一伙什么人？为什么竟敢如此胆大妄为？正当军法处侦察科还在寻找破案突破口时，南通专署公安处处长顾克英和南通市公安局白局长携带"长江纵队"的案情赶到上海。

淞沪警备部队军法处是一个精干而有效的机构，得到消息后，他们立即向上海警备司令部副政委韩念龙作了报告。韩念龙马上带着军法处治安科科长刘步周、副科长海萍前往汇中旅社，会见并听取了南通专署公安处处长顾克英、南通市公安局白局长有关"长江纵队"武装匪特在南通地区活动情况的介绍。韩念龙和大家一起分析国民党匪特组织"长江纵队"的活动特征，并随即对下一步行动作了周密部署。

鉴于这是一个跨地区的串案，双方经研究确定，由解放军淞沪警备司令部军法处主办此案，南通专署公安处和南通公安局配合侦破此案。

瞿道文受命后做的第一件事，是召集有关人员对此案的侦破方案、组织分工、侦破方法和要求等进行详细的研究。他设计了一个"赶鸭子下海"的战术，即动员南通地区驻军和崇明地区驻军立即配合地方发动群众，展开清匪剿匪活动，造成一种声势，目的在于使这股匪特在南通地区和崇明地区失去活动条件，从而把他们赶到自认相对安全的上海，以便一网打尽。

在各方面的配合协同下，侦破工作进展迅速，由于南通、崇明两地的清剿活动紧锣密鼓，迫使"长江纵队"的匪特相继潜回上海分散活动。军法处侦破组很快便掌握了这伙武装匪特的活动规律、特点及其联络地点，他们的行踪已被我侦查人员暗中盯梢。

1949 年 10 月上旬的一个傍晚，军法处得到情报："长江纵队"的 7 名匪特正在曹家渡状元楼饮酒聚会。刘步周科长立即派两名侦察参谋赶往状元楼进行现场侦察。

两名侦察参谋身穿便衣化装成顾客来到状元楼二楼餐厅，只见在靠南窗的一张桌子上，有7个人正在吆五喝六地划拳猜酒，他们的着装和长相与事先所掌握的匪特特征十分相像。经过确认，这几个人就是“长江纵队”中的几个骨干分子，情报是准确而及时的。于是两名侦察参谋便点了几个菜，要了一瓶白酒，在一旁斟酌起来。一名侦察参谋借故走了出来，将情况通报给了已赶来的刘科长，随即返回。他们一边吃，一边不时地关注着窗边那7个人，在其中一个家伙低着头去捡掉到地上的香烟时，侦察参谋发现其腰间有个“鼓鼓的家伙”。

与此同时，由刘步周科长和南通公安处处长顾克英率领的20多名解放军战士和公安人员，悄悄地进入状元楼四周守候围捕，一张细密的网悄悄张开。

时近晚上9时，7名匪特酒足饭饱，起身准备离去。坐在窗边的一位侦察参谋假借吸烟划着了一根火柴。看到亮光，埋伏在四周的缉捕队员们迅速合拢包围圈。7名喝得醉醺醺的匪特刚刚走下楼梯，便被埋伏在过道两侧的缉捕队员一拥而上，一一按在了地上，这伙作恶多端的匪特还未弄清楚是怎么回事，就成了侦察员们的俘虏。

收获是令人鼓舞的，在抓获的7人中，有“长江纵队”的副司令徐锡昌和大队长江山。

审讯于当天夜间展开，7个匪徒被分别带开逐一接受审问。在法律的威慑面前，匪徒们的心理防线早已土崩瓦解，他们相继交代了枪击解放军官兵和抢劫乘客财产的犯罪事实。审讯小组乘胜追击，又掌握了其他同伙的行踪。

事不宜迟。根据口供线索，侦察员们当天夜里又在泰山电影院附近，将匪首黄志英的哥哥黄林班抓捕归案。

但是“长江纵队”的司令、匪首黄志英和另外9名匪特仍然在逃。

一连几天，匪特们没有露面。

11月14日，军法处得到可靠情报：3天之后，匪首黄志英将在中山公园与其他的土匪接头，这是一个缉捕匪首的大好时机。17日那天，军法处处长瞿道文和刘步周科长亲自挂帅，挑选了15名训练有素的侦察人员，身着便衣化装成游客，进入中山公园内布控，等待目标。

临近下午4时，在公园门口布控的侦察员果然发现一个与黄志英相貌十分相像的人进入园内，此人双手始终插在上衣口袋里，他走走停停，还不时东张西望。瞿道文和刘步周接报后，与掌握的匪首特征作了进一步核对，确认来者正是黄志英。瞿道文命队员立即封锁公园的所有出口，防止匪首逃脱，同时对缉捕小组发出“收网”的命令。4名侦察员两前两后形成一个倒梯形迅速接近目标。由于当时公园内来往的游客较多，黄匪对此尚未觉察。当4名侦察员接近目标时，一名侦察员突然从侧后扑向黄志英，并将其死死抱住。跟上来的另两名侦察员一个扫荡腿将其放倒在地，4人同时压在黄匪身上。当黄匪试图反抗时，“咔嚓”一声，他的双臂已被反扭在身后戴上了手铐。侦察员们从他的上衣口袋里摸出了一支已经上了膛的手枪！

罪大恶极的“长江纵队”头号匪首黄志英就此落网。

此后，我侦察员们再接再厉，经过10天的侦察、追捕，先后在曹家渡、闸北、南市、打浦桥、斜土路、小闸桥、虹桥路等地，将漏网的11名“长江纵队”的匪特一一抓获归案，其中有1名匪特因拒捕被当场击毙。

至此，军法处的指战员们仅用不到20天时间，就抓获了“鸿生轮”的全部案犯，黄志英、徐锡昌、朱国范、江山、盛建明、樊祥泰、胡根宝、徐建堂、朱敏鼎、朱惠凤、周如康、朱鼎丰、李才宝、黄连宝、陈文长、徐小祥、陆顺祥等20余名匪特全部落网，并缴获手枪11支、子弹数百发及部分赃物。他们在南通川港区竖积港附近的江边，还找到了被杀害的其中3名解放军官兵的遗体。

4 警笛声预示罪犯的末日

淞沪警备司令部军法处依靠上级的正确指挥，依靠有关部门的密切配合和人民群众的积极支持，迅速破获了“鸿生轮”武装匪特案。这次行动，有力地打击了敌特的嚣张气焰，鼓舞了群众的斗志，维护了吴淞口航道的安全与畅通。消息传到上海市政府，陈毅市长和分管公安的潘汉年副市长，都对此案的迅速侦破给予了充分肯定与表扬，淞沪警备区党委和首长对军法处的全体办案人员进行了嘉奖。

淞沪警备司令部军法处对20名案犯的犯罪事实进行了认真审理后，报请上海市军管会批准，依法进行了判决，判处匪首“长江纵队”司令黄志英、副司令徐锡昌、大队长朱国范、江山以及骨干分子朱鼎丰、盛建明、黄连宝7名罪大恶极的罪犯死刑。樊祥泰、胡根宝、徐建堂、李才宝、陈文长、陆顺祥、朱敏鼎、朱惠凤、周如康9名罪犯，应南通地区人民群众的强烈要求，交由南通地区人民政府召开群众大会公审后执行枪决。对徐小祥、陆士林、黄林琪3名罪犯，分别判处有期徒刑。

公告在匪特曾经猖獗一时的南通地区公布后，当地群众欢呼雀跃，拍手称快，有的全村全乡敲锣打鼓、鸣号奏乐放鞭炮以示庆贺。南通地区还派专人到淞沪警备司令部，送慰问信和锦旗，感谢军法处为人民除了一大害。

在上海，破获“鸿生轮”凶杀抢劫案的消息登报后，群众也极为振奋。根据上海市军管会公布的时间，1949 年 12 月 29 日，是对“长江纵队”几名主犯处决的日子。当天一早，市民们便自发地等候在车队将要途经的街道两旁，等着一睹匪首被镇压的场面，一吐内心的愤怒。

上午 9 时 45 分，上海警备司令部军法处的执法车队从海南路出发，前面由两部带有警笛的红色摩托车开道，后面依次是指挥车、执法车、警备车等车辆，车身两侧张贴着“军民合作，扑灭匪特，保卫大上海建设”、“首恶必办，胁从不问，立功受奖”等横幅标语，卡车上逞凶一时的匪首们，杀气早已荡然无存，他们在千万双愤怒的目光注视下，走向自己生命的尽头。

警备车上的战士们不时高呼口号，战士的口号声与人民群众的呼声交相呼应。固定在警车上的 4 只高音喇叭，一遍又一遍地广播匪特所犯的罪行和上海市军管会的判决书，号召全市军民紧密团结起来，肃清匪特，保护革命秩序，维护社会治安。车队从上海北站途经海宁路、四川路、北京路、静安寺路、南京路、爱多亚路、陕西南路、林森路、民国路、中华路、复兴路等主要街道，使上海市数十万群众既看到了匪特受到镇压的场面，也感受到了人民政府坚决严惩匪特、保卫社会主义成果、确保人民幸福与安宁的信心与决心。

12 时 10 分，车队抵达龙华机场。13 时整，法医将各名罪犯一一验明正身，随着 7 声枪响，7 名恶贯满盈的匪首逐个倒地，国民党匪特地下组织“长江纵队”从此烟消云散。

斗智钱江畔

这家以『春风』为招牌的小卖店有两个房间的门面，外间卖些日用百货，里间是个小餐馆，专为顾客做点酒菜。艇上的人到这里来都喜欢点上一盘花生米或一碟猪头肉等下酒小菜，再斟上两盅酒。实际上艇上的人心里都明白，他们与其说是来喝酒的，不如说是冲着老板娘来的。

1 诡秘的“黄军装”深夜叩开女老板的房门

1949年7月，随着杭州市的解放和人民解放军的南下，沪杭铁路成为三野大部队向福建进军的后勤补给生命线，横跨钱塘江的钱塘江大桥，更成了这条铁路大动脉上的枢纽。

钱塘江大桥是由我国著名桥梁专家茅以升先生设计，于1937年9月建成的。它是我国最早的也是当时国内最大的铁路、公路双层桥，全桥长1322米。正是因为这座桥是连接沪杭、沪赣两条铁路大动脉的重要枢纽，舟山国民党的飞机，经常从定海机场起飞，前来对大桥进行轰炸。多数情况下，敌机受到三野第7兵团守桥部队的一阵炮击后，一无所获地飞走了。在1949年7月底的一次空袭中，有两枚炸弹落在了江心5号桥墩附近，爆炸使5号桥墩轻度受损，对桥上列车的运行安全构成了威胁。为此，有关方面立即组织了一支由民兵组成的抢修队，对5号桥墩进行抢修。

来自萧山的萧江便是这抢修队中的一员，他的工作是开运输船，为修桥运送各种材料。

这是1950年1月初的一个晚上，时钟指向11点30分，已经连续工作了12个小时的萧江，下了夜班返回离大桥不远的临时住处。当他走到通往大桥的大通桥街头的时候，突然听到前面传来敲门声。循声望去，昏暗的路灯下，一个身穿浅黄色军装的人，站在大通桥5号小杂货店的门前。“吱”的一声，小店的门开了。

“是您呀陈哥，我以为是打劫的人呐，快进来吧。”这是一个娇滴滴的女人的声音。

“你好凌妹子，几天不见可把我想得好苦哟!”“黄军装”低声说。

“您想吃点什么?”

“就想来抓抓妹子的小脸蛋……”下面的声音越来越低，萧江听不清楚了。只见“黄军装”左右看了一下，迅速闪进门去。

由于平时每天上下工都要走这条路，萧江对这个街道上的人家也比较熟悉。当时，这家小店是大桥附近唯一的一家小杂货铺，萧江和修桥的民工常常到这里买东西，时间一长，萧江知道这家小杂货铺原来设在市里的城头巷，说是因为城里生意清淡才搬到这边来的。店主名叫余斌，据说后来在闸口火车站找到了一份工作，十天半月才回家一次，小店就交给了他的妻子凌铁桃操持。

萧江知道，部队的纪律是很严格的，深更半夜，怎么还有穿军装的人独上小店，而且举止偷偷摸摸，鬼鬼祟祟，这里面一定有什么猫儿腻。这个“黄军装”是谁？他进屋去干什么？是搞不正当的男女关系，还是干其他什么事情？一连串问号在他脑子里盘旋着。这时他自然想起近一段时间以来，守桥部队和闸口派出所的同志，多次到大桥民工队对大家传达的信息：由于舟山国民党空军的飞机无法达成彻底破坏大桥的目的，他们又指示潜伏在杭州的特务试图进行人工破坏，要求大家提高警惕。

想到这儿，萧江决心弄个水落石出。他在距离杂货店 30 多米处的墙角猫了下来。

天上的星星泛着幽幽的白光，初冬的夜晚寒气袭人。萧江坚持着，一个小时，两个小时，大约过了两个半小时，小杂货店的门“吱”的一声又开了，“黄军装”从里面走了出来，门接着被掩上了。“黄军装”左右观察了一番，快步朝江边走去。萧江借着昏暗的路灯定神一看，不由吃了一惊：这不是江边 107 艇的副艇长陈细皋吗？因为萧江所在的抢修大桥的运输船，与 107 艇都停靠在大桥上游的同一个简易码头上，船艇上的人抬头不见低头见，彼此之间是比较熟悉的。但是毕竟夜黑光暗，萧江还是担心是自己看错了人。为了进一步证实自己的判断，他悄悄地跟在“黄军装”后面，一直看到“黄军装”上了停在江边的炮艇证实了自己的判断才转身离去。

萧江没有看错，这个“黄军装”正是 107 艇的副艇长陈细皋。陈细皋在深夜偷偷地去小卖部与凌铁桃幽会，已经不止一次了，他很庆幸自己能有这样的艳遇，能独享这样的艳福。

陈细皋和 107 艇，是大桥受到轻微破坏后，负责守卫大桥的三野第 7 兵团守桥部队首长，为了加强守卫兵力，经兵团军务部门协调，于 8 月初从长江驶来执行大桥水面保卫任务的。

这是一艘小炮艇，长约 6 米、宽约 3 米。它是 1949 年 4 月人民解放军发起渡江战役时，在安徽大通县境内被迫起义的。这艘炮艇原属国民党江防部队的装备，艇上 4 人均为当时起义的原国民党人员，他们是艇长潘长裕，副艇长陈细皋，轮机手蒋荣钦和驾驶手何法宝。107 艇调来钱塘江后，上级指定由守桥三连负责指挥。由于炮艇技术性强，平时艇上的事情基本上是由艇长自行决定。

陈细皋等人虽然起义了，但其思想作风、言谈举止仍带有很重的国民党旧军队的习气，他们对人民解放军中严格的组织纪律和紧张的节奏很不适应，更无法接受部队的艰苦生活，平时常常牢骚满腹。紧张单调的守桥生活，使这些自由散漫惯了的国民党旧军人难耐寂寞，于是离码头只有数百米的那个大通桥5号小卖店，便成了他们最爱光顾的去处，一有闲暇，艇上的人就跑到这个小卖部去逍遥一番。

这家以“春风”为招牌的小卖店有两个房间的门面，外间卖些日用百货，里间是个小餐馆，专为顾客做点酒菜。艇上的人到这里来都喜欢点上一盘花生米或一碟猪头肉等下酒小菜，再斟上两盅酒。实际上艇上的人心里都明白，他们与其说是来喝酒的，不如说是冲着老板娘来的。

小店的老板叫余斌，28岁。老板娘凌铁桃比老板小2岁。这女人手脚麻利，嘴也甜，对艇上前来光顾的人常常是大哥长，大哥短的，弄得小艇上的几个人心里怪痒痒的，一有空儿就往这儿跑，还时不时地借着酒劲跟老板娘打情骂俏，调情逗乐。老板余斌似乎对这一切并不介意，还经常让妻子到艇上缝缝补补，洗洗涮涮，使艇上的人好不感动。用副艇长陈细皋的话来说：“余老板和老板娘挺够意思!”于是，副艇长陈细皋也不时邀请余斌夫妇到艇上喝酒聊天。时间一长，余斌和其妻与艇上的人混得烂熟，从过去单纯的物质交往，发展到后来无话不谈，甚至107艇上的人当着余斌的面发泄对解放军的不满。如在一次吃过酒后，陈细皋半醒半醉地说：“要是当初不起义去了台湾，票子、美女都他妈的有了，何必受现在这种洋罪？我就是不想认这个倒霉的命!”在吃吃喝喝中，陈细皋等还有意无意地把炮艇的任务、我军的装备以及大桥周围的兵力情况都透露了出来。不动声色的小店老板余斌心中明白：这不是一帮真正的解放军!

大约从1949年11月起，艇上的人发现小卖店的生意都是老板娘一个人操持了，一问才知道，原来老板余斌在闸口火车站行李房找到了工作，十天半月才回家一次。这个消息对小艇上的人来说不啻是个福音尤其对陈细皋更是如此，他一直希望有机会能与凌铁桃单独交往，因为从平时凌铁桃的眼神中，他似乎感到这位老板娘对自己“有点意思”。他经常在艇上自言自语地说：“老板娘人长的好，为人也爽，一定很有味!”

那么凌铁桃果真是案板上的羔羊任人宰割的吗？非也。她凌铁桃懂得怎样控制一个男人。每次陈细皋光顾，凌铁桃总是左一个“陈艇长”又一个“陈大哥”喊个不停，就把陈细皋喊得找不到南北了。这一招不仅使陈细皋把每月的津贴基本上都扔在了小卖店里，而且还经常偷偷地把艇上的汽油带来送给凌铁桃。不仅如此，为了博得凌铁桃的欢心，陈细皋甚至信誓旦旦地表示，情愿为她做他所能做的任何事情。在凌铁桃成为陈细皋的“梦中情人”的时候，陈细皋也成了凌铁桃可以利用的工具。

凌铁桃利用女人的魅力紧紧地攥住了陈细皋的心，常常令他神魂颠倒，夜不能寐。终于有一天深夜，陈细皋深夜叩开了凌铁桃的房门，在陈细皋的狂吻和搂抱中，凌铁桃终于成全了陈细皋渴望已久的“艳福”，而与此同时，陈细皋也成了这个女人的俘虏。

自从那夜偷情之后，陈细皋便经常趁余斌不在时，来到小店与凌铁桃幽会。常言道“要想人不知，除非己莫为”，不想这一次却实实在在让桥工萧江碰上了。

2 爆炸钱塘江大桥的阴谋浮出水面

在桥工萧江的心目中，解放军应该是遵守纪律的模范，他本人就曾经立志参加解放军，只是没有赶上合适的时机。对昨晚看到的事情，萧江难以理解，如果说仅仅是男女之间的偷情倒也罢了，但他总有一种直感，这里面可能还藏有更大的猫儿腻。第二天上午，他来到负责大桥附近地区社会治安的闸口派出所，他希望通过派出所同志的解释，来澄清自己思想上的疑惑。巧得很，这天上午杭州市公安局的社会处处长方剑和助手小马正好来这里检查工作。

方剑，时年 34 岁，中等个头，长着一副结实的身板。他是刚刚从部队转业到公安系统的，说话办事还保持着军人的果断、干练。助手小马年龄 27 岁，虽然年龄不大，但办事机智灵活，是一把侦察工作的好手。他们今天来闸口派出所，为的是几天前发现了一个敌特分子企图破坏钱塘江大桥的线索。

1949 年 12 月底，杭州市公安局在钱塘江入海口查获了一条走私船，从船上搜查出原国民党驻浙江的特务头子、杭州解放后逃往舟山的俞济时，写给代号为“五〇二”的潜伏特务的一封信和一笔行动经费，信中指令“五〇二”，“立即按第二套方案开始行动”！后据被捕人员交代，“第二套方案”是指对钱塘江大桥实施爆炸的计划，目的是迟滞或阻止人民解放军继续南进。市公安局根据这条线索判断，隐藏在杭州地区的国民党特务，可能已开始着手破坏钱塘江大桥了。杭州市委和浙江省公安厅要求市公安局，在驻杭解放军第 7 兵团保卫部门协助下，立即展开侦察，尽快破案，确保大桥万无一失！方剑处长今天来此就是为了检查布置大桥保卫工作的。

他听说来了一个汇报情况的桥工，很感兴趣，就与派出所的同志一起听了萧江的汇报。听了萧江的汇报之后，方剑回忆起他曾在有关大桥附近的社情调查材料中，看到过有关大通桥 5 号小卖店的情况介绍。

“这个女的叫凌铁桃？”方处长问。

“是的。”

“如果我没有记错的话，她的丈夫叫余斌。”

“是的，小店老板是叫余斌。”

方处长联想起他几天前刚刚看过一份特务分子周玉棠写的交代材料，其中有这样一段话：

> 旧友余斌，萧山人，原住城头巷，我曾于去年九月去余家，欲拉拢余参加反共救国军独立支队，说由定海俞济时直接领导。余当即拒绝，嗣后遂无见面。日前，春游六和塔，顺闸口之路回城，猛见余斌拿着一瓶酒，匆匆行走。问其何时搬家，他言辞闪烁，与余简谈数言，即与一解放军同志同时离去……

周玉棠的交代与萧江反映的情况，从两个方面印证了大通桥 5 号小卖店的老板余斌，是一个非常值得关注的人物，同时陈细皋进入了公安人员的视线。

方处长拍了拍萧江的肩膀说：“感谢你的责任心和对大桥的关心，保卫大桥不能光靠部队和公安机关，还得靠像你这样的民兵和群众的配合才行啊！我们需要的正是像你这样有觉悟的同志！”接着方处长又向萧江询问了一些情况，然后说：“希望你今后能够继续保持警惕，有什么情况，欢迎你随时向我们反映。”

3 107 艇被卷入阴谋的旋涡

返回市局后，方处长对所掌握的线索进行了梳理，“第二套行动方案”何时由何人实施？如何实施？小杂货店的店主余斌是否就是“五〇二”？107 艇的副艇长陈细皋又是一个什么角色？这一切都有待于揭开谜底。带着这些悬念，方处长查阅市局保存的“重点人物”的档案资料，余斌的面目渐渐清晰起来：

余斌，原是国民党特务机构浙江系少壮派的中坚之一，国民党保密局浙江站特务头子俞济时是他的上司时被俞任命为国民党浙江“人民反共救国军突击支队”支队长兼伪萧山县副县长，并受俞委派于 1949 年 8 月初化装乘船由舟山到达上海，而后由上海来杭州。

由于浙江是蒋介石的老家，在杭州刚刚解放时，像余斌这样的有着复杂历史背景的人很多，因此不能把历史背景作为捕人的依据。加上余斌来杭后与妻子凌铁桃在杭州市内开设了一家小百货店，一直属于“守法经营”，所以余斌现在的真实身份还难以确定。

1949年秋冬时节，在杭州市开展的一场声势浩大的剿匪肃特的行动中，一些潜伏的国民党地下秘密组织基本被摧垮，使得舟山国民党特务机关准备在萧山、诸暨、绍兴一带收罗国民党残余，筹组地下反动武装的计划落空。一些过去的特务骨干分子被捕的被捕，伏法的伏法，余斌则平时很少出门，一门心思经营他的生意。只是不知怎么的他把小店从城里搬到了城边上的大通桥，按说这里的生意没有城里好做，可据他说是因为城里房屋的租金太高。自从107艇靠上闸口码头后，余斌与艇上人员来往频繁，打得火热。

据余斌后来工作的闸口火车站的同事反映，此人平时说话较少，性格内向，工作较为勤奋，此外看不出什么特别之处。所以还不能断定他与破坏大桥的“第二套方案”有关，也没有掌握他就是“五〇二”的证据。

市公安局领导指示侦察小组：“尽快查清余斌的真面目，107艇的问题可与部队方面联系协商解决。”

转眼已到了1950年的春夏之交，此时国内国际局势发生了一些新的变化。5月18日，驻守舟山的国民党军不战而退，舟山群岛彻底解放。一周后的5月25日清晨，朝鲜战争突然爆发，国际形势骤然紧张。台湾国民党当局认为“反攻复国”的时机到了，掀起了空前的“反攻大陆”的鼓噪，一些潜藏在内地的国民党特务分子以为时机已到，以各种方式向新生的人民政权发难。他们或者与海外联系，或者在内地寻找“接线人”，或者进行蛊惑人心的反动宣传，或者对我重要的目标进行破坏……这些藏在暗处的国民党特务与海峡对岸的台湾国民党当局遥相呼应，以策应国民党“反攻大陆”的进程。

前段时间一直沉默的余斌再也按捺不住了，此时他已与另一名潜特孙秀接上了线。孙秀原是国民党空军司令部陆空联络员，解放后混入闸口火车站当上了火车司机，专门刺探我军运情报。由于工作之便，他经常往返于沪浙之间，通过潜藏在上海的国民党地下电台，获得台湾方面的最新指令，而后再传达给余斌等人。

1950年6月中旬，余斌接到孙秀转来的俞济时的指示：“寻找机会，适时对华东铁路的枢纽钱塘江大桥实施爆炸。”同时告诉余斌今后联系使用代号，有助于隐蔽。

余斌接到指令后对孙秀说：“养兵千日，用兵一时。107艇上那帮笨蛋已在我的控制之下，通过他们完成爆炸计划不会有什么问题，只是得有炸药和‘黄货’（指黄金）。”

孙秀说：“你的要求我负责向上转达，台湾方面会对你的行动给予支持。”于是，余斌开始行动了。

春末夏初的杭州，天气格外晴朗。

这是6月下旬的一个星期天，在钱塘江大桥附近的六和塔公园里，游客熙熙攘攘，摩肩接踵。从人群里走来了两男一女，那个留着一撮小胡子的是余斌，另一个穿着白衬衣黄裤子的是陈细皋，那个撑着花伞打扮得花枝招展的女人是凌铁桃。今天是余斌夫妇特意邀请陈细皋出来玩的。

下午1点多钟，他们3人来到公园旁的一家饭馆里，余斌点了6个菜，要了一瓶白酒，3人一起吃了起来。酒过三巡，余斌半醉半醒地开了腔：“陈兄，我想问你一句话，我余某人和我家媳妇对你和你的弟兄们怎样？”

“那没的说，余兄、嫂子对我们艇上的弟兄们够情分。”陈细皋的嘴巴也怪甜的。

“那好，兄弟我若有事相求，你肯不肯帮忙？”余斌说。

“余兄有……有话尽管讲，只要我……能办得到的。”陈细皋也挺爽快。

“陈大哥，说起来我们待你不薄，我想你余斌兄弟求你的事，你应该帮忙的！”凌铁桃有意激陈细皋。

陈细皋就怕自己在女人眼里没有男人气，他一拍胸脯：“余兄的事就是我的事，相信我定会尽力而为两肋插刀的！”

“既然陈兄这么说，那我就实言相告了。”余斌接着压低声音，把准备要107艇配合爆炸大桥的计划告诉了陈细皋。闻听此话，陈细皋的酒也吓醒了，他低语道：“余兄，这可是性命攸关的事呀！”

看到陈细皋犹豫，余斌说：“事成之后，你驾艇到钱塘江入海口，那里有大船接你，我保证把你送到台湾去。到了那边，你的钱、房子、女人都有了。我现在只要你一句话，帮不帮忙？”

陈细皋想了一会儿，像是从牙缝中挤出来一句话：“绝无问题，一定完成！”

实际上，真正使陈细皋动心的是余斌许诺的事成之后他能去台湾。当初他的艇起义是在被迫无奈的情况下才举行的，是为了保全自己的权宜之计。事后陈细皋等人曾多次私下里表示对此事的反悔。为了发泄对解放军的不满，他曾对艇上的一些设备进行了破坏，还私藏国民党的青天白日旗，涂抹艇上的“八一”图案，以表示对现实的不满和对国民党“反攻大陆”的期盼。这一切证明陈细皋和艇上的其他人并没有真正改变自己的反动立场，陈细皋一直希望有机会到台湾去“享福”。正如陈细皋事后所说：“假如不是艇太小不能航行，早就开过去了（指去台湾）。”另一个使他下决心的是，由于艇长潘长裕近期因病住院，艇上的事情都由他一人说了算，陈细皋相信何法宝和蒋荣钦肯定会与自己一道干的。

果然在陈细皋的说服动员下，何法宝和蒋荣钦表示“愿与陈副艇长共荣辱”。余斌得到消息后，来到艇上与陈、何、蒋 3 人共同密谋爆炸大桥的具体步骤。4 人经一番密谋后决定，对处于河中心的 5 号桥墩实施爆破，一来由于该桥墩位于江心，是大桥的主桥墩，遭到破坏修复十分困难；二来 5 号桥墩因抢修周围搭起了脚手架，便于安放炸药；三来由于 5 号桥墩正在施工，船只来往不会引起怀疑。不过最后何法宝认为，用船目标太大，容易被岸边的守桥部队察觉。提出由陈细皋和他各带一只救生圈泅渡到桥墩下实施爆破，余斌负责搞炸药，待炸药搞来后立即动手。不过陈细皋向余斌提出，须给 20 两黄金作为事成之后的“盘缠”。

尽管余斌心里骂陈细皋：“你小子狮子大开口，胃口也太大了。”但嘴上还是答应了下来。

在敌特加紧准备爆炸大桥时，我公安机关和驻杭部队的侦察破案工作也在紧锣密鼓地进行。

根据市局领导的指示，这天方处长和小马一同来到驻杭第 7 兵团保卫部，向部队通报了案情情况。听过方处长的介绍，兵团保卫部负责同志十分重视，马上指定保卫部的李干事具体配合杭州市公安局对这一案件的侦破工作，并派车把他们送到钱塘江大桥守卫部队，进行实地勘察。

大桥守卫营驻在江北岸的一座小山上，这里居高临下，大桥的全景尽收眼底。方处长用高倍望远镜仔细地观察了大桥四周的建筑和保卫设施，最后目光停在大桥上游江边的小码头上，那里泊着两条船，一条是舷号为“107”号的小炮艇，另一条是萧江所在的运输船。

方处长指着码头问：“陈细皋等人就是在那艘炮艇上吗?”

李干事回答：“是的，这条炮艇由于技术性较强，艇上目前还是当时的 4 名起义人员，眼下艇长因病住院，还剩下 3 人，副艇长陈细皋平时游击习气严重，经常与岸上的民女吃吃喝喝，拉拉扯扯。自从我们接到闸口派出所的报告后，已经注意他的活动了，近期准备选一个懂技术的同志到艇上去。”

回到营部，方处长同李干事和守卫营营长交换了一下意见，并将把侦察进展情况向两人作了通报，3 人一致同意把 107 艇上的人员作为观察的重点。

归途中，小马悄悄地问方处长：“‘五〇二’就在艇上吗?”

方处长沉思着说：“不一定。我看了艇上起义人员的全部材料，这些人虽然不是真心起义，但都是行伍出身，和舟山俞济时特务系统不容易直接挂上线。我估计这个‘五〇二’很大的可能是在岸上。不过，‘五〇二’为了达到炸桥目的，是很可能要利用这条能靠近大桥的炮艇的，而且……”

“而且还可能利用炮艇逃走。”小马接着说。

方处长点点头。

“艇上的事完全交给部队吗?”小马又问。

方处长想了想说:“部队已经做了安排,我们要积极配合。我们应当相信部队的同志。”

4 天香楼酒桌边巧妙周旋

第二天后,大桥守备营营长带着一个人来到了107艇上,寒暄过后,营长对陈细皋说:“陈副艇长,潘艇长患的是肺结核,据医生讲他需要在医院住一两个月,上级考虑到艇上人手较为紧张,今天我给你们带来了一位新伙伴。这位是从兵团后勤部维护队来的技术员秦杰,他搞过机械,懂技术,让他来艇上做你们的轮机手。”

陈细皋对生人一向存有戒心,尽管他内心并不希望这样的安排,但是既然上级已经决定他只有服从。想到此,陈细皋对秦杰说:“艇上生活单调枯燥,但愿你来艇上可别后悔……”这实际上是带有威胁的双关语。

“只要陈艇长信得过,我会让艇长满意的。”秦杰也是一语双关。

一听口音,很熟。陈细皋一问方知,秦杰与自己同是湖北老乡。据秦杰自我介绍,他也是起义过来的,原在国民党海军部队服役。不过老乡归老乡,对生人,陈细皋总是要防一手的,他有意考验这位老乡。秦杰上艇的头几天,陈细皋故意把最苦最累的保养船身的活儿分配给他做,艇体外侧水线以下的污垢,需要人站到水里用铁铲一下一下地铲掉,春末夏初,江水依然冰凉,但是秦杰一声不吭地干了起来。此后,陈细皋又故意把发动机里的一个垫片拿掉,然后让秦杰检修,他想看看秦杰是不是真懂机械。结果秦杰鼓捣了一阵子后告诉他,活塞缸连接处少了一块垫片。陈细皋这才相信秦杰的确是货真价实的。

这天周末,适逢艇上的人都领到了津贴费,晚饭后陈细皋把何法宝、蒋荣欣和秦杰叫到舱里说:“今天晚上我们玩玩牌,弟兄们也好放松放松。”

不过,按照陈细皋的“规矩”,玩扑克是要“带彩”(即赌钱)的,陈细皋的真正意图是想把艇上其他3个人的钱都捞过来。尽管秦杰口口声声说自己不会玩扑克,但是牌一出手,就让陈细皋感到他并非等闲之辈。果然几圈下来,陈细皋非但没赢到钱,他和何法宝、蒋荣欣的赌资,反而基本上都“三归一”到了秦杰的手上。越输越赌,越赌越输,鏖战了近一夜,最后陈细皋连下个月的津贴费也打白条垫上了,还是没能“翻盘”。这时,天已蒙蒙亮，秦杰把赢到的钱按打牌前的数额分开，说："今晚与弟兄们玩得很尽兴，输赢无所谓，兄弟情分比什么都重要。这么着，这钱我还是物归原主，我只希望弟兄们能把我当自己人看待。"

通过这件事，陈细皋感到秦杰是讲交情重义气的，以往对秦杰的"排异"心理也一下子消除了。陈细皋心里琢磨，秦杰懂技术，能吃苦，脑子又灵光，如果让他参与执行"第二套计划"，不仅能保证万无一失，而且自己的安全也有了依靠。于是他决定拉秦杰入伙。

一天晚上，陈细皋把秦杰叫进自己的舱里，关上门拿出了两瓶上好的绍兴老酒和一包猪头肉，对秦杰说："秦老弟，这段时间来我看你够朋友，你我是同乡，又有共同的经历，今天咱们对饮几杯，咱俩好好聊聊。"

秦杰并不推辞，两人对酌起来。陈细皋呷了一口酒说："不瞒你说老弟，这段时间我感到你这个人能吃苦，头脑也灵光，更重要的是够义气，好好干一定会有前途的。今天咱们就算喝个交杯酒做个知心朋友！"

"陈艇长如此看重，我感到十分荣幸。"

"那好，咱们把这杯酒喝下去，今后咱们同舟共济，荣辱共享！"说完一仰头把杯中酒喝个精光，秦杰也把杯中酒喝了下去。陈细皋是国民党的兵油子，不了解时疑神疑鬼，一旦信任一个人也就不再拐弯抹角，再加上酒劲，话就越说越多，越说越近。最后，陈细皋终于把准备破坏大桥的底牌摊给了秦杰，他劝秦杰："怎么样，事成之后我们一起去台湾，后半生可以享受荣华富贵了！"

秦杰回答说："既然老兄看得起我，我秦杰不会使你失望的！"

"好，就这样说定了！"

不过陈细皋做梦也没想到，这个被他拉拢的"同乡"，是第 7 兵团保卫部门派来监视 107 艇的"内线"。秦杰的工作卓有成效，他通过自己的努力取得了陈细皋等人的信任，从而确切地掌握了 107 艇人员卷进准备爆炸桥计划的内幕！

那段时间，方处长带领的侦案小组，对"五〇二"的侦察工作也在不断深入。

1950 年 10 月 24 日，市公安局接到闸口火车站的"内线"报告，昨晚有一个神秘的人物来找余斌，两人在附近的一家饭馆里吃了一顿饭后，神秘人物便不见了去向。方处长联想到几天前刚接到上级的一份敌情通报中提到，一个名叫左利斌的国民党特务于近期潜往杭州一带活动，行踪不明。方处长又一次调阅了余斌的有关资料，档案记载余斌有一个连襟名叫左利斌（化名幼斋），此人原来曾任国民党联勤总台 13 台主任，国民党从南京撤退时，被任命为伪总统府电台室主任与特密组长，南京解放后，他随国民党去了台湾，属于国民党中统特务。这次来的神秘人物会不会就是这个人呢?

10 月 29 日下午，市公安局开会综合分析案情进展情况。方处长亮出了他们的“钓鱼”计划，即利用我方已抓获的孙秀创造一次与余斌面谈的机会，借机派我方人员了解余斌的炸桥计划内幕并掌握左利斌的行踪，争取将这股匪特一网打尽。一阵议论之后，大家同意侦察小组的“钓鱼”计划。此后两个星期，办案小组进行了周密的筹划和技术准备。

12 月 4 日，一封从上海转来的信交到了余斌手上，从表面看这是一封十分普通的信，余斌打开时，却发现里面用密写水写着这样几句话：“俞老板将派人前去见你，12 月 7 日晚在杭天香楼见面，来人手拿一份《杭州日报》，请多加关照为盼！”信的落款是孙秀，余斌知道此前孙秀又去了上海。

余斌接到密函后心中多少有些不安，因为几天前来的那个神秘人物正是他的连襟左利斌，当左利斌知道余斌已经控制了 107 艇的时候，喜不自禁，因为他知道只有有“功”者才能被台湾主子收留，于是他要求余斌甩开俞济时自己干，以便事成之后他们一起投台论功行赏。鉴于与左利斌的亲戚关系，余斌当时应下了这门“亲事”，左利斌第二天就动身去香港弄炸药和经费去了，临行时再三嘱咐余斌一定要等他回来再行动，他估计自己最迟能在 20 日返回杭州。余斌知道，左利斌是为抢俞济时的功，一旦被俞济时知道了，绝没有自己的好果子吃。果然，左利斌刚走，俞老板的人就到了，不会是来找他麻烦的吧！不过他转念一想，这事只有他和左利斌知道，别人不可能知道，于是心里也就安定了一些。他决定按时赴约，看看俞老板带来了什么。

12 月 7 日傍晚，坐落在杭州解放街井亭桥畔的著名菜馆天香楼里，顾客济济，生意兴隆。堂倌托着热气腾腾的盘子，穿梭于菜桌之间。楼上设有雅座，顾客也少些，显得比较清静。余斌坐在靠窗的一张桌旁，要了一杯茶坐在那里慢慢细品。不一会儿从楼下走上来一位身穿灰长衫的人，浓浓的络腮胡子把半张脸遮得黑乎乎的。目光中还透着几分狡黠。来人手拿一张报纸朝余斌走来，并在余斌的邻桌坐了下来。他要了一杯茶后便看起了报纸，展开的报纸上《杭州日报》4 个字映入眼帘，这是接头的暗号。余斌左右观察了一番后，来到邻桌前：“请问先生拿的是今天的《杭州日报》么？”

来人点点头。

余斌又问：“先生从何而来，在做什么生意？”

“我从江对岸来，在俞老板手下做报纸生意。”

“你是……”

“本人鲁明，受俞老板之托特来联系一笔‘五〇二’号钢材的。如果我没有猜错的话，先生就是生产‘五〇二’号钢材的老板？”来人欲证实余斌的身份。

尽管余斌根本没想到坐在他对面的这个人，就是公安局的方处长，但他还是存有一定的戒心，他看了对方一眼，没吭声。用行话说，余斌这叫“不见兔子，不撒鹰”。

方处长知道他对自己还存有戒心，好在事先早有准备，他从内衣口袋里拿出一只信封交给余斌，余斌展开信瓤看到如下的字样：

今委派特派员鲁明前往巡视“第二套计划”实施情况。

俞济时

余斌认得俞济时的手迹，他没有看出什么破绽。但他怎么也没想到这个“手令”是杭州公安机关根据以往缴获的俞济时的笔迹进行技术处理后仿造出来的。这份手迹无疑是对对方身份最好的诠释，余斌一边将手令双手捧还，一边解释说：“在下余斌失礼了，还望鲁兄多多包涵，近来风声很急，我不得不防。鄙人正是‘五〇二’。”

闻听此言，“鲁明”不由一阵欣喜：“狡猾的狐狸终于露出了尾巴，余斌就是‘五〇二’！”不过到了“鲁明”嘴上却成了：“今天你我幸会，得喝上两盅。”随后，大声对堂倌喊道：“来伙计，给我上四荤四素，两瓶白酒！”

酒菜备齐，两人对酌起来，几杯酒落肚，两人都面红耳热起来。鲁明呷下一口酒压低声音凑到余斌跟前说：“来时俞老板特别关心那笔生意，不知余兄办理得怎样了？”

余斌一脸苦相说：“鲁兄，不瞒你说，难呐。这半年多我几经曲折，担惊受怕，俞老板去台湾后我就与家里失去了联系，得不到指示，也没有经费，全靠我一个人拳打脚踢。我现在是山穷水尽了，那笔生意急不得呀。”

“我看不见得那么困难吧？听说你已经把守桥的那条艇掌握到手了？”

“这……”

“别以为俞老板不知道，你的一举一动俞老板了如指掌，你怎么忘了闸口火车站的孙秀？”

余斌这才想起，孙秀知道自己的一切。近一段时间，孙秀每次出差回来都要拉上他到饭馆里撮一顿，孙秀把台湾的“反攻大陆”、朝鲜半岛的战局发展、美国政府的最新外交动向等国际新闻讲给余斌听，余斌则把自己如何收买控制107艇的经过炫耀一番，两人一唱一和像是演双簧。最近孙秀出差到上海，在与上海的潜特联系时，已被上海警方拘留，但余斌尚不知此事。

余斌问：“是孙秀这小子说的？”

“这你就不必多问了，反正老板知道你的一切，最关心的是你什么时候做成那笔生意。”

余斌一看“鲁明”知道了自己的底细，于是不得不将自己如何收买与掌握107艇上陈细皋等人的经过和盘托出。为了表功，余斌吹嘘说：“现在可以说万事俱备，只欠东风，只要炸药到手，随时可以行动。”

“不过”，“鲁明”冷笑了一声：“余兄，咱们明人不说暗话，耳闻日前左利斌曾来杭州活动，不知余兄是否已将那笔生意转让了？”

余斌一听，不由得打了一个寒战，酒杯中的酒也抖到了桌上。“鲁明”知道击中了余斌的要害，便伸出手紧紧抓住余斌的手腕，低声厉言道：“俞老板的为人你是知道的，难道你就不怕……”余斌当然知道俞济时的为人，他最忌讳的就是他的生意被转给别人，一旦被觉察，那个转手人是决不会有好果子吃的。

“岂敢，岂敢，我怎能擅自把俞老板的生意转给别人，俞老板对我有知遇之恩，我对他绝无二心。”余斌不能不给自己留条退路。

“鲁明”用一种表示理解的口吻说：“当然，连襟总归是亲戚，帮忙也是人之常情，但不管怎么说这笔生意俞老板已向‘上峰’拍了胸脯，你总得叫我回去对他有个交待呀，否则……”

“别误会，别误会，我余某人对贵公司向来一心一意，忠心耿耿。是左利斌想拿这笔生意作为去台湾的见面礼，我不好当面拒绝。”余斌只好硬着头皮，将左利斌来杭的情况，向这位俞济时派来的特派员交了底。

“左兄何时能回杭?”“鲁明”问。

“他从广州到香港搞经费和炸药了，临走时留话12月20号左右回杭。”

“他还来找你吗?”

“肯定会来找我的，没有我他的生意做不成!”

“据我所知，俞老板派来送货（指炸药）的人很快就会找你，事成之后来人会接你出海，希望你信守与俞老板的诺言。”

“当然，当然，请鲁兄转告俞老板，我余斌明人不做暗事，绝不另投门庭。”

“那好，有余兄这个话，我明天返回广州督办此事，送货人不日就到，我预祝余兄一切顺利，马到成功！来，干杯!”

这时两人才发现，桌上的菜已经凉了……

12月8日上午，杭州市委和省公安厅、市公安局和第7兵团保卫部，根据方剑与余斌见面所获得的情报召开联席会议，大家认为，到目前为止，由台湾保密局特务机关策划的准备对钱塘江大桥实施爆炸的案情已经明朗，涉案人员也已确定，除左利斌尚未掌握外，其余人员均在我控制范围内。据技术部门提供的数据，必须在要害部位安放10公斤以上的高能炸药，才能使桥墩构成严重的损坏，由于余斌和陈细皋等人手上没有炸药，所以他们必须等到有了炸药后才能行动。这就给设网诱捕左利斌创造了条件。会议决定，从12月15日起，在不惊动对方的情况下，分头对余斌、小卖店及107艇实行24小时监控，待左利斌回杭后立即收网！

三路人马同时悄悄出击，一路由杭州火车站保卫人员和市公安局的便衣刑警组成，负责监视余斌在闸口火车站的行动；一路由市公安局社会处的便衣人员，在大通桥5号小卖店周围设伏，负责“关照”老板娘凌铁桃的动向。另一路则由大桥守备营配合打入107艇的秦杰控制艇上人员及炮艇动向。

在闸口火车站，余斌还同以往一样按时上班下班，行李房新调来了两个工友，其中有一个还与余斌同住在一个4人宿舍里。余斌当然想不到这是根据市公安局的布置安排的“暗哨”。

在大通桥5号小卖店对面的居民家里，近几天来了两位亲戚，说是来探亲的。这自然是公安局设在这里的哨位，负责监视凌铁桃的动向。

12月19日，107艇接到大桥守备营的通知：107艇3天之内不出航，艇长陈细皋到营部参加两天学习。

以上措施使余斌等地下敌特团伙，处于我公安和保卫人员的严密监控之下，一张罗网悄悄张开，静候猎物的出现。

12月21日晚，猎物终于出现了。这天晚上7点半左右，守候在大通桥小卖店附近的便衣发现，一个身穿中山装手拎皮包的人走进了小卖店，他与老板娘低语了几句后被让进了后面的住房，很明显此人不是顾客。盯梢的刑警迅速将此情况报告了市公安局，正在值班的方处长立即带领6名刑警乘车15分钟后赶到大通桥，并布置刑警悄悄包围了小店。

便衣刑警小王和小张佯装顾客走进小店，在与老板娘打讪时发现刚刚进门的那个人在院内洗脸，通过虚掩着的门缝看见，屋内桌上放着一只黑皮包，此人的长相与我方掌握的左利斌的特征一致。但是为了不致搞错，小王按照方处长事先的布置准备再证实一下。他俩在与女老板说了几句毫不相干的话之后，小王突然高喊一声：“左利斌!”

听到喊声，毫无思想准备的左利斌本能地“哎”了一声，这一声实际上已经证明了他的真实身份。左利斌马上意识到自己走了“火”，迅速改口反问：“你喊谁?”

“不要装蒜了，左利斌，我们找的就是你!”这时左利斌知道自己已经被识破，他突然用手去摸腰际，小王一个猛虎扑食扑上前去，双臂像两只钢钳一般死死困住左利斌的双臂。这时小李也赶上来抓住左利斌的右手，用力一翻扭在了身后，“咔嚓”一声戴上了手铐。埋伏在门外的刑警闻声也一齐冲了进来，从左利斌的腰间搜出一支子弹上了膛的手枪。刑警打开那只黑色提包，一块块赤黄褐色的TNT炸药、导火索和雷管呈现在面前。面对这些，左利斌无奈地耷拉下了脑袋。

一辆警车在小店门前戛然而止，方剑从车内下来：“左先生，我们等你好久了，请吧!”此时，凌铁桃已是腿若筛糠，不知所措，一个刑警走过来对她说：“请你也跟我们走一趟！”

猎物已经到手，到了该收网的时候了。

当天夜里 11 时，还在闸口火车站宿舍的床上做着黄粱美梦的余斌，也被揪了起来，一副冰凉的手铐无情地将他的美梦击得粉碎，当站在他面前的人告诉他“我们是市公安局的，你被捕了”的时候，余斌明白了一切。他未做任何反抗，也未说什么，很顺从地上了警车，他知道前方等待他的是自己的末路，也许在此之前他已经不止一次地想到了这一天……

也是在这天夜里，107 艇上参与密谋爆炸钱塘江大桥的艇长潘长裕、副艇长陈细皋和水手何法宝、蒋荣欣也被 7 兵团保卫部门请进拘留所。

至此，由台湾国民党特务机关策划的阴谋爆炸钱塘江大桥案全部告破！在杭州市委、省公安厅的领导下，在解放军第 7 兵团保卫部门的积极配合下，杭州市公安局成功地粉碎了国民党潜特企图破坏钱塘江大桥的阴谋，保卫了人民政权的胜利果实，向杭州市人民 1951 年新年献上了一份厚礼。

1951 年 4 月 29 日，杭州市人民大会堂广场上，“坚决镇压反革命”、“保卫社会主义果实”的口号声此起彼伏，杭州市公安机关在这里召开“严惩敌特分子公审大会”，数千名杭州市各界代表出席了大会。余斌、陈细皋等 5 名企图破坏钱塘江大桥的罪犯被依法判处死刑，立即执行。

刑场设在距钱塘江大桥不远处的江滩上，从这里可以清楚地看到钱塘江大桥那横跨大江天堑的雄姿。当代表正义的枪声响起的时候，湛蓝色的天空中飞来了一群乳白色的信鸽，它们在大桥的上空盘旋着，一会儿滑翔，一会儿俯冲，一会儿振翅……在它们的身后那一串串悦耳的鸽哨声，或许正是这些和平的使者对这座钢铁“彩虹”守护者发出的赞叹，也是它们在为新中国的和平与安宁而祈祷的欢歌。

第十五章 岛屿争夺战

胡宗南化名秦东昌是有其用意的。当年兵败三秦，如今我要在这东海之中东山再起。胡宗南此时虽已五十五岁，但体力犹健，精神十足。他一上岛就把各岛头目召到大陈，一一接见，加以抚慰；接着又亲自乘船前往披山、一江山、渔山等岛巡视，慰问犒劳岛上的官兵。他每到一地，就将从蒋介石那里要来的一部分大洋赏给『有功』的官兵，给官兵们打气鼓劲。

1 胡宗南“坐镇”大陈岛

1951年3月中旬的一天，台北“总统府”。

蒋介石对着作战地图，似乎在思考着什么。忽听侍卫进来报告：“总统，胡长官到。”

“请他进来！”蒋介石应了一声。待胡宗南坐定，蒋介石破例为他倒了一杯水：“宗南，这些日子在做些什么？”

“学生一直在闭门思过。”受宠若惊的胡宗南不知蒋介石葫芦里卖的是什么药，不敢多言。

“好嘛，这对你有好处。”蒋介石轻轻地点了点头。

“学生对不起校长，辜负了校长的栽培。”胡宗南露出一副痛苦的表情。

胡宗南何过之有？一年前，身为国民党西南军政长官公署代长官的胡宗南，眼看抵挡不住人民解放军的凌厉攻势，弃6万余官兵，独自带随从乘飞机飞往台湾。胡宗南到台湾后，“监察院”以“临阵脱逃，致使40万大军和西南疆土尽失”为由，对他进行弹劾。但胡宗南毕竟是蒋介石的心腹，在蒋介石的袒护下，他还是逃过了这一劫。

蒋介石见胡宗南满脸愁容，摆了摆手：“算了算了，过去的事就让它过去吧。这次找你来，是想让你去大陈岛接替那里的防务。李丕绩那帮人是一群废物，搞不出什么名堂，反攻大陆还要靠你这样的国军精英。”

蒋介石让胡宗南去大陈，是经一番考虑的。胡宗南与陈诚、戴笠被称为蒋介石的“三鼎甲”。戴笠早死，三鼎已缺一腿。陈诚现任总理政务，难以理军。胡宗南虽是败军之将，但他毕竟忠诚，也有一些整军经武的经验。

胡宗南想到自己衔至陆军上将，官至称雄一方的战区军政长官，如今却要到几个荒凉的小岛上去，实在于心不甘。但他又一想，国难当头，连“总统”都躲到台湾岛了，自己还能怎样？无论如何，应该为“总统”分忧才是。再说眼下朝鲜战场打得正凶，“联合国军”短期内虽不能获胜，但至少可以把共军拖在朝鲜。我趁此机会在浙东沿海好好抓它几把，消消前些日子老打败仗的晦气，让世人知道我胡宗南也不是吃干饭的。

想到这里，胡宗南诚惶诚恐地站了起来：“为校长和党国效力，学生就是肝脑涂地，也在所不惜！”

9月9日，胡宗南带着他的副手钟松等随行人员，从基隆港踏上登陆艇，直奔大陈岛。胡宗南迎风站在甲板上，只见茫茫大海，碧浪连天，一群鸟儿快乐地飞来飞去，他被这壮美的景色吸引住了。

正在这时，身后传来钟松的声音："胡长官，今天天气不错，看来我们此行大吉大利呀！但愿从此吉星高照，佑我前程！"

胡宗南转过身来："以后不要再叫我胡长官了。从现在起，就叫我秦东昌吧！"（为便于叙述，下文仍称胡宗南）

胡宗南化名秦东昌是有其用意的。当年兵败三秦，如今我要在这东海之中东山再起。胡宗南此时虽已 55 岁，但体力犹健，精神十足。他一上岛就把各岛头目召到大陈，一一接见，加以抚慰；接着又亲自乘船前往披山、一江山、渔山等岛巡视，慰问犒劳岛上的官兵。他每到一地，就将从蒋介石那里要来的一部分大洋赏给"有功"的官兵，给官兵们打气鼓劲。

胡宗南这一招还真灵。那些平日杀人不眨眼的魔王们，见胡宗南这样够"义气"，受宠若惊，感激涕零。这个拍着胸脯向他保证："胡总指挥，你对弟兄们讲义气，咱也决不含糊，今后一切听你的，你说咋办就咋办！"那个挖空心思拍马屁："胡长官是'天子'门生，有你给大伙当头儿，今后不愁打不回老家。"有个军官一时想不出啥词儿，干脆扯起嗓子喊起了"胡总指挥万岁"的口号来。

胡宗南听了，心里比吃蜜还甜。不久，胡宗南又从台湾调来数千人的编余军官，充实到各岛部队。与美国驻台特务机构"西方公司"一起在大陈岛办起了"东南干部学校"，胡宗南亲任校长，美方代表范尔逊任副校长，轮训各岛部队。

胡宗南经过一番准备，自认为翅膀硬了，便开始行动。他一面不断派兵袭扰大陆，一面指挥所部与我争夺海岛，浙东沿海一时刀光剑影，硝烟弥漫。

2 国民党军先后五次窜踞洞头岛

1951 年 11 月，台湾"国防部"保密局头子毛人凤窜到大陈，与胡宗南一起策划浙东沿海岛屿的防务。他们在加强对北麂、北龙、鸡冠山、洋屿等空白点控制的同时，还做好了与我长期争夺洞头岛的准备。

洞头岛是洞头列岛的本岛，位于浙南重镇温州东南 30 余海里，面积约 24 平方公里。洞头列岛大小共 100 余个岛屿，散布于 792 平方公里的海域，战略地位十分重要，素有浙南门户和瓯江、飞云江、鳌江屏障之称，自古以来，兵家都争这块地盘。在此之前，国民党军和我军双方围绕洞头岛，就已展开过4次激烈的争夺战。

1949年10月7日晚7时许，我三野7兵团21军63师师长叶泰清，统一指挥该师和浙江警备第1旅2团，发起洞头列岛战斗。第189团攻占洞头岛，活捉蒋军少将司令王云沛；第187团3营攻占鹿西岛，活捉副司令叶金饶；第188团和浙江警备1旅2团也分别占领瞿山岛和大门岛。整个战斗共歼敌3000余人。战后，我军陆续返回大陆，仅留下警备1旅2团3营7连和9连守备洞头岛，8连守备大门岛。

我军在金门、登步两岛战斗失利后，孤悬海岛的国民党军嚣张起来。国民党海军温台巡防处处长李丕绩，派南麂、北麂岛驻军头子吕渭祥部进占洞头列岛。1950年7月6日深夜，吕渭祥率3个支队近千人，分乘1艘军舰、两艘汽艇和十几艘机帆船，杀气腾腾地朝洞头岛扑来。守岛部队两个连在营长阮禾秀指挥下，与敌血战至7日下午2时，终因寡不敌众，被迫撤出洞头岛，我军牺牲营长以下27人，伤排长以下11人，被俘30人，失踪1人。吕渭祥得意洋洋，大肆吹嘘所谓“七七大捷”，下令放假3天，任由部下烧杀抢掠。

但敌人的“狂欢假”只过了两天，便得到解放军即将进攻洞头岛的消息。吕渭祥大惊失色，慌忙下令撤逃。当我军10日到达洞头岛时，只见岛上满目疮痍，一片狼藉。

之后，朝鲜战争爆发，盘踞海岛的国民党军又嚣张起来。10月25日，我守备部队主动撤出洞头岛，以1个营的兵力守备离大陆较近的大门岛。不久，国民党军又乘隙而入。为消灭敌人的有生力量，1951年6月和11月，温州军分区308团两次攻击洞头之敌，毙俘400余人，给国民党军以沉重打击。

我军撤走后，胡宗南任命王祥林为驻洞头岛总指挥，率“军官战斗团”等部1000余人，于12月上旬重新占领了洞头岛。王祥林上岛后，大肆搜刮民财，拆除民房，抓捕民工，构筑工事，企图长期固守。

一定要拔掉这颗钉子！浙江军区司令员张爱萍电令温州军分区司令员夏云飞、第105师参谋长刘金山，要他们统一指挥军分区所属309团、特务营、机帆船两个大队、山炮连、侦察队以及105师315团，共同渡海作战。

1952年1月11日下午5时，3颗信号弹腾空而起，我军分别从龙湾、黄华、翁祥等地出发，直插洞头、状元岙、霓屿等岛。晚9时，315团1营在状元岙登陆成功，以摧枯拉朽之势向纵深猛扫，一举歼敌100余人。该营接着在霓屿登陆，随即向纵深发起攻击。3连从霓屿北面之布袋岙进攻大山顶，1连在西北侧长坑垄一带堵截可能逃窜之敌，并向大山顶进击。国民党守军经不住两面夹击，纷纷投降，1营很快控制了霓屿岛。与此同时，315 团 2 营也分别在大瞿山、半屏山登陆，保障了主攻洞头岛部队的侧后安全。

晚 9 时 40 分，309 团、特务营等部分别在洞头岛的沙岙、洞头码头和鼻子尾等地登陆，迅速占领了滩头阵地。12 日凌晨，我登岛部队向洞头北岙街、双龙、东岙之敌发起猛烈攻击，经激战，敌大部被歼，王祥林率残部 300 余人逃到北烟台山，企图固守待援。309 团集中 1 营、3 营及特务营，分 3 路将北烟台山之敌团团包围。

12 日上午 8 时，309 团向北烟台山之敌发起猛烈攻击。王祥林见势不妙，一面据险顽抗，一面向胡宗南呼救。我军与敌激战两小时，占领了北烟台山。

胡宗南不能见死不救，连忙派两艘船前来增援。我军将山炮架在北烟台山上，对准敌船轰击。敌船吓得不敢靠岸，增援无望，只得夹着尾巴溜走了。

我军在北烟台山反复搜索，就是没发现王祥林。原来王祥林已带少数残敌逃进了棺材岙。棺材岙位于洞头岛东北，3 面环海，仅有一条狭长的海礁与洞头岛连接，退潮时可徒步通过。岙上地形复杂，道路狭窄曲折，部队行动困难，兵力不易展开。王祥林凭借这一险要地形，依托层层明暗火力点和野战工事与我对抗。

12 日下午 5 时和 13 日凌晨 2 时，我 309 团以两个连的兵力先后两次向棺材岙发起攻击，均未奏效。15 日下午 3 时，105 师参谋长刘金山亲临一线指挥战斗。这位当年纵横山东敌后、令日伪军闻风丧胆的铁道游击队队长，指挥攻取小小棺材岙还不是小菜一碟!

“开火!”刘金山一声令下，山炮连集中火力向棺材岙轰击，敌人前沿阵地的火力点被摧毁，7 连和 8 连立即发起攻击。在强大炮火掩护下，突击队用炸药包和手榴弹摧毁了残存的火力点，两个排率先冲进阵地，占领了第一道防线。刘金山下令 9 连投入战斗，敌全线崩溃，部分残敌退到棺材岙的村庄里。我军插进村庄，与敌逐屋争夺，很快歼灭了该敌。

但老奸巨猾的王祥林又不见了。我军连夜搜索，直到第二天晚上，才在附近的一个无名小岛的小山洞里将其抓获。

洞头岛失守，胡宗南恼羞成怒。但他冷静下来一想，自己毕竟不是解放军的对手，窜踞洞头岛实际上就是飞蛾扑火，自取灭亡。打那以后，胡宗南再也不敢打洞头岛的主意了。饱经风霜的洞头岛，在第 5 次被解放时，才真正获得新生。

3 蒋介石电令“严惩共军”

就在我军攻占洞头岛的时候，大陆开展了轰轰烈烈的反贪污、反浪费、反官僚主义的“三反”运动，举国上下出现了一个群众性的检举揭发高潮，刘青山、张子善一类犯罪分子被依法严惩。

蒋介石得知这一消息，连声叫好，认为中共被政治问题搞得晕头转向，自顾不暇，正是“光复大陆”的难得良机。1952年3月20日，蒋介石电令胡宗南“抓住战机，寻隙出击，严惩共军，为党国效力”。

胡宗南接到电报，精神大振，连夜召集守岛敌军头目会议，商讨夺岛计划。

3月28日夜，黑沉沉的夜幕把大海遮盖得严严实实，天下着毛毛细雨，正是隐蔽出击的好时机。胡宗南命令吕渭祥、王枢这两个上校指挥官，率1000余人，在4艘军舰、5艘炮艇的掩护下，分乘23艘机帆船，由头门山岛出发，向白沙山岛偷偷袭来。

白沙山岛地处灵江口外的台州湾，距海门镇（今椒江市）东北岸约5公里，是一个狭长的小岛。在1∶200万的地图上，难以找到它的踪影。

胡宗南的算盘打得不错。他权衡再三，选择了解放军兵力不多、岛屿面积不大、航进路途不太远的白沙岛。这样就能“以大吃小”，确保成功。

守备白沙山岛的部队，是我21军62师警卫连两个排及部分炮兵。正在站哨的3排战士吕洪书，忽然听到头门山方向的马达声由远而近，便迅速向值班排长徐忠报告。徐排长一面向连长顾展宏报告敌情，一面命令7班加强巡逻，9班进入阵地。此时大海正在涨潮，吕、王下令将舰船向岛岸靠得更近一些，然后对准我阵地疯狂射击。顿时，白沙山岛土石飞迸，火光四起。

“弟兄们，上啊！立功者有赏！”吕渭祥声嘶力竭地叫嚷着，指挥部下登陆。敌人像一群发了疯的野兽，一窝蜂地拥向岛岸，抢占滩头阵地，向我守岛部队开枪射击。停泊在白沙山附近海面的国民党军舰和炮艇，也集中全部火炮向我阵地进行反复轰击。登陆之敌依仗其人数众多和舰炮的支援，向我坚守的高地发起轮番冲锋。

在敌众我寡的不利形势下，7班战士大部伤亡。一名江苏籍战士勇敢地跳出掩体，向敌人猛烈射击，倒在血泊之中。后来战友们发现，他身上中了30多发子弹。排长徐忠一连打死3个敌人，最后头部中弹，壮烈牺牲。

登陆之敌见我一线防御阵地失去抵抗能力，气焰更加嚣张，又集中兵力向纵深攻击。连长顾展宏带领2排战士与敌血战半个小时，渐渐感到力量不支，退到147.5高地。

敌人窜犯白沙山的消息迅速传到第62师师部，师长孙云汉当即命令海防大队大队长齐德胜、政委陈超派部队火速支援，同时将敌情通报给驻海门镇的华东军区海军炮艇大队和台州军分区机帆船大队，请他们速派舰船支援白沙山。

激烈的战斗从深夜一直打到第二天天亮。我守岛部队敢打敢拼，英勇无畏地抗击了敌人10多次猖狂进攻，顽强地坚守着阵地。上午8时30分，我186团2营从上盘涉水上岛增援，华东军区海军炮艇大队等部也赶来助战，在白沙山岛附近海面与胡宗南的舰船展开了激烈炮战，一下子就将敌人的两艘机帆船打得千疮百孔。

吕渭祥、王枢见我炮艇火力十分猛烈，两艘机帆船又被我炮艇当场击沉，大陆后方派出的增援部队源源赶来，感到难以应付两面作战、前后受到夹击的不利局面，决定撤回头门山。

吕渭祥一面指挥舰艇对我炮艇进行抵抗，一面命令登陆部队撤逃。

要知道，在登陆作战中，撤退的命令是不容易下达的，本来在海滩作战中毫无防护的步兵，要回退到海上，再一个个登船，然后再驶离战区，这种生还的可能性微乎其微。可是，吕渭祥还是下达了撤离的命令。他知道，如果识时务马上撤离，或许还有一线生机，再慢些行动，恐怕就要全军覆没了。

果不其然，在敌人仓皇撤逃中，我海军炮艇穷追猛打，敌1艘机帆船中弹起火，炮艇又向其连开数炮，终于将其击沉，船上的数百名敌军全部被我毙俘。

胡宗南的这次窜犯行动，使我守岛部队伤亡68人，但胡宗南付出的代价更大，共被打死、打伤200余人，被击沉两艘炮艇、3艘机帆船。

4 胡宗南亲自出征黄焦山

偷袭白沙山惨遭失败后，胡宗南总觉得不是事出偶然，就是吕、王两人没打好。他决定亲自出马，并把出战日期定在农历五月十八。

胡宗南所以选择这个日子，是想炫耀一下自己的能耐。他认为出征不一定非要黑夜才行，月光下的行动可能更有诗意。他要让美丽的月宫主人目睹“西北王”是如何在滔滔东海扬威的。

1952年6月10日夜11时许，胡宗南从大陈岛登上早已等候着的海军永寿舰。他看了看永寿舰的设备，还好，勉强可作指挥舰一用，旁边那艘炮舰，就在后面护卫好了。哼！上回有4艘军舰、5艘炮艇掩护，竟然大败而归，这帮废物太不中用！这回我只要两艘军舰就够了。胡宗南想着他自己的心事。

“出发！”胡宗南把手一挥，12艘机帆船、70余艘帆船满载1200余人，浩浩荡荡地向黄焦山岛进发了。

黄焦山岛在浙江省温岭县与黄岩县交界的金清港东南方，距大陈岛约15海里，也是一个很小的岛屿。

胡宗南率队在海上行驶了5个多小时，第二天拂晓时分到达黄焦山岛附近。他步出舰长室，登上驾驶台的露天平台，举目远望，岛上黑沉沉的，连一丝灯光也没有，显得格外宁静。“好安宁的小岛，可老子今天要让它底朝天！”胡宗南咬牙切齿，脸上露出了一丝残酷的狞笑。

“给我打！”胡宗南一声令下，舰炮“嗵、嗵”地响了，其他船上的各种武器也都喷出了火舌。“给我上！”胡宗南又一挥手。国民党军声嘶力竭地嗷叫着，纷纷从船上跳入水中，拼命向岛上扑来。

守卫黄焦山的是第186团9连。他们面对强敌，奋起反击，以海岸炮向敌猛轰，敌人顿时被打得晕头转向。稍行整顿后，敌人再次向我阵地发起攻击，其主力在199和244高地东侧登陆，夺取了海岸炮。我9连官兵采取扼守要点、适时反击的战法，与敌激战18个小时，击退其数次进攻。

胡宗南坐镇永寿舰，眼睁睁地看着攻击受挫，心中不免急躁起来，但表面上却不露声色。他毕竟久经沙场，刀光剑影见得多了，自然不把这种小规模的战斗放在眼里。他要显示一下他的“大将风度”，让部下开开眼界。只见他紧皱眉头，两眼凝视着前方，好像没有听到周围炮弹的爆裂声，也没有看见前后左右炮弹激起的水柱，始终一动不动地站在驾驶台的露天平台上，俨然一副老僧入定般的石膏神态。

战斗一直持续到下午3时许，闻讯赶来的我增援部队先后登岛。胡宗南见势不妙，不得不下令收兵撤退。9连趁敌溃乱之机，将未来得及上船的敌人全部歼灭。

胡宗南目睹“国军”溃逃时的狼狈相，内心一片空白。舰艇掉头跑了，他仍然僵硬地站立于驾驶台前，既未移动，亦未出声，只有他身后的报话机噪音依旧。回到大陈，胡宗南让人一点人数，发现死伤300余人，输得真惨！

胡宗南首失洞头岛，再败白沙山、黄焦山，几仗下来，损兵折将2000余人。蒋介石大为不满，部下议论纷纷，胡本人也觉得脸上无光。难道就这么认输？不行！绝不能就此罢休！

经过精心策划，胡宗南又导演了一连串的窜犯活动。

1952年7月13日，胡宗南指使小股敌人突袭跪人山、松门角、白带门等地，开始有了小小的“收获”。

8月14日，胡宗南又派徐骧的野战第2大队1000余人，在众多军舰的掩护下，占领了南麂、北麂等岛。

紧接着，胡宗南又派一股敌人偷袭平阳县金镇街西南之雾城、乌岩，大肆烧杀抢掠。由于我军某团1营指挥员处置失当，致使敌人行凶1天，从容撤退。此次窜犯，我军伤亡6人，敌人还杀害我地方干部和民兵7人，抓走15人；打伤当地群众5人，抓走11人。

胡宗南重新占领南麂、北麂两岛后，信心倍增，将所控之浙东沿海诸岛划分为4个地区，设置了4个司令官。渔山岛地区司令官顾锡九，披山岛地区司令官由胡的代总参谋长冯龙兼任，南麂岛地区司令官徐骧，一江山岛地区司令官程慕颐。

胡宗南踌躇满志，决定“乘胜扩大战果”。

机会终于来了。1952年10月初，胡宗南听说我公安部队将派两个连进攻鸡冠山岛，不禁喜上眉梢。“这次我要好好地抓它一把。”胡宗南把副总指挥钟松、代总参谋长冯龙找了过来。

“二位，据可靠情报，共军将有两个连进攻鸡冠山。我想这对我们扭转局面是天赐良机。你们看怎样对付他们?”胡宗南先要听听他俩的意见。

“依我看，我们这次要派绝对优势的兵力，秘密潜伏在鸡冠山和羊屿两岛。待共军进岛后，我们‘以大吃小’，杀它个措手不及!”钟松一听说进岛的解放军只有两个连，一下子来了精神。

冯龙也眉飞色舞地献计道：“我们还可以来个声东击西，派些兵去玉环岛，抓它几把，让共军摸不到我们的老底。”

“好！就这么定了。冯参座，你亲自去鸡冠山指挥这次战斗，给你1200人，如何?”胡宗南眼睛盯着冯龙。

冯龙一听要自己亲自去，心里不禁一怔。胡长官到底被共军打怕了，不敢轻易出马。既然这副“重担”落到自己肩上，好坏也得把它挑起来。没容多想，冯龙一拍胸脯：“总指挥，我保证竭尽全力，不辱使命!”

胡宗南哈哈大笑：“很好，有冯参座这句话，我就放心了!”

胡宗南这一招还真的得了手。10月8日，我公安17师50团两个连渡海登岛，刚一上陆就遭优势之敌的疯狂进攻。我军虽经浴血苦战，但终因力量悬殊太大，被迫撤出战斗。我军此战虽歼敌100余人，但自己损失192人，两个连仅返回75人。

几次窜犯侥幸获胜，胡宗南得意忘形，大吹此战“空前大捷”，还向蒋介石报功请赏。蒋介石得到这一消息，眉开眼笑，命令胡宗南将缴获的枪支弹药送到台北，陈列在新公园博物馆，在“第三届国军克难成果展”上亮相。为扩大影响，鼓舞士气，蒋介石还授予冯龙五等“宝鼎奖章”，45名“有功之臣”也被授予“战斗英雄”的称号。

蒋介石当然也不会忘记给胡宗南加官晋级。1952年年底，蒋介石任命胡宗南为“浙江省政府主席”。1953年1月，经国民党中央常务委员会批准，胡宗南兼任浙江省党务特派员。

可明眼人一看就知道，所谓“浙江省政府”只不过是自欺欺人的把戏，胡宗南控制的只不过是几个孤岛。胡宗南倒不在乎这些，他堂而皇之地在上大陈岛设立了“省政府”。还嫌不过瘾，他又在下大陈岛设立了“温岭县政府”，在披山岛设立了“玉环县政府”，并分别封官授印，妄图与人民政府分庭抗礼。

胡宗南“以大吃小”的阴谋几次得逞，蒋介石集团一度忘乎所以。1952年12月，台湾当局在台北召开有美国海军第7舰队司令参加的“战略会议”，宣称1953年是“国军的反攻年”，将继续在东南沿海进行所谓“反攻作战”。胡宗南更是被“胜利”冲昏了头脑，扬言要在“反攻年”里打头阵，立大功。

5 蒋介石在胡宗南的辞呈上写下“同意”二字

蒋介石、胡宗南高兴得太早了。为了打击蒋介石日益增长的反动气焰，我军加强了东南沿海的军事力量。沿海驻军也认真吸取经验教训，严密注视敌情，时刻准备消灭窜犯之敌，攻占敌占岛屿。蒋介石所宣称的“反攻年”实际上成了“失败年”，胡宗南的立功计划也成为南柯一梦。

1953年5月29日，我陆、海军协同作战，一举攻占羊屿、鸡冠山和大、小鹿山等4个小岛。胡宗南在蒋介石的严厉斥责下，孤注一掷，于6月19日晚亲自登舰督战，势在必夺4岛。令胡宗南伤心的是，这次他不仅没有夺回4岛，还损兵折将700余人，被击伤军舰5艘，击沉机帆船两艘、木船10余只。

惨遭失败的胡宗南垂头丧气，沮丧不已。就连参加这次战役的国民党海军永寿舰一位军官也认为“这次登陆作战，虎头蛇尾，草草收场，形同夭折”。

我军击败胡宗南对羊屿 4 岛的窜犯后，决定乘胜进军积谷山岛，扫除南北航线的主要障碍，威胁胡宗南的巢穴大陈岛。

积谷山岛在椒江口以南，东距大陈岛约 14 公里，是大陈岛的重要外围据点。盘踞该岛的是国民党军第 2 军军官战斗团 3 营 7 连及配属分队，共 120 余人。

6 月 24 日 16 时，我海军舟山基地战舰大队的“临沂”、“遵义”两舰，开至大陈岛东北海域，炮击大陈岛，以迷惑敌人，钳制大陈岛敌军的行动。

17 时 20 分，我陆军 1 个营在海军温台巡逻艇大队 2 中队 4 艘巡逻艇的掩护下，乘登陆输送船从九洞门起航。20 分钟后，我陆、海军抵近敌滩头阵地，向敌发起袭击。与此同时，我海军温台巡逻艇大队 1 中队 4 艘巡逻艇开至黄焦山以东海面，担负巡逻警戒任务，阻止敌人增援。

经过 20 分钟的火力准备，18 时整，我登陆部队第一梯队两个连在海军火力的掩护下强行登陆，不甘失败的敌人疯狂反击，积谷山一时炮声隆隆。冲在最前面的登陆艇的驾驶台多处中弹，情况十分危急。操舵手应成堂的手臂、耳朵受伤，右腿被打断，他忍着剧烈的疼痛，将胸口压在舵轮上驾驶，保证巡逻艇始终沿着正确的方向航行。

我海军 514、515 号巡逻艇抵近敌岸 100 米时，以准确、猛烈的炮火向敌实施压制射击，登陆部队迅速登上滩头阵地。

敌人依仗居高临下的有利地形，向登陆部队猛投手榴弹。我海军见状，立即以炮火支援。海军的艇炮打到哪里，登陆部队就冲到哪里，艇炮火力一直掩护登陆部队登上山顶。这时，我第二梯队 1 个连也投入战斗。

胡宗南发现我军登陆积谷山，知道大势不妙，连忙派 3 艘军舰直奔积谷山。我 2 中队在积谷山以东海域与敌发生激战，敌不支逃之夭夭，保证了我登陆部队的侧翼安全。

急红了眼的胡宗南见一计不成，又生一计，连忙派出了他的看家老底海军陆战队登岛支援。此时风大浪急，陆战队根本无法登陆，胡宗南只好眼睁睁地看着积谷山被我军占领。

我军解放积谷山岛后，胡宗南因失去一个重要屏障而忧心忡忡。美国“西方公司”驻大陈岛的特工人员，也因担心巢穴失陷而慌忙撤离。台湾“国防部”和美军顾问团立即派作战、情报、通信诸项业务人员，浩浩荡荡来到大陈岛，与胡宗南一起详细研究积谷山等岛战斗情况，及今后大陈等岛的防守事宜，以确保大陈岛这个反共前哨阵地。

胡宗南接二连三地遭我沉重打击，加之上上下下对他失去信心，使他东山再起的美梦像肥皂泡一样破灭了。

心灰意冷之下，胡宗南无奈地向蒋介石写了一份辞呈。蒋介石深恨胡宗南太窝囊，简直是扶不起的阿斗，不由得破口大骂："娘西匹，无能之辈！"顺手抓起一支笔，在胡宗南的辞呈上写下了"同意"两个大字。

蒋介石撂下笔，转念一想，胡宗南虽然在指挥浙东诸岛作战中连吃败仗，但他毕竟还是一名反共功臣。蒋介石把蒋经国叫到跟前，吩咐他亲自到大陈岛走一趟，把胡宗南接回台北，算是给胡宗南一点面子。

1953 年 7 月上旬，蒋介石决定让刚从美国陆军参谋大学学成归台的少壮派刘廉一中将，出任大陈防卫司令官，接替浙东诸岛防务，胡宗南仍任"总统府战略顾问委员会上将衔顾问"。

不几天，刘廉一率 46 师进驻大陈地区各岛。胡宗南情绪低落，怅然若失。在交接卸任的宴席上，胡宗南即席致欢迎词："大陈已经度过了一段艰辛困苦的时期，今后将要进入一个新阶段，所以需要有新的人物来担当。"一席话说得酸溜溜的。

1955 年 2 月，也就是在胡宗南离开大陈岛一年半后，人民解放军全部解放了浙江沿海岛屿，彻底荡平了国民党军在浙东沿海的巢穴，这是后话。

胡宗南再次"获得"了败军之将的雅号。

第十六章

海上轻骑兵

敌变我变。华东军区海防部队陆续组成了精悍灵活的巡逻船队、机帆船队和『渔业大队』等海上『轻骑兵』，以分散对分散，以隐蔽对伪装，在敌人经常出没的海域、岛屿以及主要渔场和重要交通线等处待机设伏，巡逻游剿，做到来则歼之，散则捕之，与残余之敌展开了斗智斗勇的海上游击战。

我海防部队对盘踞岛屿的国民党军的不断打击，使敌人失去了一个又一个据点，但残存的敌人变得更加凶残狡猾，他们采用伪装成渔船、商船和民船等方法，继续四处窜扰，抓一把就走，放几枪就溜，使我海上运输和渔业生产受到很大危害。

敌变我变。华东军区海防部队陆续组成了精悍灵活的巡逻船队、机帆船队和“渔业大队”等海上“轻骑兵”，以分散对分散，以隐蔽对伪装，在敌人经常出没的海域、岛屿以及主要渔场和重要交通线等处待机设伏，巡逻游剿，做到来则歼之，散则捕之，与残余之敌展开了斗智斗勇的海上游击战。

1 一支特殊的“渔业大队”

舟山群岛解放后，国民党散兵游勇与海盗渔霸等反动势力相勾结，利用舟山地区海域辽阔、港湾岙口多而隐蔽的特点，在浙东沿海为非作歹，犯下一桩桩令人发指的罪行。

为了消灭这些狡猾的敌人，驻舟山地区的第22军，从各部队挑选出70多名富有战斗经验的干部战士，组成了精悍灵活的“渔业大队”，在舟山海域一边捕鱼，一边巡逻，随时打击海上之敌。

“渔业大队”的干部战士都来自陆军部队。这些不习水性的陆上英雄好汉突然来到波涛汹涌的海上捕鱼捉敌时，真还有些不大适应。

起初，指战员们出海执行巡逻任务，在水天相连的汪洋大海中，总是呕吐得连饭都吃不下去。

然而，海风、大浪带来的困难并没有把他们吓倒，在大队长阎贞勤、指导员李阴福率领下，指战员们凭着坚韧不拔的意志，历经半年多艰苦的海上生活，个个成了既能捕鱼又能捉敌的海上“轻骑兵”。

1951年元旦，“渔业大队”3班正在东福山附近洋面巡逻，警惕的目光不时注视着海面。

突然，他们发现远处有3艘形迹可疑的船，排长郭玉山立即带着两艘帆船机警地追了上去。逼近一看，原来是两艘伪装成渔船的敌船，正在疯狂抢劫一艘渔船。

“这些狗日的坏蛋，光天化日之下竟敢出来抢劫，咱们要打他个落花流水!”战士们义愤填膺，两艘帆船飞快地驶了过去。

“哈哈哈哈！运气不错，又有两块肥肉送上门来了，大爷们今天胃口好，来者不拒，照单收下!”正在抢劫渔船的敌人，看见开来了两艘“渔船”，以为又是送上门来的“礼物”，得意忘形地叫嚷着，妄图来个“一锅烩”。

面对狂妄的敌人，战士们怒火中烧，但还是不动声色，冷静沉着地准备战斗。

我3班的战船快速地驶向攻击目标，敌船越来越近，已处于我方的最佳射击方位。

“开火!”排长郭玉山见时机已到，果断地下达了战斗命令。

顿时，我战船上的机枪、步枪一齐响了起来，一个满脸横肉的家伙当即被打中，惨叫着掉入海中。

敌人被这突然的打击惊呆了，这时他们才知道，今天送上门的“肥肉”可不是好吃的，弄不好反被噎着。但敌上尉组长自以为对方不过是几个拿了武器的渔民，因此眼珠子一转，嚎叫着指挥反击。

于是，双方展开了一场短兵相接的激战。当然，没打几个回合，敌人便自知根本不是对手，只好边打边逃，企图溜之大吉。

“想逃跑？没门儿!”战士们紧追不舍，在机枪的掩护下，迅速靠近并登上了敌船。

“千万别开枪，我们投降，我们投降。”几个国民党兵早已失去了原先的威风，无可奈何地交出了手中的武器。

这次海上战斗进行了约一个小时，击毙敌上尉组长等两人，俘虏4人，缴获长短枪7支、风船一艘及其他物品，并救出被敌人捉去的渔民9人。

仅在1951年头4个月内，“渔业大队”就先后作战8次，5次全歼敌人，夺回被敌人抢去的渔船6艘，有力地保障了舟山海域的安全。

2 “渔船”上接连扔出三颗手榴弹

1951年6月的一天，一股敌人在浙江沿海某地偷渡登陆，当即遭到我军民的围追堵击，很快就被歼灭了50余人，漏网的十几个敌人仓皇下海逃窜。驻军某部机帆2中队奉命派出3条机帆船，连夜前往白山湾一带海域，寻歼逃跑之敌。

白山湾一带海域离敌巢大、小岇山岛很近，有可能遇到大股敌人和敌舰。因此，这3条船中的指挥船第5号船，特地增加了1门小炮和3个人：

指导员、参谋和卫生员小王。

3 只船在茫茫大海中追寻了一夜，第二天早晨驶抵柳镇附近时，发现镇子那边有一艘双帆大风船，正朝大、小峁山方向驶去。机枪手张志雄仔细观察了一会儿，对大家说："这条船很可疑，好像是敌船!"

"追上去!"参谋和指导员同时下了命令。

那只风船好像要与我船队比赛似的，越驶越快。5 号船也加大马力猛追，一口气追了三四十公里。另外两只战船，远远掉在了后面。

大约离敌巢大峁山还有 15 公里路程，5 号船已追上了那只风船。当两船相距 200 来米时，张志雄大声喊道："我们是解放军，前面的风船快停下来检查!"一连叫了好几声，风船上的人就是不答应，还是拼命地向峁山方向驶去。

炮手孟家宾早就急了，抢过小王手中的小马枪，朝天"叭叭"地放了两枪，风船这才"哗啦"一声，将两张帆落了下来。

这时，风船上有两个人走到船头，不住地摇手："同志，不要打枪，我们是老百姓呀!"

"你们几个人?"

"4 个。"站在船头的那个大胡子兵回答。于是，从船舱里又走出两个人来，在船头上并排站着。

张志雄仔细一看，4 个人衣服破烂，头发蓬乱，可是脸色较白，也不像渔民那种满脸风霜的样子，就连忙端起机枪，站好位置。参谋也注意起来，命令大家做好战斗准备，并对风船上的人大声喊道："把船靠过来!"

当那风船渐渐靠近到只有两米左右时，站在船头的孟家宾正想跳过去检查，突然，风船上的 4 个人一齐卧倒，紧接着，从风船舱内接连扔出 3 颗手榴弹，直向 5 号船飞来。

原来舱内还躲着人!

孟家宾刚喊了一声"是敌人……"就被敌人扔过来的手榴弹炸成了重伤，落在头舱的一颗手榴弹也将舱内 5 个战士炸伤了，落在船尾的另一颗手榴弹，被反应极快的指导员一脚踢下海去，避免了更多人受伤。

这些敌人真狡猾! 5 号船上一共 10 人，一下子被炸伤 6 人，只剩下参谋、指导员、卫生员小王和机枪手张志雄 4 人没有受伤，战斗力已失去大半。

敌人得势更猖狂，乘着手榴弹爆炸的烟雾，嚎叫着向 5 号船蹿来。

这时，站在船桅下的张志雄看得真切，他咬着牙，骂了声："狗日的，别嚣张!"手中的机枪狠狠地扫出一梭子子弹，刚刚跳上 5 号船的两个敌人还未站稳，就被他一一撂倒，惨叫着沉入海中。

张志雄击毙了两个敌人，自己也被机枪后坐力一顶，加上船身一晃，站立不稳，仰天跌进了海里。当他浮出水面时，刚好看见两个敌人又蹿上了5号船。他猛然想到，“舱内有机器和汽油，还有几个伤员，可不能让敌人逞凶!”便迅速抓住船边挂着的轮胎，用力向上攀。

风船上的敌人见他要上船，就不住地向他射击。张志雄冒着弹雨拼命往上爬，突然，肩膀上中了一颗子弹，他顾不得剧痛，继续奋力往上攀，终于爬上了船。正好另外两个敌人又想蹿到5号船上来，他拿过一支枪进行射击，把这两个敌人击退。这时，他忽听身旁有声音低喊：“给你，手榴弹!”低头一看，是负了伤的老马。他接过手榴弹，就接连向风船内扔了4颗，轰隆轰隆一阵炸响以后，这条大型的风船被炸破了，海水汩汩地从缺口中涌进舱内。不一会儿，那风船歪着身子渐渐往下沉去，几个作恶的敌人也陷入了灭顶之灾。

一场险恶的生死搏斗，前后不到15分钟就结束了，风船上的敌人除1人被活捉外，其余10人全部被歼灭。凶残狡诈的敌人，终究逃不脱覆灭的下场。

3 “青天白日”旗被打落下来

1951年6月23日下午，驻守浙东沿海石浦镇的华东军区海军温台巡防大队接到地方有关部门通报：从上海来的3艘运粮船和由舟山南下的900多条渔船，途经石浦前往海门镇，由于前行途中敌人活动猖獗，请求海军派舰艇护航。

大队领导把护航任务交给了炮艇分队。分队队长张家麟与指导员陈立富一合计，决定由411、413、414、416艇出航。

为了达到既完成好护航任务又能趁机歼灭一部分敌人的目的，张家麟和陈立富想出了一个计策：护航炮艇不与粮船、渔船一道走，绕道至三门湾以南的南泽、北泽两岛附近海域设伏，待敌人出动抢劫时来个突然打击。

第二天凌晨1时30分，4艘炮艇在分队长张家麟、指导员陈立富率领下，由石浦港起航；

时值黄梅雨季，天空乌云密布，没完没了地向下洒落着雨滴。这会儿，老天似乎有意要考验一下年轻的炮艇分队，把雨下得更大了，四周一片漆黑，简直分不清哪是天，哪是海。然而，炮艇编队的指战员们谁也没有把困难放在眼里，他们战天斗海，在茫茫雨雾中劈波斩浪，勇往直前。

6时30分，艇队到达南泽、北泽附近海域，当即抛锚隐蔽设伏。为了迷惑敌人，指战员们换上了深蓝色的夹克式工作服，并且降下了艇上的国旗，放下桅杆，艇首的军徽也用布蒙住，把炮艇伪装得跟渔船一样。这样，即便跟敌人的船相遇，敌人也一时弄不清究竟是什么船。

没过多久，3 艘运粮船开了过来，随后，大批的渔船也缓缓赶到，900 多条渔船张帆结队，浩浩荡荡，陆陆续续从我艇队锚位的西面通过，向南驶去。

这时雨已停止，雾气正浓，海上闷沉沉的。敌人会不会来？从哪个方向来？编队指战员们高度戒备，仔细观察着海上动静。

突然，西南方向传来一阵枪炮声，是敌人！分工在 414 艇指挥的指导员陈立富急忙奔出艇舱，向在 413 艇指挥的分队长张家麟呼叫："老张，出击吧！"

"好！"张家麟立即下令："起锚"！

于是，以 416 艇为前导，411、413 两艇居中，414 艇殿后，成单纵队朝着枪声传来的方向急驶而去。

艇队行驶约一刻钟后，右前方出现了一艘可疑船只。张家麟立即命令 416 艇转向前往拦截检查，其他 3 艘炮艇继续前进。

忽然，411 艇报告："机器发生故障！"紧接着，413 艇也出了故障！

为了争取时间，艇队决定由分队长张家麟指挥两艇排除故障，指导员陈立富率 414 艇先行前往出事地点。

414 艇飞快地向前疾驶，艇尾留下了两条长长的浪花。

"报告，右前方好像有船！"陈立富顺着瞭望兵手指的方向仔细一看，隐隐约约看到了许多船只。但这些船哪些是我方的？哪些是敌人的？在浓雾中难以辨清。在这种情况下，孤艇深入是不合乎战术要求的，但国家的物资、渔民兄弟的生命安全，不允许有任何犹豫。

"闯进去！把敌人的火力引过来！"陈立富果断下令。

8 时 30 分左右，414 艇已冲进目标位置。这时，天空中刮来一阵阵西南风，把凝固不动的雾气吹了开去，海面随即清晰起来。

陈立富仔细一打量，发现炮艇的位置处在头门山岛附近，离头门山只有 3 海里左右。在炮艇右前方约 500 米处，敌人 4 条大机帆船摆成一个弧形，拦住了我粮船、渔船的去路，并不断地开火攻击，我粮船已被逼近沙滩，负责警卫粮船的陆军战友们正在竭力抗击。

敌人的企图很明显，就是想把粮船和渔船逼上沙滩搁浅，然后实施抢劫。

可是，如何解救处于险境中的粮船和渔船呢？单枪匹马上去接战，以一敌四，不但解不了围，也容易伤着己方的船。

怎么办？陈立富紧张地动着脑筋。猛然间，他灵机一动，计上心来：命令信号兵快给敌人发信号。

原来，陈立富想到炮艇已经装扮成敌人的模样，不如设计将他们吸引过来，先解脱粮船和渔船的危机，然后再见机行事。

信号兵站在驾驶台上，按照陈立富的授意，摇动信号旗向敌船发出了信号，意思是：我们是“自己人”，已经控制住了后面的大批渔船，要他们停止射击，过来“配合行动”。

果然，利令智昏的敌人对414艇的联络信号信以为真，停止了射击，把船开了过来。400米，350米，300米，250米……敌人的船越来越近了。

414艇的火炮，紧紧对准了前面的一条二桅帆船，准备狠狠地给它一个迎头痛击。正当敌人对我艇进行观察的时候，陈立富把信号旗一扫，喊了声“打!”一连5发炮弹，立刻呼啸着飞了过去，顿时，敌船的右机被打坏了。

与此同时，414艇的其他火器也都开了火。敌船忽遭打击，一时不知所措，顾不上还击，掉转船头仓皇逃跑。

4条敌船失魂落魄地逃了一阵，回头一瞧，发现我只有一艘孤艇，胆子也就壮了：“25吨的小炮艇也敢下海，撞也要撞沉它!”于是，敌人改退为进，以两船为一组，恶狠狠地向414艇的左右两舷扑了过来。

当时敌我双方的力量对比是，敌人有4条大机帆船，我仅1条小艇；敌人每条船上约50人，共200人左右，而我414艇只有12人；从武器装备上看，敌人也明显占先；同时，头门山岛的敌人也开始向我开炮，形势对我极为不利！但是，为了保证粮船和渔船的安全，陈立富与他的战友们同仇敌忾，决心与敌船放手一搏!

敌船越来越近!

左舷前面那条船上的敌人，自以为胜券在握，扯起嗓子喊叫起来：“小炮艇上的共军听着，你们那玩意儿只能在池塘里嬉戏，到海上来跟我们斗差远呢，趁早乖乖地投降吧!”

陈立富不理睬敌人的威吓，向舱面各战位发出预令：“注意！轻武器配合其他火力，待会听我的口令，先把这条船打下去!”

最前面的这条敌船为了抢“头功”，一面张牙舞爪地向我艇逼近，一面声嘶力竭地叫嚷着进行“心战”攻势。

陈立富见时机已到，大喝一声：“开火!”艇上所有武器一齐打响，当即将舱面上的敌人打得死的死，伤的伤。

左舷另一条敌船见状，立即气势汹汹地扑了过来！他们吸取第一条敌船被揍的“教训”，不再趾高气扬地喊话，而是集中火力疯狂地向我炮艇射击，子弹嗖嗖而响，接连不断地打在甲板上。

“把这家伙也打下去!”随着陈立富的命令，艇上的火力又转向这第二条敌船。经过一阵短兵相接的战斗，终于把这条敌船也打退了。

可是，右舷的一艘敌船已悄悄逼近！

“右15度！”陈立富立即下令向右舷的敌船冲去。414艇迅速转弯，直指右舷的敌船。

“同志们，打啊！”艇员们怒吼着。刹那间，一梭梭子弹、一发发炮弹，向敌船倾泻过去。

迎面的一条二桅敌船上的火力立时压了下去，连蔫在船尾的“青天白日”旗也被打了下来，这条敌船扭动着受到重创的船体败下阵去。

但另一条三桅海帆船又冲了过来！

当414艇集中火力狠打这条敌船时，先前退下去的3条敌船经过短暂喘息，又拉开阵势向我扑来。

战斗激烈地进行着。414艇孤艇作战，已经多处中弹受伤。尽管如此，艇员们仍坚守战位，浴血奋战，表现出了无比的英勇顽强。

炮手杨月根，紧张地瞄准，射击，一发发炮弹准确地落到敌船上。突然，一颗子弹划伤了他的头部，顿时鲜血直流，他顾不上包扎，忍着剧烈的疼痛，坚持瞄准射击。

老炊事员陈金堂，也和小伙子们一样英勇顽强。他操起艇上唯一的一挺重机枪，“嘟嘟嘟嘟”，打得干脆利落。突然，他的下腹中了一弹，顿时昏迷过去。可是，当他一苏醒过来，又挣扎着将枪口对准了敌人。

机舱里，由于机器长时间高速运转，充满了瓦斯油质烟，又闷又热。轮机长杜家启和两个轮机兵的眼睛被熏红了，脸被闷白了，仍然坚守着岗位，保证了两部机器一刻不停地运转着。

临时调到该艇的枪炮兵王维福也打得相当出色。战斗中，他发现一门炮的炮弹打完了，马上奔向弹药舱。当他抱起弹药箱时，一块弹片击中了他的左手，他随手捡起一块擦枪布，包了包，飞快地把弹药箱搬上了炮位。突然，一块弹片飞进了他的下颚，又一块弹片插进了他的右肩，多处负伤的王维福，咬着牙坚持战斗……

就在414艇与敌船激战的过程中，3艘运粮船和长长的渔船队伍，正徐徐向南驶去。打红了眼的敌人，干脆舍下粮船和渔船，发了疯一般地拼命缠住414艇，一心想把阻碍他们抢劫的414艇击沉。

战斗更加激烈，414艇上的弹药快打完了，并且半数以上人员都受了伤，情况十分危急！正在这时，已经排除故障的411、413两艇与416艇快速赶了过来。

敌人见我又来了3艘炮艇，不敢再战，慌忙掉头逃跑。

“追上去！”我艇队不顾头门山岛守敌疯狂开炮阻击，紧紧咬住敌船不放。那条被我击毁右机的二桅敌船，逃得最慢，离我最近。

“集中火力，先打后面这条敌船！”随着一声令下，4艇同时开火，一串串炮弹和枪弹，雨点般地打到敌船上。

不一会儿，敌船升起了浓烟，船尾开始下沉，船舱里的海水越来越多，最后终于完全沉没下去，船上的敌人带着他们的罪恶，葬身于茫茫大海之中。

这次战斗，共击沉国民党军机帆船1艘，击伤3艘，毙伤敌50余人。运粮船和渔船也都安全地脱险了。

陈立富率领414艇单艇插入敌群，孤胆作战的英雄事迹迅速传开了。10月上旬，华东军区海军分别授予陈立富和王维福两人为“战斗英雄”称号，授予414艇以“头门山海战英雄艇”称号。

4 着了火的敌船沉入海中

进入1954年2月，福建沿海的国民党军在海上活动十分猖獗。为了狠狠打击袭扰之敌，华东军区海军厦门巡逻艇大队大队长王德祥、副参谋长卢福祥，奉命率该部1分队，在福建军区水兵3团2中队1分队配合下，秘密进至乌龟岛附近海区设伏，寻机歼敌。

这天晚上，艇长们从指挥部开会回来，告诉大伙儿一个好消息：据有关部门通报，2月25日金门岛将有两艘敌炮船开往乌龟岛一带海域抢劫，上级命令各艇做好战斗准备，明天清早出发，打掉敌人的炮船。

这一下，水兵们都乐得跳了起来。自从进驻待机点后，就听说国民党军如何到沿海骚扰，如何欺压渔民，可是一直没有机会教训这些龟孙子，这下机会来了，叫大伙儿怎能不乐呢？再说，在海上打胜仗，抓俘虏，缴船，缴枪，用胜利来回报人民，该有多好呀！

夜深了，水兵们还在忙碌着，火炮擦了又擦，机器检查了一遍又一遍。

第二天清晨，英雄的战船一艘接一艘地出发了。

行驶了一阵，太阳出来了，白雾慢慢地消失。国民党军占据的乌龟岛已经隐隐约约地可以看到了。

“大队长同志，前面发现两艘敌船！”大队长王德祥看了一下手表，比预定时间提前发现了敌人，他当即下达命令：“高速前进！”艇上人员迅速进入战斗岗位，炮艇朝着敌船左前方猛插过去。

敌船越来越近了。

王德祥大队长从望远镜里清楚地看到，这两艘敌炮船，一艘叫做“超俊号”，另一艘叫做“利达号”，船上装备有双管机关炮和无坐力炮等武器。

这时，行驶在前面的敌炮船“超俊号”，一看到我巡逻船队，马上没命地向乌龟岛方向逃窜。

我军两艘炮艇枪炮齐放，“超俊号”船身当即被打歪，船上的敌人死伤大半。

敌人被我军的攻击打得胆颤心惊，顾不上还击，摇摇晃晃地逃进乌龟岛里去了。

当我炮艇轰击“超俊号”时，行驶在后面的敌船“利达号”乘机袭击我2号炮艇，2号炮艇迅速掉头反击。

“轰!”第一炮就击中了“利达号”的报话员，敌报话员背着报话机掉入海中，向“海龙王”报到去了。

“轰!”“轰!”“轰!”2号炮艇毫不手软，紧紧咬住“利达号”又是一阵猛烈轰击。

“打得好啊！狠狠地揍呀!”艇长在指挥台大声地夸奖着炮手，战士们受到鼓舞，越打越来劲。

我炮艇边打边追击，700米，500米，300米，200米，双方距离越来越近，“利达号”看到难以逃脱，拼命地开炮还击，进行垂死挣扎。

眼看“利达号”快招架不住时，我两艘炮艇上的火炮偏偏相继发生了故障，炮弹打不出去。

敌人见有机可乘，顿时猖狂起来，不退反进，企图乘机将我炮艇击沉。

此时我炮艇离敌船只有几十米远，敌人疯狂开火射击，枪、炮弹接连不断地打到艇上。

在这紧急关头，炮艇指战员沉着冷静，用机枪、冲锋枪与敌人展开殊死搏杀，炮手们则紧张地排除故障。

终于，火炮又恢复了正常。“打！狠狠地打!”颗颗炮弹带着仇恨，向敌炮船倾泻过去。

敌船上的炮火被压了下去，舱面上横七竖八地躺着敌人的尸体，只有一挺机枪还在顽固地叫嚣着。

周分队长见状，操起一支冲锋枪，紧扣扳机，“嗒嗒嗒嗒……”扫出一梭子子弹，那挺机枪顿时成了哑巴。

“冲啊！坚决把敌人消灭掉!”我1号炮艇迅速靠上起了火的敌船。信号员吴才良一马当先，端着冲锋枪跳了上去。紧接着，好几个战士也冲上了敌船。不一会儿，他们从敌船上抓回来七八个打着哆嗦的俘虏。

敌船“利达号”上的火势越烧越旺，舱里的弹药也开始爆炸了，敌炮船被炸得散了架，慢慢地沉进大海。

在战斗中，驻金门和乌龟岛的国民党军出动战斗机两架、炮艇1艘进行增援，均被我参战部队击退。

炮艇轻快地在辽阔的海洋上破浪前进，带着胜利，载着俘虏，向港口驶去。水兵们健壮的脸上堆满了胜利的微笑。

第十七章 击碎窜犯梦

王枢接受任务后，亲自出马，对抽调的骨干分子进行美式兵器的使用和山地游击战术的训练后，又从中挑选五十九人，作为『黑狼』的正式成员。别看『黑狼』人数不多，装备却很精良。他们除人手各长、短枪一支外，还配有轻重两用机枪两挺，60炮一门，电台两部，燃烧弹及毒药若干。

1 毛人凤的美梦成为泡影

1951年6月29日拂晓，象山半岛被浓浓的晨雾笼罩着。一股武装分子从象山县蟹钳港外的寺前村偷偷登陆后，直奔马岙山，不一会儿就消失在茫茫山林中。

这股武装分子是28日晚乘机帆船从渔山岛赶来的“大陆突击队”，代号“黑狼”。队长叫张耀荣，副队长叫王炎高，成员共59人，编3个组。1个多月前，台湾国民党“国防部”保密局局长毛人凤，电令驻大陈岛的海军温台巡防处，要他们抽调一批骨干分子潜入大陆，在四明山区建立“游击根据地”。温台巡防处把这一“艰巨”的任务交给了渔山岛上校指挥官王枢。

蒋介石兵败大陆后，连做梦都想着“反攻大陆”。他一面令国民党军死守海岛，作为“反攻大陆”的跳板，一面令守岛驻军不断登陆窜犯骚扰。

王枢接受任务后，亲自出马，对抽调的骨干分子进行美式兵器的使用和山地游击战术的训练后，又从中挑选59人，作为“黑狼”的正式成员。别看“黑狼”人数不多，装备却很精良。他们除人手各长、短枪1支外，还配有轻重两用机枪两挺，60炮1门，电台两部，燃烧弹及毒药若干。

29日晚，“黑狼”1、3两组潜入宁海县胡陈乡道宗庵、王家山一带。2组因天黑失去联系，只好返回马岙山暂时隐蔽下来。30日上午，张耀荣见2组还没有到，打开电台向王枢报告：

“07，07，我是‘黑狼’，我们登陆成功，现在正向茶山前进！但2组失去联系。”

“我是07，你们干得好！迅速到达指定地点，并设法与2组联系。”张耀荣受到上司夸奖，脸上露出了得意的笑容。

张耀荣高兴得太早了。“黑狼”刚一进胡陈乡，就被机警的民兵发现。民兵们一边派人向乡、区政府报告，一边集中40余人向王家山方向搜索。夜幕降临时与敌遭遇，“黑狼”自恃人多枪好，向民兵猛射。民兵们见硬拼不行，就分头把守王家山一带的山隘、路口，派出流动哨，严密监视“黑狼”的行动。

夜深人静。胡陈乡四村民兵应可明、石金荣等4人正在一个山隘中放哨，忽听一阵脚步声由远而近。

“谁?”应可明警惕地问道。

“我们是解放军，是来捉敌人的。有没有情况?”

“现在还没有发现情况。”应可明等民兵边答话边热情地迎上去。

来人待民兵们走近，猛地扑上去，不由分说就抢了他们的枪，并把他们绑到密林中残忍地杀害，随后向里岙王、尖岭头方向逃窜。

这帮家伙正是“黑狼”！宁波、台州军分区得到“黑狼”登陆的情报后，立即成立联合指挥部，台州军分区政治委员邵明、宁波军分区参谋长张任伟亲临一线指挥战斗。解放军第105师314团、63师189团，以及宁海、象山、奉化县独立营等部在宁海县民兵的配合下，很快控制了宁奉公路及各要点，封锁了象山港，“黑狼”陷入我军民的重重包围之中。

隐藏在尖岭头的“黑狼”1、3两组30余人发现陷入重围后，惊慌失措，连忙突围，在尖岭头即遭沉重打击。张耀荣见突围无望，只得带着喽啰们隐藏在茶山、龙潭山之间，希望能与2组取得联系，以便集中力量，伺机突围，可他们等来的却是弥漫的山雾和沉沉的黑夜。

其实，“黑狼”2组17人比1、3两组还焦急。失去联络后，他们感到马岙山不可久留，便向茶山方向逃窜。3天来，他们如丧家之犬，饱尝疲困之苦。当他们气喘吁吁地进入笔架山脚时，就被民兵发现了。

我314团1个连、象山县独立营1个排在民兵的配合下，迅速向笔架山合围。但这伙亡命之徒毕竟受过特工训练，发现被围后立即强行向东北突围，失败后又掉头向西南茶山方向逃窜。有两个家伙再不愿东逃西奔，立即向解放军投降。其余敌人退到山上，妄图顽抗到天黑再突围。解放军和民兵兵分多路向山上攻击，逐渐缩小包围圈。

象山县独立营营长李长江率加强排及民兵紧紧咬住敌人不放。急红了眼的敌人以少数兵力封锁了冲击道路，大部向主峰逃窜。

“营长，让我带突击班冲上去。”侦察班长李继浩向李营长请求。

“不行！别急。”李营长答道。“你不相信我能冲上去？”李继浩瞪大眼睛盯着李营长。其实李营长对李继浩十分了解，他参加过四明山抗日武装和浙东人民解放军，解放后担任侦察班长，曾先后捕捉土匪34人，是一个智勇双全的侦察员。李营长观察好地形后，果断地命令李继浩：“你带突击班从左侧山凹冲上山梁，我来掩护你。要注意隐蔽！”

当敌人发现突击班时，突击班已冲上左侧山梁。李继浩一边冲锋，一边喊着：“放下武器，缴枪不杀！”不料子弹飞来，李继浩中弹负伤，胡时发等两名战士也身受重伤。李继浩咬着牙端起冲锋枪一连撂倒3个家伙，继续向前冲去。在距敌人十几米时，不幸又连中数弹，但他仍然背靠一棵树托枪射击，直到流尽最后一滴血。

“为班长报仇，冲啊！”战士们高喊口号，直冲山梁。敌人仓皇向主峰逃窜，但遭到我军民的迎头痛击，原来我军民早已占领主峰。这帮顽固的家伙虽走投无路，陷入绝境，但仍拒不投降。军民一齐冲杀，打得敌人尸横山野，全部被歼。此时太阳刚刚落山。

“黑狼”头头张耀荣带1、3两组窜到茶山、龙潭山之间隐藏起来后，先躲到茶山脚下的双坑山，后来到一个叫西林的小村子。

西林位于宁海县境内，一条小溪绕村而过，沿溪有条小路贯穿东西。“黑狼”穿到村边后，天色已黑，个个筋疲力尽、东倒西歪地躺在树丛中喘着粗气。

“队长，不好，前面有共军!”一个哨兵惊恐地向张耀荣报告。

“多少人?”“好像有十几个人。”“他娘的，打!”张耀荣恶狠狠地说。

这“共军”正是台州军分区警卫1连的尖兵班。当尖兵班进至西林村口西边时，敌人的机枪、60炮一齐开火，尖兵班防备不及，伤亡多人，负责带路的16岁民兵应文木脚部中弹。战士们立即抢占有利地形，开枪还击。小应满腔怒火，悄悄地沿溪边小路爬过去，拿着手榴弹，准备炸掉正吐着火舌的机枪。

“不好!”大个子何副班长看见小应，飞快地跑过去，连拖带拉把他挟了回来。幸好天黑，子弹没有伤着他们。

枪声就是命令！警卫1连后续部队立即跑步来到西林村。看到伤亡的战友，他们个个眼冒金星，迅速冲过小路，分3路向“黑狼”发起冲锋。周围的民兵听到枪声后也纷纷靠了过来。

“黑狼”见四周灯火通明，喊杀声由远而近，知道已被包围，个个胆战心惊。

张耀荣摸出手枪，吓唬手下：“谁都不准溜，谁溜我就把他崩了!”几个喽啰在张耀荣的威逼下，以机枪、卡宾枪开路，交叉掩护向西北方向突围。警卫1连紧追不舍，激战1小时，“黑狼”死伤过半，剩下的20余人向宁海帽峰山方向狼狈逃窜。

残敌先逃到帽峰山，后又窜到宁海白峤港，此时已是7月6日夜23时。“黑狼”见渡口被封锁，不敢上船，更不敢硬拼，便用绳子把一个年纪较大的家伙捆起来，其余人员冒充我三门县大队人员，押着那个家伙往前赶路。他们一路骗过民兵，逃到了宁海县坎头王东面的海岸，趴在海堤上四处张望。

“你们看，船!”一个家伙突然发现距海岸不远的地方有两只船。20多个敌人纷纷跑过去，把船拖到岸边，争先恐后地爬上船。经过一天一夜的漂泊，他们驶出满山洋，进入三门湾，再过几小时就能到渔山岛了。

这时，海雾已散，太阳升起。被折腾了几天的“黑狼”又神气起来，为绝处逢生暗自庆幸。几个家伙还跪在船上祈祷：“上天呀，你再恩赐几个小时吧，保佑我们平安回岛！”

话音刚落，一个家伙突然大叫：“不好，后面有机帆船！”这一叫如五雷轰顶，敌人顿时傻了眼。原来，指挥部得到“黑狼”下海出逃的情报后，迅速派兵追击，经过一昼夜的海上搜索追击，第二天拂晓到达三门湾洋面，追上了这两只船。

“放下武器，缴枪不杀！”解放军边喊话边加速追赶。狡猾的敌人一声不响，待机帆船驶近时突然开火。解放军奋勇还击，机枪、冲锋枪如雨点般一阵猛扫，打得敌人鬼哭狼嚎，后面的那只船被打得弹痕累累，顷刻间就被海水吞没，七八个家伙在海浪中翻了几下就无影无踪了。

前面的那只船仍然没命地向东逃去，我机帆船紧追不舍，不一会儿就赶上了那只船。解放军再次发出警告：“放下武器，不然叫你们统统葬身海底！”。

敌人毫无反应。机帆船上的机枪、冲锋枪又是一阵猛扫，几个家伙当即掉下海去，被海浪卷走。剩下的几个家伙一看，再不投降就真的要喂鱼了，便撅着屁股高举双手道：“不要打，不要打，我们投降，我们投降！”

“黑狼”从上岸到覆灭只8天时间，毛人凤精心策划的创立“四明山游击根据地”的美梦成为泡影。

2 雁荡山麓的一场厮杀

1951年7月24日清晨。解放军第105师司令部响起了电话铃声。值班人员拿起电话，只听大荆区民兵紧急报告：一股300余人的武装分子偷渡登陆后，正向雁荡山区流窜。

原来，“黑狼”惨遭失败后，毛人凤不肯就此罢休，又电令披山岛国民党驻军头头吕渭祥，派“得力干将”窜犯雁荡山。吕渭祥当即挑选360余人，以陈和贵、陈杰为头目，代号为“黑虎”。“黑虎”成员均被授予少尉以上军衔，吕渭祥和美国顾问还对他们进行了一番所谓“不成功便成仁”的精神灌输。

24日凌晨4时许，夜色朦胧。“黑虎”悄悄地从乐清县清江区破岩头和朴头登陆，然后合二为一，经白溪直插雁荡山。到达龙西乡上山村后，他们又一分为二，陈和贵率200余人向龙西乡之大公山“挺进”，陈杰率160余人向永嘉县方向窜犯。

陈和贵率部进入大公山，见这里山高林密，道路曲折，洞穴颇多，易守难攻，便决定在这里扩大武装，建立“牢固的游击走廊”和“空降基地”，为“反攻大陆”开辟“前进的道路”。

24日傍晚，陈和贵满怀希望地派喽啰找潜伏特务潘庆德，可那喽罗不一会儿就惊恐失色地回来报告说，潘庆德数月前就被人民政府镇压了。“什么?!”陈和贵闻讯，如丧考妣，一下子瘫坐在岩石上。潘庆德完蛋了，不就砍掉了他的一条臂膀吗？他深感不妙，慌忙下令迅速抢占大公山后的制高点观音峰。

观音峰是矗立在雁荡山脉大公山后的奇峰，峰尖云雾缭绕，远远望去，如一尊盘坐在莲台上的观音。陈和贵本想乞求“观音”保佑，不料想，他和他的部下在观音峰刚站稳脚跟，解放军105师侦察连、炮兵连，乐清县独立营1、3连各1个排和当地民兵，就把观音峰紧紧地包围起来了。

7月25日，观音峰顶晨雾未散，解放军就在民兵的配合下，向观音峰发起猛烈攻击。陈和贵依仗居高临下的有利地形和精良的武器，疯狂地向解放军反扑。战斗持续了整整一上午，部队仍被敌人压在山下，四周陷入了短暂的沉寂。

配合解放军作战的民兵见此情景，纷纷向县独立营副营长江毓湖请战。江副营长揉了揉布满血丝的眼睛，陷入了深思。他不放心啊！这帮家伙心毒手辣，残暴万分，而且装备精良，又受过特工训练，民兵上去只会增大伤亡。

这时，忽听一民兵说：“副营长，我们熟悉这一带的地形，我们可以绕到观音峰后面，从背后打他个措手不及!”

这倒是个好主意。江副营长立即派独立营的两个班与民兵一起行动，其余人员从正面实施佯攻。独立营两个班和民兵在山路上七转八绕，好不容易才绕到观音峰后面。可这儿陡如刀削，无路可走。

望着这悬崖峭壁，他们没有退缩，决心一级一级地搭人梯上去。人梯在慢慢升高，他们手抓挂在悬崖上的树藤，冒着生命危险，艰难地向上攀登。

陈和贵做梦也没想到，解放军和民兵会攀上这悬崖峭壁。此时的陈和贵正举着望远镜观察正面战场，他看到解放军被炮火压得抬不起头来，不禁洋洋得意起来。正在这时，身后突然枪声大作，解放军和民兵如神兵天降冲杀过来，吓得他倒吸一口冷气。他气急败坏地狂叫：“快，快掉转枪炮，给我顶住!”

已经来不及了。敌人顾了后面，就顾不了前面，顿时乱作一团。冲在前面的民兵一齐甩出手榴弹，“轰”的几声巨响，敌人的枪炮全给炸哑了。

陈和贵还没有缓过神来，正面又响起了嘹亮的冲锋号声。卧在半山腰的解放军和民兵一跃而起，潮水般地涌向敌人。陈和贵眼看守不住了，只得扔下 30 多具尸体，命令喽啰们趁硝烟弥漫之际分散逃窜。

狡猾的陈和贵趁混乱之机，率 40 余人一路狂奔，最后躲进了七星洞。七星洞位于甸岭乡境内的七星孔半山腰，是雁荡山胜景之一。此洞倾斜着朝天，洞口虽小，洞内却很宽敞。洞口有一块突兀的石崖，似伸出的屋檐。洞口下侧横着一块巨大的条状岩石，宛如高高的门槛。真是“一夫当关，万夫莫开”之天然屏障。

26 日 9 时许，部队跟踪追击来到七星洞。陈和贵凭借有利地形，向洞外疯狂射击，双方一直僵持了三天两夜。陈和贵见解放军久攻不下，又狂妄起来：“有种的就进来试试吧!”

“这些狗东西，真是不见棺材不掉泪，你们等着瞧吧!”一位当过猎手的老民兵辨了辨风向，对大家说：“快！快去砍些青松毛来。”

“砍青松毛干什么?”大家疑惑不解。

“点燃青松毛，像熏野兔一样向洞内灌烟，逼他们出洞。”

大家一起动手，砍柴的砍柴，打捆的打捆，点火的点火，一捆捆点燃的青松毛被扔到洞口，七星洞内顿时浓烟弥漫。

一会儿工夫，洞内的敌人被烟呛得哭爹叫娘，无处躲藏，但仍拒不投降。他们一个个痛苦地撕扯着自己的衣服，气喘吁吁地摸向洞口。陈和贵闭着眼睛，有气无力地命令道：“快……快把武器……给我……毁掉，决……决不给共军……留……留下……”

洞内已经没了声息。大家进洞一看，只见这帮家伙一个个张着嘴，瘫在洞里“呼哧呼哧”地喘着粗气，活像一只只半死不活的癞皮狗。40 多个敌人就这样被活捉了。

陈和贵部另有 15 人窜到了乐清、黄岩交界的洪武尖。7 月 31 日上午，乐清县独立营副教导员金寿松率部队和民兵迅速包围了洪武尖。金寿松率部登上位于洪武尖半山腰的一片毛竹林里，发现山顶上有一堵小围墙，决定速战速决，强攻歼敌。

12 时 30 分，夏日的骄阳烤得大地火辣辣的。金寿松果断地命令：“机枪掩护，突击班出发!”

嘹亮的冲锋号响起，独立营从西、南、北 3 个方向同时向敌人发起进攻。洪武尖的围墙内渐渐地没有了动静，突击班一跃而起，冲向山顶，只见 15 名敌人中有 5 人被击毙，其余 10 人像死狗似的瘫倒在地，战战兢兢地举起双手。

再说陈杰率另一股 160 余人流窜到永嘉后，在源头与南阵交界的一座山岗上被我 103 师侦察连、加强连和永嘉县独立营包围，此时已是 7 月 26 日 20 时。部队官兵在 300 余民兵的配合下，向敌发起猛攻，毙敌 37 人，活捉

28人，残敌向青田方向逃窜，又先后被我军民歼灭。7月29日凌晨6时，在大公山被打散的敌人逃到马家山，亦被我军民击毙6人，活捉10人。

“黑虎”除20余人逃回披山岛外，从登陆到被歼不满1个月。为对付这帮家伙，浙江军区先后投入47个连，温州、台州、叩水地区还发动5000余民兵参战。这场围歼“黑虎”的战斗也使解放军和民兵伤亡197人。

3 化装的“解放军”午夜登陆

1951年9月5日上午，福建军区司令员叶飞突然接到报告：“一股敌人化装成解放军从惠安登陆，一路枪杀不少民兵和群众!”

情况紧急！叶飞当即命令部队坚决消灭窜犯之敌。“近几个月来东南沿海不断有敌人窜扰，他们诡计多端，不好对付，我得亲自去看看!”叶飞司令员坐上吉普车，风驰电掣地赶到晋江军分区。

晋江军分区司令员叶克守向叶飞汇报了敌人入窜的情况和军分区的围歼部署，叶飞听后对叶克守说：“近来敌人的窜扰活动很猖獗，我们不能掉以轻心。7月下旬，国民党一下子就派了370余人在浙江省乐清县登陆，窜到雁荡山，被浙江军区全歼。现在胡琏又来这一手，他们这是自投罗网，必将有来无回!”

这伙化装成“解放军”的家伙，正是国民党军金门防卫司令官胡琏派来的。9月4日下午3时半，这伙武装分子在陈令德、陈伟彬率领下，从金门岛登上8艘机帆船，径直向北驶来。

夜幕降临后，机帆船在惠安县附近海面停了下来。这帮家伙换上解放军的服装，戴上解放军的胸章，兵分两路，驶向预定登陆点。

午夜时分，陈令德率200余人在惠安县城东北的山腰岸边登陆，陈伟彬率百余人在惠安县城以南的霉洋靠岸。登陆后，急匆匆地向内地窜去。

这伙窜犯之敌个个血债累累。陈令德曾一夜杀死仙游二区山尾乡郑桐明一家7人，一次活埋过十几个进步学生。陈伟彬是一个十足的亡命之徒，颇得国民党军旅长陈国华宠信。跟随陈国华走南闯北，四处横行，荼毒百姓，罪恶深重。

国民党军金门防卫司令官胡琏和美国顾问很欣赏这两个反共分子，决定由他们带一帮人在福建沿海偷渡内窜，在晋江、惠安、仙游3县结合部山区和德化县戴云山建立“反共基地”，为“反攻大陆”创造条件。为确保内窜成功，美国顾问还对他们进行了为期3个月的专门训练。

陈令德率部登陆后，为避免目标过大，先分成两小股入窜，后两股会合于龙田。天亮后，陈令德部跨过福厦公路，进入惠安北部的水窟村。为蒙骗群众，他们装模作样地唱了一首革命歌曲，还实行所谓“买卖公平”，喝水、吃饭都付钱。

可他们站没站相，坐没坐相，更没有解放军那特有的亲切表情，倒挺像过去的国民党军。对这样一帮人，老百姓已经起了疑心。老奸巨猾的陈令德怕夜长梦多，稍稍休息之后就命令喽啰们离开水窟村，继续往西赶路。村民们赶紧向政府报告了这一异常情况。

豺狼就是豺狼，再伪装也难改本性。随着时间的推移，他们渐渐露出了狰狞面目。5日下午，他们窜到赵厝村，杀害了民兵队长和5位民兵，还打伤两个人。傍晚，他们又窜到惠安县义岭乡十二路村，企图集体屠杀村干部。阴谋败露后，他们恼羞成怒，残忍地将下乡指导工作的惠安县公安人员张渊清杀害。

岂能让这帮家伙为非作歹！叶飞指示晋江军分区司令员叶克守统一指挥闽中沿海地区的主力部队、地方武装和公安人员，尽快消灭这股敌人。5日下午1时许，第25军74师220、221团，晋江军分区警卫部队和民兵，在方圆100余公里的范围内布下了天罗地网。陈令德率喽啰四处奔逃，在义路村、东山寨等地被解放军毙伤30余人，到晚上已溃不成军。陈令德眼看计划落空，遂命令部下3人一群，5人一组，分别流窜在晋江、惠安、仙游3县边界地区，躲进山崖石洞，藏入树丛墓穴。

叶克守见敌人被打散，决定从9月12日起，采取驻剿与游剿相结合，主力部队与地方武装、民兵相结合的办法进行清剿，

分散流窜的敌人一个个地被揪了出来，但陈令德却漏了网。

决不能让这个杀人魔王溜走！指挥部命令严密注意过往人员，对可疑分子要严加盘查。

9月15日黄昏，天空淅淅沥沥地下起了雨，夜色渐渐浓了起来。正在这时，丘厝庄的村道上出现了一个头戴斗笠的和尚。只见那和尚低着头，迈着快步，在苍茫的雨幕中急匆匆地向庄外走去。

“站住！干什么的?”在庄口站哨的民兵拦住了他的去路。和尚不慌不忙，伸手掏出一张“晋江专署公安处”印发的通行证。民兵见这和尚有此证件，便放他过去。

和尚得意洋洋地继续朝前走，来到塘庄时，又遇到了民兵。民兵曾秋钗看了通行证，心里犯了疑：“和尚怎么会有专署的通行证呢?”想到这里，他就暗中跟踪和尚，看他的动静。

和尚不一会儿就来到了麟山村农会住地。民兵林景行把他迎面喊住查

问。屋里的区政府秘书、乡里的公安干事和民兵等 20 多人，也都闻声走了出来。

“你从哪里来？”“泉州承天寺。”“这么晚了要去哪里？”“麟山村。”“去干什么？”“找蔡佛东。”

大家不由一怔。蔡佛东是远近闻名的反动地主，土改中刚刚被镇压。这个和尚不找寺门众僧，偏偏要去找那个地下游魂。和尚生怕大家不信，又从怀里掏出 14 张面额 1 万元（1 万元相当于现在的 1 元）的人民币给大家看，似乎想证明他确实是从泉州来的。民兵队长郑瑞玉接过来仔细看了一下，发现全是假币！他心里有底了，于是又问：“大老远的你找蔡佛东干什么？”

“我跟他是亲戚。唔，不是……”和尚支吾着说不下去了。

有个民兵见和尚说话间时不时地摸摸头上的斗笠，仿佛害怕掉落似的，莫非其中有鬼？他灵机一动，走上前去猛地摘下了他的斗笠。

这一摘，大家都一惊，原来这和尚竟留着长头发。

“咦，你当和尚的，怎么还留着长头发呢？”“我……我已经还俗了呢……”

和尚仍在极力狡辩，但毕竟做贼心虚，吓得两腿直打颤，脸上的汗也流了下来。

这和尚不是别人，正是陈令德。原来，陈令德在我军民的追剿下走投无路，只得化装成和尚，企图蒙混过关，回窜入海。陈令德落网的消息传到福州，福建军区司令部发出通令，表彰参加查获陈令德的民兵。

话说两头。由陈伟彬率领的另一股敌人于霞洋登陆后，由于打着解放军的旗号，居然顺利通过了岭头、白玉店、洋坑等村庄。

陈伟彬抬头望了望，见日头已经偏西，便暗自高兴起来：“大半天过去了，天一黑就更安全啦。这办法还真管用，美国顾问就是有一套！”

正在他得意之时，一个家伙跑过来报告：“陈令德已经暴露，共军正组织部队围剿！”“什么?！他们不是也穿着共军的服装吗？”陈伟彬大吃一惊。“他妈的，一定是装得不像！”陈伟彬嘴里埋怨着，心中却暗自庆幸：“这样也好，他们被发现了，共军一定会急着去围剿，我们就会安全一些。”

可陈伟彬想得太天真了。5 日下午，当陈伟彬逃到黄塘时，终于被民兵发现。部队和民兵立即跟踪追击。陈伟彬惊慌失措，带着喽啰们拼命逃窜，6 日上午窜至前坂、北沃一带。

叶克守司令员获悉后，立即命令第 221 团 1 营两个连于 6 日中午赶到河市，沿涂楼向东北搜剿。这时，第 74 师肖先进师长率领 1 个营抵达驿坂，原准备追剿陈令德，到驿坂后得悉陈令德已被击溃，陈伟彬部正集结于北沃地区，即中途转戈西向，配合 1 营攻击北沃地区之敌。

当两路部队准备合击北沃之敌时，陈伟彬早已闻风而逃，躲进了白洋山。

7日傍晚，部队包围了陈伟彬部，向他们发起猛烈攻击。激战至20时，攻上白洋山顶，歼敌40余人，陈伟彬被当场击毙。又经数日追剿，终于消灭了这股入窜之敌。

晋江军民进行的这场围剿入窜敌人的战斗，前后用了25天，除了8名敌人从莆田县东沙漏网下海外，其余360多人全部被歼。

4 八百匪徒偷袭一个排没捞到便宜

蒋介石不断派兵窜犯大陆，本想在大陆建立“游击根据地”，无奈他的那些残兵败将不争气，登陆后一个个被吃掉了。不甘失败的蒋介石痛定思痛，决心继续窜犯，“捞一把就走”，以“扩大政治影响”。

蒋介石的心腹胡宗南按照蒋介石的意图，亲自来到南麂岛。他是1951年9月来大陈岛任“总指挥”的。南麂岛驻着他的第2大队。他让大队长把全队人马都集合起来，然后操着浓厚的浙江口音，有气无力地说：“现在大陆的情况对我们不利，我们在大陆建立根据地还不是时候。但我们还要对共军有所动作。共军善于集中优势兵力打歼灭战，我们也来个‘以大吃小’。现在共军兵力分散，我们以十几倍或者几十倍的兵力对付他们，应该没有问题。我们能多吃就多吃，能少吃就少吃，不能吃回来也行。总之，我们要搅得共军不得安宁！”

第2大队经一番准备，于1952年10月5日，集中约800人，在1名美国顾问及正副大队长率领下，分乘12条帆船、汽船，在3艘军舰掩护下，从南麂岛出发，直奔福建省福鼎县南镇乡海面。其中两艘军舰掩护5艘汽船和19只小舢舨，向南镇、大小白路前进。24时，300余敌人分两路从南镇右侧石鼓山和南镇正面登陆。

驻在南镇乡的是公安79团3连1排，此时官兵们已进入了甜蜜的梦乡。

敌人的行动没有逃过哨兵的耳朵。机警的哨兵听到海上有马达声由远而近，知道有情况，马上向排长陈宽本报告。

“立即进入阵地，准备战斗！”陈宽本命令道。陈宽本听马达声停止了，派3班前往侦察。3班刚走不远，就听到“砰”的一声枪响。“不好，3班与敌人遭遇了！”

陈宽本命令炮手向敌群开炮，掩护3班撤回阵地。敌人依仗人多势众，把我阵地一分为二，接着一面以少数兵力牵制第二阵地，一面在炮火掩护下向我第一阵地发起冲锋，梦想以“速战速决”的手段“全歼”解放军。

1排沉着应战，待敌人靠近工事时，随着陈宽本一声命令：“打!”一排榴弹射向穷凶极恶的敌人。几个家伙当场送命，其余敌人不知虚实，抱头鼠窜。

敌众我寡，陈宽本决定将全排集中在第二阵地。他考虑到弹药不足，就对大家说：“我们要节省弹药，看不见不打，瞄不准不打，打不中不打，争取不浪费一颗子弹!”

敌人“速战速决”未成，又从海上调来两个船的兵力，准备发起第二次冲锋。40分钟后，他们像一群鸭子，从四面八方向山上涌来。待敌人靠到跟前，战士们一阵猛射，敌人顿时乱成一团。

战士们越战越勇，共青团员陈金光鼓励大家：“同志们！我们要战斗到最后一滴血，坚决守住阵地!”头部负重伤的林开永一边继续战斗，一边高喊：“同志们！坚决地打呀!”这时，敌督训员已经冲到我阵地面前，战士林阿谁一枪就把他打倒，但自己不幸头部中弹。

战友们见林阿谁牺牲，个个满腔怒火。机枪手黄忠弟抱起机枪一阵猛扫，把敌人的机枪手打得趴在地上不敢抬头；炮手林在吉一炮就击沉一条敌船，把船上的敌人送入了海底，第二发炮弹又在敌群中开了花。敌人的第二次冲锋又被击垮了。

但敌人仍不死心。他们又拼凑了一帮亡命之徒，发起第三次冲锋，此时已是6日凌晨4时。但敌人毕竟被英勇的战士打“熊”了，他们只在远处“冲呀、杀呀”地乱叫，折腾了两个多小时，仍不敢靠近我们的阵地。

陈宽本见时机已到，命令战士们甩出一排手榴弹，接着带领全排战士跃出工事，直冲敌群，敌人不敢抵抗，纷纷后撤，一直逃到海里。战士们在追击中捉到3个俘虏，缴获卡宾枪3支，自动步枪1支。

我驻沙埕的部队听到南镇方向的枪炮声，知道有敌袭扰，随即渡过5里海面，插入敌人侧后。敌人眼见腹背受敌，很快逃之夭夭，整个战斗共歼敌29名。

战斗结束时，鲜红的太阳已经由海面升起。南镇乡的群众成群结队，敲锣打鼓，带着慰问品来到了解放军的阵地。渔民姚义振激动地说：“要不是你们，我们一切都完了！解放军真是人民的大救星!”

两个多月后的12月14日，胡琏又派出500余人，以大于边防部队12倍的兵力窜犯漳浦六鳌半岛。我公安80团9连1个排与敌展开激战，歼敌62人，击溃敌人的猖狂进攻，牢牢地守住了阵地。胡琏遭到一连串的惨败之后，其窜犯活动才不得不暂时有所收敛。

奏捷东山岛

蒋介石在图前已经站了一小时了。他不能不为这一重大决策煞费心机。胡琏的计划当然可取，但选择的进攻地点似乎欠佳。『不打则已，打则必胜』，蒋介石深谙其中的道理，退台四年，他卧薪尝胆，不就是为了东山再起吗？如今的共产党已不是昔日的对手了，拿不下泉州，不仅整个计划泡汤，而且对美国和世界也不好交代。

1 蒋介石的最大“赌注”

1953 年，新年伊始。

以美国为首的联合国军，在朝鲜战场上不仅力不从心，而且大势已去，板门店一张谈判桌，从 1951 年谈到 1953 年，越谈越打，越打越糟，以美国为首的联合国军已没有了讨价还价的本钱和余地。麦克阿瑟坦言：“这是一场在错误的时间，错误的地点，打的一场错误的战争。”

不过，美国人并不就此善罢甘休，在朝鲜战场上吃的亏，它希望通过其他途径得到弥补。于是，五角大楼的决策者们把目标转向了台湾。

一股寒流刚刚袭击了台北，气温骤然下降到接近零度，天空灰蒙蒙的，寒风中飘下丝丝小雨，街上已经开始有鞭炮的响声，市民们忙忙碌碌，准备迎接中国的传统节日春节。

此时正坐在官邸书房里的蒋介石，并没有过节的心情，他正在专心致志地用放大镜看着一张挂在墙壁上的闽南地区军事态势图，心里正酝酿着一个大胆的冒险的设想。

转眼来到台湾已是第 4 个年头了，人们还清楚地记得他在 1950 年初开出的那个反攻大陆时间表——“一年准备，二年反攻，三年扫荡，五年成功”，现在眼看表上的时间已经快到头了，如果说在 1953 年还不能有所作为的话，这份时间表无疑将成为世人的笑柄。平心而论，并不是他蒋介石不想动手，重归大陆，东山再起，那是他梦寐以求的愿望。然而，看到新中国政权的日益巩固，国防力量的日渐强大，他知道，军事反攻如果没有美国支持，那无异于以卵击石。所以蒋介石一直未敢轻举妄动。

机会终于来了。

昨天，金门防卫司令胡琏呈上一份加急秘密报告，报告称，在台的美国“西方公司”通过与金门方面的接触，表示将全力支持金门地区“福建反共救国军”进行一次对中共的渡海军事行动，并答应提供伞具等军事装备，且答应在事成之后，给“福建反共救国军”一笔丰厚的报酬。经过论证，胡琏打算利用伞兵空降福建泉州附近的洛阳桥，配合两栖登陆部队进攻崇武镇，并以此为桥头堡，展开对大陆的反攻。

胡琏的一纸报告，撩起了蒋介石冲动的神经。“或许真有必要尝试一下”，蒋介石心中闪过这样的念头，冒险是他一生的“职业习惯”，现在他决心再赌上一把。

蒋介石在图前已经站了1小时了。他不能不为这一重大决策煞费心机。胡琏的计划当然可取，但选择的进攻地点似乎欠佳。“不打则已，打则必胜”，蒋介石深谙其中的道理，退台4年，他卧薪尝胆，不就是为了东山再起吗？如今的共产党已不是昔日的对手了，拿不下泉州，不仅整个计划泡汤，而且对美国和世界也不好交代。

看着看着，他产生了一个新的设想，“或许在这里更好”，蒋介石边自语边用红色铅笔在地图上闽粤交界近海处的一个菱形海岛上，圈了一条粗粗的红线。那就是东山岛。

当天，驻守金门的胡琏收到来自台北密电：

> 计划可取，拟于六七月间实行，地点改为东山为好。务必详细策划和准备，以大吃小，速战速决，一举全歼该岛共军，建立反攻大陆前哨据点，从而达到牵制中共武装力量、策应美军对共作战，激励敌后武装斗争并扩大政治影响之目的。

几天后，胡琏又收到了蒋介石对其报告的亲笔批复，上面用毛笔写着：“加紧准备，缜密实施，一举成功！”12个字。

从1953年2月开始，国民党军窜犯东山岛的军事准备在暗地里紧锣密鼓地进行。

他们的第一个步骤是展开了对东山岛的全方位侦察。

1953年四五月间，正是渔汛时节，东山渔场附近突然变得不安起来。先是各种蒋军舰艇常常出没，甚至靠近海岛进行侦察，尔后频频出动高速小艇抓捕海上捕鱼的大陆渔民，仅5月份就有200多人被抓，他们被带到金门等地严加审问，并且大多一去不回。

同时一批又一批潜特趁夜暗爬上东山岛搜集我岛上兵力部署、工事构筑、炮位、仓库、交通及滩岸等情报。还连连出动侦察机从100至150米的低空掠过东山岛，实施空中侦察照相。基本掌握了东山岛的守备兵力和古雷岛（东山岛北约12公里）、六鳌半岛（东山岛东北约45公里）我方兵力配置情况，以及旧镇（东山岛东北约53公里）一线海面我方舰船的活动规律。

第二个步骤是编组部队进行演练。

根据蒋介石手令，1953年3月，在金门正式成立“联合任务指挥部”，由胡琏任总指挥。下设一个10人美国军事顾问组，下辖陆军第85师、第18师53团，海战第1、2大队，南海中队、海军陆战队第3大队，以及6月1日在台湾组建的一个伞兵支队，特混部队共计11825人，配备各种舰只13艘，飞机105架。

这支部队从5月份开始便集结金门，多次进行上船下船、夜间抢滩登陆、岸滩进攻与撤退等模拟演习和沙盘作业。伞兵支队则按计划在台湾本岛选定的一处与东山岛地形相似的海岸多次进行空降演练。战前一星期，胡琏还特别组织了一次三军协同全面演习，以检验其作战能力。这种包括陆海空三军的协同作战，在国民党军历史上绝无仅有。

第三个步骤是选定登陆地段和采取迷惑措施。

通过对各种情报的分析，胡琏认为：东山岛南部地形较为平缓，港湾隐蔽，岸滩坚实，便于登陆艇直接冲滩和舰炮火力支援；登陆后，便于向岛的两侧及纵深发展，且该地段我方守备力量相对薄弱。经美国顾问组“西点式”论证后，胡琏最终把登陆点选在东山岛南部的湖尾、赤涂等地。起航点则定在金门的料罗、水头、昔果山下和沙头。

为了避免引起我方的注意，在登陆前夕，蒋军舰只、飞机的活动方向突然由福建转向浙江沿海。同时蒋军把东山岛改称为“菱形岛”，并更换了一些地名，在作战文书及通讯联络中均使用新的名称，以形成迷惑和欺骗。胡琏还对其真正意图严格保密，包括对特混部队的士兵也不露真情，直到出发前，才宣布作战目标和任务。

这次蒋介石准备抛出退台之后的最大赌注，他为这一天等了很久了。

2 东山岛上枪声大作

经过半年的精心策划与准备，蒋介石终于摊牌了。

1953年7月13日，他在最后一次听取了有关突袭东山岛的军事准备情况汇报后，向胡琏发出绝密指令：“突袭东山岛，时间定为涨潮的7月16日拂晓。”

7月15日，我厦门前线部队发现金门有数千人规模的部队在活动，他们的特混部队已开始登船装载。下午3时，胡琏和蒋军第19军军长陈登静，率1万多名国民党官兵，分乘6艘大型登陆舰、3艘中型登陆舰，在4艘护卫舰护卫下，从金门的料罗、水头等地起航，直驶东山。

微风习习，夜海茫茫。入夜20时20分，参加突袭东山的国民党军船队所有灯火关闭，并保持无线电静默，在夜幕掩护下船队如同一条巨蟒，悄无声息地向西南“游”来。漆黑的海面上只有轻微低沉的马达声，一场“风暴”悄悄临近。

叶飞指示各部队：“加强警戒，保持警惕，遇到紧急情况及时处置并迅速报告。”

午夜零时，福建军区作战指挥中心电话铃声骤起，军区前方警通站报告：“金门有十几艘船只组成的船队出动，估计蒋军可能对我沿海地区进行一次较大规模的军事冒险，但具体的登陆方向不能确定。”

敌情就是命令，福建军区的作战机器高速运转起来了。

16日凌晨1时，福建军区战斗决心已定：如平潭、南日、大嶝岛发生战斗，则坚守歼敌；如东山岛受敌，则按机动控制，守岛部队抗击后撤至岛外，再行反击。岛上除留一个精干营进行机动防御外，非战斗人员转移出岛，留岛部队如遇优势敌人的攻击，以不受损失为原则，并等待增援。

16日凌晨4时30分，胡琏率船队抵近东山岛东部海面，并悄悄地泊锚于距岸3公里处。晨曦中的东山岛影影绰绰，一片寂静。站在指挥舰前甲板上的胡琏脸上掠过一丝冷笑，他看了一下手表，做了个向下的手势：“立即抢滩!”

从9艘登陆舰放下的数十艘登陆小艇和水陆两用坦克，如蝗虫般布满了水面，它们按照事先演练过的战术，分成3个波次向岸边冲去。为了达成登陆的突然性，胡琏没有采取惯用的舰上炮火准备，而是直接上陆。胡琏和他的美国朋友“西方公司”驻金门负责人汉米尔顿，坐在指挥舰的前甲板上，通过无线电遥控着这场“非同凡响的战斗”。

5时许，海滩响起枪声，而且越来越急，越来越密。

5时10分，胡琏接到蒋军海战第1、2大队的报告，称在大路口、亲营西南侧地段抢滩上岸，得手后即沿下林、漳浦向西埔方向发展，并以一部兵力向南搜索警戒。

5点20分，电波中传来蒋军主力海军陆战队第3大队，乘21辆水陆两用坦克在苏峰尖北侧湖尾地段登陆，并控制了登陆场的报告。

接着又传来第45师135团3营上陆，并占领苏峰尖和亲营高地的消息。

胡琏露出了得意的神态：“请求空军马上空降。”

5时30分左右，从台湾新竹机场起飞的16架C-46型运输机，在8架战斗机护航下，出现在东山岛后林地区上空。胡琏通过望远镜隐约看到，天空上飞机过处，播下一串串白色的伞花，纷纷扬扬向八尺门渡口附近地区飘去。胡琏知道，这是两个伞兵中队的约480名伞兵实施空降，他们的任务是占领岛上的陈岱镇，控制八尺门渡口，切断东山岛与大陆间的联系。

到17日上午9时，突袭东山岛的近万名蒋军，以绝对优势兵力劈头盖脸地扑向岛上，东山岛枪声大作，狼烟四起。

此时，我守岛部队只有由游梅耀指挥的公安第80团的两个营（欠一个连）的不足千余名官兵。

双方兵力之比约为10∶1。东山岛情势危急。

3 毛泽东与蒋介石的特殊对话

台湾“国防部。”

蒋介石面色凝重地走出作战室，在大厅里踱来踱去，胡琏的电报来得并不及时，这使他分外焦急。

“报告总统，电报。”作战副官递上一张打印纸。这是胡琏从海上发来的电报。

“念。”

“至上午9时许，我登陆部队依靠人数和装备上的优势，已经控制了登陆场，并正在向岛上与大陆的联系枢纽八尺门渡口挺进，岛上与大陆间的联系即将被切断。我主力第134团沿湖尾、双坑、南山向纵深401高地推进；第135团沿东沈、五里亭向东山县城推进。”

“好！痛快！”蒋介石抬起手腕，“英纳格”指针指在9时10分。

“金门、马祖、大陈情况如何?”蒋介石激动之余仍不失老练。

“一切正常。”副官回答。

“加强戒备，共军惯于趁虚而入。”

“是”。

海上的胡琏从电波里知道了蒋介石坐镇国防部，激动得浑身的汗毛都竖了起来，他有一种站在悬崖边的感觉。作为突袭行动的总指挥，他只有取胜才是唯一的出路。然而，今天究竟还会不会有当年金门之战时的那种幸运，他没有十分的把握。不过，战局的开始的确令他感到振奋，望着3公里外东山岛飘动的硝烟，他命令勤务兵在甲板上打开阳伞，端上酒菜。胡琏端起一杯白兰地对汉米尔顿说：“来，老朋友，咱们早餐、午餐一起用吧！”

中午，台湾各大报纸抢先登出了各种字号的通栏：

> “国军成功突袭大陆东山岛，揭开了反攻大陆的序幕。”
>
> “国军登陆一举成功，共产铁幕已被打开。”

美国各家广播电台也以最快的速度报道了台湾海峡的战事，《纽约时报》称：

“国民党军在东山的登陆成功，将有可能改变国共在海峡两岸的军事实力对比……”

福州，福建军区作战指挥室。

一昼夜未合眼的叶飞并无倦意，金门失利的阴影一直笼罩着他，使他此次指挥东山战斗慎而又慎。“保存实力，节节抗击，逐步向全岛核心阵地靠拢，坚守待援，清楚吗?”通过电话，他向游梅耀团长发出指示。

“是，清楚了!”电话里传来游梅耀的声音。

此时要坚守全岛是不可能也是不明智的。东山战斗刚刚打响，叶飞就对全军区部队发布命令：漳浦第 31 军第 272 团火速增援东山岛，第 31 军除留一个师守备厦门外，与第 28 军第 82 师，分别从泉州、漳州车运增援，统一由第 31 军军长周志坚指挥，务必在 24 小时内到达。同时，他通知广东汕头第 41 军，沿潮汕方向增援东山。

一声令下，一切为了前线。正在福建境内干线公路上行驶的各种地方车辆全力支援，旅客自动就地下车，货物就地卸在路旁，所有车辆立即赶往部队集结地，装载部队后一路绿灯驰往东山。

在整个战斗过程中，叶飞一直与岛上的第 80 团团长游梅耀保持着联系，许多命令是直接通过电话传达的。这要归功于该团的总机班。

蒋军登陆后，总机班所在村庄被占领。但是电话班没有撤离，他们把设备巧妙地伪装起来，一直保持与福州联系。蒋军搜遍整个村子，连电话线也没有发现。

东山岛的战况通过这条线路传到福州、传到上海、传到北京。

在上海的陈毅也密切关注着战局的发展，他嘱咐工作人员，战斗不结束要一直与叶飞保持通话。

17 日中午 12 时，3 辆黑色的吉姆轿车驶进北京解放军总参谋部大院，哨兵肃穆致军礼，毛泽东下车径直走进总参谋部作战指挥室，周围的人注意到，毛主席亲自到总参作战室了解前方的战况，这是建国后所不曾有过的。

毛泽东在听取了东山战局的汇报后，拿起电话要通了福州的叶飞。由于当时还没有电缆线路，声音很微弱，所以电话由福建军区副司令员张翼翔代转的。毛泽东手握电话机神情严肃，询问叶飞，蒋军是武装窜犯还是大举进攻。当他得知是武装窜犯后，他稍稍松了一口气，在抗美援朝 3 年后，新中国刚刚恢复经济建设时，毛泽东不希望再动大的干戈。

毛泽东马上判断出这是蒋介石的一次反攻尝试，一个相当大的赌注，这里面有着更深一层的意思，毛泽东太了解他的对手了。他用铿锵有力的语气对叶飞说：“一定要坚决果断，务歼登陆之敌于东山岛内。”

接着他提醒叶飞："东山可能是吸引我方注意力，然后在另外的方向登陆。"

此时，华东军区已进入一级战备，陈毅从电话里告诉毛泽东："除东山外无战事，我们已做好充分迎敌的准备。"

随后，毛泽东又问叶飞："兵力够不够，需不需要增援？"

叶飞答："兵力够了，现在手上还有一个军的机动兵力尚来使用，准备敌人在其他方向登陆进攻时使用。"

"还有什么要求？还有什么困难？"

叶飞想了想说："没有什么要求和困难。就是汽车已全部使用光了。"又说："我已下令把上饶到福州公路干线的地方车辆集中到福州机动，请求中央命令江西接替从上饶到福州的地方运输任务。"

毛泽东问道："华东军区有一个汽车团，为什么不给你们福建前线？"身为领袖的毛泽东，依然对兵力部署了如指掌。

他立即要通华东军区，告诉陈毅："你们的汽车团立即开到福州。"

毛泽东靠在为他准备的沙发上，点燃一支烟，深深地吸了一口。当时，国民党仍占据着从浙江大陈到南中国海的诸多岛屿，由于朝鲜战争的爆发，解放台湾的步伐缓了下来。对于蒋介石对大陆的反攻，他是有心理准备的，从战略上讲那无异于"天方夜谭"，但在战术上，他从不敢掉以轻心，因为在军事装备和海空军力量上，台湾国民党军还是具有相当实力的。

此时，岛上的战斗打得如火如荼。

公安第80团团长游梅耀是在17日凌晨接到军区发来的敌情通报的。通报称："敌舰艇13艘已从金门出发，有袭扰东山岛之可能，望你部提高警惕，加强戒备，随时注意观察敌人的动向，做好应付突发事件的准备。"

果然，天还没亮，岛上的前沿分队就与登陆的蒋军交上了火。面对来势汹汹的敌人，各前沿分队按照事先的布置，且战且退，步步阻击，以迟滞敌人的行动。

在南浦，6连一排炸毁蒋军两辆水陆两用坦克后，安全撤至二线地区樟塘，并向主阵地转移。

在亲营，1连阻击后在转移中受困，面对十倍于己的蒋军，他们顽强抵抗，硬是坚持了两个多小时，最后人员大部阵亡。

在港西，一支由东山县人武部长率领的民兵队伍，配合第80团前沿分队作战，坚守阵地5个小时。

8时许，在八尺门渡口上空出现了10多架"大肚子"运输机，在盘旋中，480名全副美械装备的伞兵实施空降。

守卫八尺门渡口的水兵师第753团1连的指战员们，立即展开了一场反

空降战斗。他们使用各种武器对准空中那些歪歪斜斜飘落的伞兵猛烈射击，许多敌伞兵还没有落到地面就被打成了飘尸。

敌机忙把空降高度从第一拨的240米上升到1000米，这样一来，伞兵的着陆点变得十分分散，整个支队散落在长约4000多米的狭长地带。有不少伞兵直接落进了大海，集结十分困难，大部分未经集结即仓促投入战斗。

蒋军按照预定计划抢占后林西南高地和东南320高地，并向后林发起攻击，企图控制后林渡口，切断我驻岛部队与大陆的联系。

我水兵师753团1连和公安军80团警卫连同仇敌忾，奋勇杀敌。警卫连班长兼机枪手沈亚水，沉着勇敢地向俯冲的敌飞机射击，当场击落敌机一架，大大地鼓舞了指战员们的士气。

水兵连的战士们打得英勇顽强，先后两次打退了敌伞兵的集团冲锋。在激烈的战斗中，八尺门渡口几度易手，但敌伞兵中队始终没有能够在这里站稳脚跟。

由于我军各前沿分队的有效阻击，蒋军主力直到17日晨8时前后，才挺进到东山岛的核心高地公云山、王爹山和牛犊山前沿一线，比原计划推迟了整整两个小时。

主阵地的战斗激烈而残酷。

牛犊山和王爹山是东山岛的两个制高点，与周围绵延的一片小山头形成一道控制岛内南北通路的屏障。公云山是这两个制高点最前沿的山头，瞰视着前方两三公里宽的一片开阔地。3个高地对全岛的安危起着决定性的作用，这也是公安80团扼守的核心阵地。

17日7时30分，登陆蒋军首先以重炮对公云山实施破坏性轰击，成群的炮弹倾泻到阵地上，耀眼的闪光此伏彼起，爆炸声分不清个数，苍黑与褐黄色的烟尘笼罩着山头，地表像被犁过似的被翻起两尺多厚的松土，堑壕断裂，百年大树被烧成枯枝，到处散发着刺鼻的硝烟味。

轰击之后，1000多名登陆步兵向阵地发起冲击。第80团2连面对着十倍于己的敌人的3面包围，凭借7个土林堡、200多米长的残存堑壕和不足百米的土坑道，英勇阻击，弹药打光了，就用刺刀、枪托、石块继续战斗，在不少地段上双方展开了肉搏，打得枪管发红，刺刀滴血。从上午一直打到下午6时，蒋军的18次冲击均被打退。

在战斗中，镇守在前沿阵地上的副班长黄飞龙壮烈牺牲。当时，敌约一个营的兵力凶猛扑来，黄飞龙所在的班12个人只剩下3个人。他紧紧握住重机枪，瞪着步步逼近的敌人，当敌人距离还有10多米时，他大吼一声，双眼圆睁，猛然站立起身来，端起机枪，狠搂扳机，“嗒嗒嗒”，敌人在痛苦的抽搐中成片地倒下。就这样，他带领仅剩的两名战士在阵地上坚持了1个小时。

就在黄飞龙和战友准备撤退时，一颗子弹击中了他的胸部。黄飞龙忍着剧痛喊道：“你们快走，我掩护！”他咬着牙射出一排子弹后，便倒在地上。战友们以为他牺牲了，便含泪离去。

这时，敌人爬上来了，他们架起机枪，朝着正在转移的战士猛烈射击。

躺在地上的黄飞龙被枪声震醒，他吃力地睁开眼睛，看到身边的敌人正在向战友们射击，他像一头被激怒的豹子突然从地上跃起，端起机枪一个点射，把敌人的两个机枪手撂倒在地。身后的敌人被这突如其来的打击吓得愣住了，但待他们清醒过来后，又嚎叫着向黄飞龙围了过去。

“别打死他，抓活的……”敌军中一个军官喊着。

包围圈越来越小，浑身是血的黄飞龙如一尊雕塑般地挺立着，这种压倒一切的英雄气概，使他四周的敌人畏步不前。敌军官喊道：“你们愣什么，抓住他有赏！”

敌人围了过来，近得连彼此呼吸的声音都能听到，黄飞龙突然从怀中掏出一枚手榴弹，双眼逼视着敌人，然后用牙齿扯下了拉环。只听“轰隆”一声巨响，黄飞龙和几个国民党兵同时倒地。

事后，黄飞龙被华东军区追授予“战斗英雄”的光荣称号。

至中午12时30分，最早赶到的增援部队第272团先头开始进岛，并立刻加入了坚守各核心高地的战斗。

海面上敌人的舰炮不断地向我公云山主阵地轰击，数架敌机也轮回低空扫射。坚守在这里的2连指战员在第272团12连配合下，利用坑道与敌进行激战。

战斗打到傍晚时分，敌人仍未将主阵地攻下。胡琏急得在甲板上直跳脚，他知道，如果在16日夜里仍拿不下主阵地，等天亮时我后续增援部队一到达，他们必将被赶下大海。他用无线电话筒对岛上的指挥官喊道：“集中所有的兵力和火力，无论如何要在今夜拿下主阵地，你们站不稳脚跟，等待你们的只有死路一条！”

岛上国民党军指挥官孤注一掷，把担任海面警戒任务的第133团也拉了上来，从20时起，对我主阵地发起了比白天更为猛烈的进攻。敌人猛烈的舰炮，把阵地表面炸成一片火海。炮火之后，成团的敌人悄悄地向阵地摸来。

战斗像是在突然之间爆发的。惨白的照明弹一颗颗挂上天空，炮弹爆炸的火光把天地映照得通明，子弹的弹道像千万条银蛇在阵地上狂舞，枪声、炮声、爆炸声和嘶哑的喊叫声连成一片。夜幕下，黄褐色的尘土在阵地前滚动着，一会儿如涨潮，一会儿如落潮，天与地像是被装进了一台巨大的搅拌机，在不停地轰轰翻转。

天色微明，当黎明的晨雾渐渐飘散时，蒋军在这里留下了 413 具尸体。我方指战员有 142 人阵亡。

虽然战斗如此酷烈，但我指战员们依托 3 个主阵地上的坑道，如钉子一般牢牢钉在主阵地上。

胡琏没有想到，只有千把人的解放军团队竟有如此强大的战斗力！更使他始料不及的是，解放军的增援部队来得如此之快！战前，胡琏曾判断我增援部队最快也要 3 天才能赶到，因此他计划在 3 天之内拿下东山。在发起突袭的前一天中午，台湾空军派出侦察的飞机，还带回了被国民党飞机炸毁的九龙江大桥没有修复的情报。但胡琏失算了，他怎么也想不到，就在当天夜里，第 31 军的工兵部队便把桥抢修好，这就使增援的时间大为缩短了。

17 日黎明，步兵第 272 团进岛全面接替公安 80 团防务，第 82 师和第 122 师先头团也渡海进岛。第 28 军参战的榴炮团进入七门阵地，将东山全岛纳入射程之内。

5 时许，右翼第 122 师第 365 团向王爹山方向出击，左翼第 82 师第 244 团开始向登陆之敌进行反击。看到我后续部队源源不断地进岛，核心阵地又久攻不下，胡琏知道大势已去。

早晨 6 时许，海面大雾弥漫，胡琏用无线电命令各登陆部队："立即向湖尾以西海滩撤退。"

7 时，在军区作战指挥室内的叶飞，接到第 31 军报告："岛上大雾，敌有撤退迹象。"

叶飞立即命令："不待主力全部到达，各登岛部队立即组织反击，力争将敌围歼于湖尾以西地区！"

10 时 30 分，我登岛部队开始全面反击，反击部队兵分三路，向岛南进逼。聚集在湖尾沙滩等待上船的国民党军登陆部队，成群结队地被赶下大海。

至 17 日 18 时 30 分，东山岛枪炮声完全沉寂。

东山之战，国民党军损失战斗人员 3379 名，坦克两辆，小型登陆舰 3 艘，飞机两架；我参战部队共伤亡 1065 人。

"东山战斗不光是东山的胜利，也不光是福建的胜利，而是全国的胜利。"——毛泽东事后这样评价。

第十九章 海空大角逐

在军委主席毛泽东面前，正放着一份有关东南沿海敌情的报告：浙江沿海主要岛屿上还盘踞着数万国民党军，美国也在大陈岛设立『西方企业公司大陈岛分公司』，打着做生意的幌子，干着支持蒋介石『反攻大陆』的勾当。国民党空军和海军经常派飞机、舰艇入窜浙江、上海沿海地区，轰炸袭击我舰艇，破坏海上运输和渔业生产。福建方向，国民党军在金门、马祖……

1 毛泽东提出夺取浙东沿海的制空、制海权

1953年10月，一趟趟专列悄然南下，直奔浙江杭州——中共中央军委的领导们聚会风景秀丽的西子湖畔，将要研究有关东南沿海军事斗争的重大问题。

在军委主席毛泽东面前，正放着一份有关东南沿海敌情的报告：浙江沿海主要岛屿上还盘踞着数万国民党军，美国也在大陈岛设立“西方企业公司大陈岛分公司”，打着做生意的幌子，干着支持蒋介石“反攻大陆”的勾当。国民党空军和海军经常派飞机、舰艇入窜浙江、上海沿海地区，轰炸袭击我舰艇，破坏海上运输和渔业生产。福建方向，国民党军在金门、马祖……

毛泽东看到这里，心中的怒火直往上窜，他放下报告，大声说道：“这几年，我们的老对手蒋介石，乘我们抗美援朝无暇他顾之际，仗着有美国主子撑腰，在东南沿海不断兴风作浪，做着‘反攻大陆’的美梦。现在朝鲜停战了，我看该集中力量对付蒋介石了，一定要把敌人的嚣张气焰打下去！具体的斗争方案，请大家发表意见。”

“我完全赞同主席的意见，”国防部部长彭德怀首先发言，“现在朝鲜局势已经稳定下来，应该把军事斗争的重点转移到浙江和福建前线来，首先夺取沿海的制空权，为下一步渡海作战奠定基础。”

毛泽东点了点头，补充道：“还有制海权。有了这两权，国民党军才不敢在东南沿海为所欲为。”

华东军区司令员陈毅建议说：“夺取制空制海权，眼下先从浙东沿海开始，配合下一步的解放沿海岛屿作战。”

毛泽东说：“好吧，你们与海、空军的航空兵部队联合作战，一定要尽快把这两权夺过来。”

会后，一贯知人善任的陈毅把夺取制空制海权的任务交给了他的参谋长张爱萍将军。因为张爱萍此前曾担任过华东军区海军司令员兼政治委员、浙江军区司令员，指挥部队同国民党军在海上进行过多次较量，经验丰富。

不久，华东军区浙东前线指挥部在宁波成立，张爱萍任司令员，浙江军区代司令员林维先、华东军区空军副司令员聂凤智、华东军区海军副司令员彭德清和参谋长马冠三为副司令员。

根据中央军委赋予的作战任务，华东军区浙东前线指挥部统一指挥有关

部队，于1954年3月起在浙东沿海对国民党军展开了以夺取制空、制海权为目标的全面进攻。

夺取制空、制海权的斗争，是首先从猫头洋海域的护渔战开始的。

阳春3月，猫头洋海域进入渔讯。浙江地方政府组织5000多艘渔船进入猫头洋海域捕鱼。

鉴于国民党海军多次出动“太”字号、“永”字号军舰袭扰渔场，华东军区海军决定派护卫舰和炮舰南下，与巡逻艇队共同担任护渔作战任务。

3月18日凌晨，华东军区海军的“兴国”、“延安”等8艘舰艇进至北泽岛附近海面，并与前来袭扰的敌“太”字号护卫舰、“永”字号扫雷舰及其炮舰展开了激烈的海战，击伤敌舰两艘。

下午2时许，敌7艘舰艇在战斗机的掩护下，向我正在执行护渔护航任务的“兴国”、“延安”两舰和部分巡逻艇发起报复性攻击。

我舰艇受到空中和海面之敌的夹击，正处于危险之中。

敌情迅速传到华东军区防空司令部，参谋长陆绍基当即下令驻宁波的海军航空兵6团起飞支援。

命令传来，担任战斗值班的副大队长崔巍和中队长姜凯，立即驾驶两架米格-15比斯型飞机升空出击。

红色战鹰冲天而起，直扑敌机肆虐之处。但当崔巍和姜凯双机在战区上空盘旋搜索时，却只看到海面敌我双方的舰艇在进行海战，没有发现敌机的影子。

原来，敌巢大陈岛的飞行管制站发现我战机起飞后，立即引导敌机躲到一边去了，准备伺机再作攻击。

好大一会儿过去了，崔巍和姜凯仍未发现目标，他俩不急不躁，忽东忽西，忽上忽下，继续严密地搜索着海空。他们想，就是打不到敌机，在空中给水兵们助助威也是好的。

突然，僚机姜凯的耳机里传来了长机崔巍的紧急呼叫：“注意！注意！左前方2000米处发现4架敌机，高度1500米，时速330公里。”

姜凯凝神一看，是4架美制F-47型战斗轰炸机！他不由得一惊，指挥所通报说只有两架敌机，怎么成了4架？敌机数量比我多出一倍，又有海上飞行作战的经验。相比之下，己方明显处于劣势。

“怎么办？”他向长机请示。

长机崔巍也在紧张地思考着这一问题：打，我机有可能寡不敌众；不打，我水面舰艇就会遭到重大损失。想到这，崔巍把牙一咬，大声命令道：“投副油箱，攻击！”

话音刚落，崔巍便率先冲向1号敌机，从对方尾后占据了有利位置，随即按动炮钮，一阵猛射。可惜，由于距离较远，炮弹打偏了，没有击中。

1号敌机发觉遭到我机攻击，急忙利用其速度小、水平机动性能好的特点，作大坡度水平盘旋，以摆脱我机攻击。

“兔崽子，躲得了初一，躲不了十五，再吃我一炮试试!”崔巍见1号敌机要逃，立即加大油门，切半径追了过去，一下子抵近离敌机400米处，再次占据了有利位置。他抓住时机，稳稳地把敌机套入了光环，开炮！只见火光闪闪，一串串炮弹射了出去，1号敌机猛地一震，便翻滚着一头栽进了海中。

当崔巍击落1号敌机，拉起机头作上升转弯时，尾随在后的敌2号机和3号机悄悄窜了过来，企图实施偷袭。

僚机姜凯眼明手快，立即压过去掩护长机。这两架敌机见势头不对，无心恋战，急忙掉头，径直朝大陈岛飞去。

4号敌机见状也慌了手脚，连忙向左拉起，企图溜之大吉。

“想逃？可没那么容易!”

姜凯拉起机头，紧追不舍。

当距离4号敌机尾后700米时，姜凯果断地按下了炮钮，只听得“咚咚咚……”一阵炮响，这架敌机当即中弹起火，带着滚滚浓烟坠入了大海。

短短两分钟空战，我军一举击落美制蒋机F-47型战斗轰炸机两架，有力地打击了国民党空军的狂妄气焰，台湾当局惊恐不安；美国驻台“大使”兰金连夜向华盛顿报告，称中共的海、空军正日益强大，美军应该“协防”包括浙东大陈岛在内的沿海岛屿，否则，将使美国大丢面子。

我浙东前线部队乘势扩大攻势，海军舰艇部队又在猫头洋海域，与国民党海军舰艇进行了几次海战，击伤敌舰艇多艘。

“三·一八”海空战及以后的几次护渔海战，初步改变了浙东沿海的斗争形势，从此，国民党军飞机和舰艇不得不收缩活动范围，再也不敢轻举妄动了。

2 小炮艇战胜敌机群

国民党海、空军遭到打击后，不肯就此罢休，继续变换着窜犯袭扰的花样，特别是经常偷袭我停泊在港湾里的舰艇。

这是一个晴朗的早晨，一支由4艘炮艇组成的巡逻艇队，正停泊在刚解放的东矶列岛某港湾里。艇长傅益民率领的1艘炮艇在港湾外面警戒着海面和天空，随时准备打击来犯之敌。

担任瞭望哨的，是刚满18岁的运弹手刘杨武。他稳稳地站在前甲板上，透过望远镜警惕地注视着太阳升起的方向。经过多次战斗的刘杨武知道：敌机往往背着阳光向我舰艇实行攻击，因为耀眼的阳光影响视线，不容易看清目标。

刘杨武对着阳光望了不大一会儿，两眼就发花发黑，眼泪也淌了出来。但他毫不松懈，继续顽强地坚持着。忽然，他眼前出现了几个在快速移动着的小黑点。

刘杨武赶紧揉了揉酸痛的眼睛，仔细一瞧，只见东南海面上空有4架飞机，正向着炮艇的上空飞过来。

“发现敌机！”随着刘杨武发出的警报，各艇立即起锚离港，指挥员下达了准备战斗的命令。

敌机见我艇队已经起锚开动，知道偷袭不易，就装作啥也没发现似的，若无其事地向西北大陆方向飞去。但是，水兵们早已看穿了敌机的鬼把戏，仍然毫不放松地警戒着。

果然，不大一会儿敌机便杀了个回马枪，由西北大陆上空，悄悄地向炮艇扑了过来。

“好狡猾的敌机！”艇长傅益民狠狠地骂了一句，然后大声命令道：“准备战斗！”

水兵们熟练地操纵着手中的武器，眼睛紧盯着空中，乌黑的炮口直指敌机，准备迎接一场激烈的海空较量。

这时，1号敌机已从上风进入攻击炮艇的战斗航向，呼啸着首先冲了过来！

“右20，高速前进！”炮艇迎着上风猛地向前疾驶。这一下，使敌机由上风的位置变为下风，失去了准确的攻击目标。

乘此机会，各艇集中炮火，连续向1号敌机射击。1号敌机还没有来得及向我艇开炮，便中弹负了伤，冒着一股浓烟向南逃窜了。

其余3架敌机的飞行员见状恼羞成怒，立刻排成攻击队形，对着炮艇直扑过来，企图用低空扫射的战术，集中火力攻击我炮艇。

艇长傅益民纹丝不动地站立在指挥台上，心中紧张地盘算着：敌机从低空实施攻击，距离近，目标清楚，时间急促，炮艇运动困难，如何做到既避开敌机的扫射，又能狠狠打击敌机呢？

傅益民还未来得及想出更好的法子，飞在前面的2号敌机已贴着海面冲过来了。

“快速前进！”他下意识地发出了命令。

可小炮艇的速度怎比得上飞机？霎那间，2 号敌机已近在眼前，机身上“F－47”的字样十分扎眼，连敌飞行员的脑袋也看得一清二楚。

傅益民见敌机如此猖狂，心中一动：此时不开炮，更待何时？当即大喝一声：“各炮射击！”

“咚咚咚……”全艇的火炮顿时怒吼起来，一发发炮弹火龙般直扑 2 号敌机。

这一阵猛射，虽然未击中目标，但也把那个气焰嚣张的敌飞行员吓得魂飞魄散，急忙将机头往上一拉，开始做扫射动作。

傅益民定睛一看，敌机两翼各装着 3 门火炮，无论炮艇开出多快的速度，均难以避开敌机居高临下的扫射。怎么办？他眉头一皱，有了主意：“对准敌机腹部，全速前进！”

“是，对准敌机腹部，全速前进！”舵手响亮地复诵着命令。

炮艇刚进入敌机腹部下方，敌机就开始扫射了。顿时，炮艇两边的海水像开了锅一样翻腾起来，但由于敌机腹部宽，又没有炮，我艇身窄，所以没被炮弹打中。而疯狂扫射的敌机却突然燃起熊熊大火，一头栽进南面的海里去了！

原来，那架敌机只顾了玩老鹰抓小鸡的“游戏”，没料到“小鸡”群起反击：几艘炮艇集中火力对准了它，一齐怒射将其揍了下来。

紧跟在后面的 3 号敌机，见状马上修正战斗航向，从左边进行扫射。接着，4 号敌机又绕到另一个角度向炮艇冲过来……

在敌机不间断地轮番扫射下，不少水兵负了伤，但谁也不肯离开战斗岗位。刘杨武左腿中弹，鲜血沿着小腿流向脚底，他照样坚持搬炮弹；当主炮发生故障时，他冒着敌机扫射，忍着痛，跳上炮位，排除了故障。不一会儿，他的右腿又被打了 1 个洞，两腿支持不住，不能搬炮弹了，于是就爬上炮位，帮助战友向敌机射击。

正在激战之际，1 门高射机关炮又发生故障，不能连发了。刘杨武想，这是紧要关头，多打一发炮弹，就多一分胜利！他用尽全身的力气，“呼”的一声跳上高射机关炮的炮位，用脚顶牢炮座，右手揪住炮的腰档，左手拉炮闩，拉一发打一发。

敌机见这艘炮艇还在猛烈地还击，更加恼怒了，开始使出它的最后一个杀着：桅杆轰炸。

对于敌机的这一着毒辣手段，傅益民早就预料到了，也想好了对策：“等敌机进入向我艇攻击的战斗航向时，突然用敏捷的动作避开敌机，使敌机来不及修正航向和角度。”

两架敌机又降低到原来的高度，一前一后地向炮艇扑来。

敌机的距离越来越近了！

傅益民目不转睛地注视着敌机的攻击动作。

3号敌机飞到炮艇的正前方，转眼间进入了投弹圈。

炸弹已经脱离敌机呼啸着飞向炮艇，只剩三四秒钟就要爆炸……

情况万分紧急！

“左满舵，全速前进！”傅益民果断地下达了命令。

“是，左满舵，全速前进！”舵手一面复诵着口令，一面紧张地操舵，只见艇身一侧，猛地向左前方冲了出去。

“轰！轰！”3号敌机投下的两颗炸弹，在炮艇右舷10多米的水面爆炸了，紧接着，4号敌机投下的炸弹也在炮艇的右后方炸响了……

好险哪！

这时，兄弟炮艇的炮火打得更猛了。3号敌机丢了炸弹还没拉起机头，就被几发炮弹击中要害，只听得“轰”的一声，敌机凌空爆炸，结束了它的疯狂肆虐。

4号敌机上的飞行员见此情景，吓得心胆俱裂，仓皇转头向南而逃。

激烈的海上对空作战结束了，英雄的艇队又恢复了正常的工作：轮机兵在仔细地检验着机器；炮手们忙着擦武器，在热量还未消散的炮膛里又装上了新的炮弹；指挥台上的信号兵，快乐地挥舞着手中的信号旗，传达着指挥员的命令……

3 年轻的战鹰大显神威

江南的5月，阴雨连绵。这下可乐坏了国民党海空军。自从“三·一八”海空战以来，他们在浙东沿海多次吃亏，一直想寻机报复，如今机会来了。他们以为这样的阴雨天气，共军的飞行员没飞过，何不乘机出击，挽回败局？

敌人的这一招还是失算了。我浙东前线指挥部早已料到敌人有此阴谋，在紧张的战斗间隙，组织了复杂气象飞行理论学习，并让飞过复杂气象的副大队长宋国卿带几个飞行员飞了简单的复杂气象科目，尽管是临阵磨刀，但也把主要问题基本解决了。

5月11日上午11时，雷达发现国民党空军两架F-47型飞机活动于松门以南30公里处，指挥所判断，敌机可能对我驻海门的部队进行侦察袭扰，遂命令值班双机战斗起飞。

当时海上浓雾弥漫，分不清哪是天哪是海。担任战斗值班的中队长保锡明和飞行员董世荣，驾驶双机穿云破雾，快速飞向战区。

由于没有发现敌机，他们便掉转机头沿原航线往回搜索。突然，僚机董世荣发现左后下方有两架敌机。长机保锡明立即命令："你攻击，我掩护！"

他们边转弯边下降高度，董世荣隐蔽地接近敌僚机，在相距400米处两次开炮，击中敌机右翼。敌飞行员凭借丰富的经验，在茫茫云海中作蛇形机动飞行，力图摆脱攻击。董世荣没有识破敌人的企图，也减速跟敌机进行水平缠斗，以致开炮6次都未命中，负伤的敌机趁机逃脱。

保锡明在掩护董世荣占位攻击敌僚机时，发现了敌长机，便迅速占据敌后有利的攻击位置，在距300—1000米处连续射击7次，命中3次，敌机带着尚未投下的炸弹坠到了海里。

正当保锡明上升转弯脱离时，突然遭到正在逃窜的敌僚机的攻击，机翼和座舱各中弹1发，他臀部受伤，保险带和裤子着火，座舱里浓烟弥漫。

危急时刻，保锡明不愿弃机跳伞，决心保住飞机。他一面奋力扑火，一面忍痛驾驶负伤的飞机返航。由于此次空战飞行距离较远，飞机的油量已经不多了，他咬着牙狠拉驾驶杆，一直升到7000米高空才顶杆平飞，以便燃油烧完后还可以滑翔。当油量表红色警告灯亮时，飞机已顺利到了机场上空。但因伤口流血不止，浑身无力，致使机身不时倾斜抖动。

"要沉着，要冷静，坚持住！"在地面指挥员的鼓励下，保锡明以顽强的意志，把稳操纵杆，最后终于使战机安全地降落在机场。

4天后的中午，我海岸雷达站报告：南麂山以东15公里处发现敌P-51型战斗机两架，高度1000米，时速500公里，在大陈岛上空盘旋后降到800米高度，继续向檀头山、象山港窜犯。

指挥所判明情况后，命令宋国卿与常化臣双机起飞，直线出航到小鹅冠一带拦截敌机。

战区细雨霏霏，能见度很低。宋国卿、常化臣双机在小鹅冠上空没有发现敌机，于是继续向南田岛、象山港方向搜寻目标。

12时45分，我双机飞抵象山港上空，转弯时，长机宋国卿发现右前下方300米处，有两架P-51型战斗轰炸机，正与我机对头飞来。他当即下令："投掉副油箱，右转弯攻击！"然后果敢地反扣下去，紧紧咬住了敌机。

这时，敌机也发现了我机，马上使出惯用伎俩，来了一个大坡度急转弯，摆脱了我机攻击。

宋国卿见攻击不成，不与敌人做水平纠缠，以急上升反扣的动作，迅速咬住右边的1号敌机，取得了战术优势，随即开炮，在击中敌机尾部的片刻，又迅速左转拉起重新占位攻击。他如此连续占位攻击4次，终于将敌机击落。

战斗中，初次参战的僚机常化臣，始终紧紧地跟着长机，两次驱逐企图偷袭长机之敌，发挥了很好的掩护作用。

5 月 19 日中午，雷达发现大陈岛东南 100 公里处出现 F－47 型飞机 8 架，分为两批：一批 4 架向渔山方向窜犯，企图诱我向渔山出击，以便伺机袭击我驻东矶列岛的部队和在港舰艇，另一批 4 架活动于大陈岛一带，企图牵制我兵力。指挥所识破了敌人的诡计，命令王万林和宋国卿、宗德峰和尹宗茂两对双机间隔 2 分钟连续起飞，直线出航，拦击前批敌机于头门山、一江山一线；对后一批敌机则暂时不予理会。

其时正在下着大雨，低云覆盖机场。我战鹰冒雨起飞，勇猛出击。

王万林双机到达头门山岛上空后，僚机宋国卿在左下方发现了 4 架敌机，王万林即命令宋国卿投入攻击，同时呼叫后续双机迅速赶到战区。

敌机发现遭我机追击，急忙从云上穿到云下，以便得到海面敌舰的火力支援。宋国卿在长机王万林的掩护下，冒着被敌舰炮火击中的危险，从云上追到云下，紧紧咬住敌长机，在距离 750 米时，宋国卿 3 炮齐放，将其击落海中。

顿时，敌机队形散乱，如惊弓之鸟。

宋国卿盘旋一圈，又绕到另一架敌机尾后进行攻击，两次开炮，遭到重创的敌机拼命逃跑，但它未能逃脱覆灭的下场，在飞往台湾途中掉进了海里。

长机王万林见僚机已完成攻击，便截住 1 架敌机，先将其击伤，接着又拉起来重新占位，连续开炮将敌机击落。

这时，刚刚赶来的宗德峰、尹宗茂双机也咬住了 1 架敌机，迅速占位攻击。宗德峰因速度过快错过了射击时机，尹宗茂见状主动接敌，占位，瞄准，按动炮钮，“咚咚咚”三声炮响之后，敌机应声而落。

这次空战，我机在复杂气象条件下，一举击落 4 架敌机，打了一个漂亮的歼灭战，自己无一损伤。

张爱萍给海航 6 团打来电话：“我在望远镜里亲眼看到你们击落 3 架敌机，击伤的那架也掉进海里去了，打得好啊！”

国民党空军在连遭打击的情况下，采取更隐蔽的手法进行袭扰，但仍然摆脱不了失败的下场。

7 月 6 日晨，敌 4 架涂着迷彩的 F－47 型飞机从低空隐蔽入窜，企图偷袭停泊于舟山定海基地的舰艇。结果，偷鸡不着反蚀把米，在舟山以南遭到我空军第 3 师宋有臣、周乃双机和李瑞仿、丁品贵双机的迎头痛击，很快被击落、击伤各 1 架。其余两架向南逃到大漠山附近时，又遭海军航空兵 6 团张国禄、李润生双机和尹宗茂、郁锡善双机的前堵后追，南北合击，当即被击落1架，另1架被击伤后仓皇逃窜。

在不到半年的时间内，海、空军航空兵部队在华东军区浙东前线指挥部的统一指挥下，先后空战9次，击落敌机10架、击伤4架，逐步控制了浙东沿海的制空权。从此，国民党空军飞机再也不敢入窜一江山以北地区。

4 敌舰“太平”号葬身汪洋

1954年11月14日早晨，台北草山。

刚刚起床的蒋介石正在散步。刮了一夜的西北风，院子里花儿凋零，草木枯落，一片萧条肃杀之气。

“今年的冬季似乎来得早啊。”蒋介石若有所思，深深地叹了一口气。

突然，一名侍从神色慌张地走了过来，双手递上一份电报。蒋介石展开一看，不由得倒吸一口凉气，只见上面写着：“太平”号军舰今晨遭到共军袭击，不幸沉没于高岛附近海域……

“什么？什么？”蒋介石圆睁双眼，重新看了一遍，仍是此意，禁不住大叫一声：“娘希匹，气死我也！”两脚一软，跌坐在身后的石凳上……

让蒋介石气得半死的这次海战，是由张爱萍和陶勇等将领策划的。

在浙东海域，我军与国民党海军舰艇的作战虽然多次获胜，但多数是将其击伤，特别是敌人的大、中型军舰，还没有被击沉过。正因为如此，敌舰十分狂妄，经常以大陈岛等岛屿为依托，大摇大摆地向我温州湾、台州湾及三门湾一带窜犯袭扰。

浙东重镇宁波。张爱萍与华东军区海军司令员陶勇、副司令员彭德清等首长商量，眼下争夺制空权的作战捷报频传，对在海面与敌较量十分有利，因此，一定要在短期内击沉国民党中型以上舰艇1至2艘，以打击敌人的嚣张气焰，夺取战区制海权，为下一步解放大陈等岛屿创造条件。

如何才能实现这一目标呢？用飞机轰炸？还是用炮舰攻击？张爱萍摇摇头。他的视线落到墙上悬挂的一幅毛泽东的题词上，有了主意，转身问道：“你们还记得去年2月下旬毛主席在南京下关码头视察鱼雷快艇的情景吧？”

“怎么不记得？”陶勇抢着答道。他非常清楚地记得那感人的一幕：

那天，毛泽东由陈毅司令员陪同来到下关码头，在“南昌”舰指挥台上观看鱼雷快艇表演。当时人民海军的鱼雷快艇部队组建不久，艇只是从苏联买来的。这种快艇吨位小，排水量只有20吨左右，装备的主要武器是两座

450毫米的鱼雷发射管和两座12.7毫米高射机枪。其显著特点是，体积小，速度快，机动性好，杀伤威力大，被称之为“海上铁拳头”。

毛泽东看到快艇在江面上劈波斩浪，犁出道道白浪，大为赞叹，他兴致勃勃地问陈毅：“陈老总，我可以上去吧?”

陈毅考虑到毛泽东的安全，关切地说：“主席，快艇晃得太厉害，您别上去。”

毛泽东问陈毅：“你坐过么?”

“坐过的。”陈毅点点头。

毛泽东一听就不服气了：“你能坐，我们的战士能坐，我就不能坐?”

陈毅笑道：“主席，您当然能坐，可今天时间来不及了，等下次吧。”

“唉，你还是不让我去呀。”毛泽东惋惜地摇了摇头，他对鱼雷快艇的关心之情溢于言表。

陶勇收回思绪，说道：“那天鱼雷快艇的表演，使毛主席十分满意，他高兴地称赞说：‘快艇不错，又比较便宜，发展这个好。”

彭德清接过话茬：“检阅完毕后，毛主席为部队写下了题词：‘为了反对帝国主义的侵略，我们一定要建立强大的海军。’他老人家对海军建设、对鱼雷快艇寄托了多大的希望啊。”

“对头，”张爱萍挥舞着拳头：“我们干脆启用鱼雷快艇，让敌舰尝尝‘海上铁拳头’的滋味。”

陶勇一击桌子，连声叫好：“我们的小海鹰一定能在大海中扬威，以骄人战绩向毛主席报喜。”

于是，几位将军定下了用鱼雷快艇攻击敌舰的决心。

经过驻岛部队的反复观察，发现敌“太”字号军舰经常在夜间由大陈岛出动，前往各敌占岛屿周围巡逻。

张爱萍司令员得到这一报告，不禁大喜：“歼敌的机会来了!”他亲自来到高岛，在观通站观察敌情，了解敌舰夜间巡航的规律，确定了用鱼雷攻击敌舰的具体部署。

张爱萍向华东军区海军陶勇、彭德清等同志强调，此仗是我军鱼雷快艇部队首次出击，要打出威风，打出战果，不打则已，打则必胜。

1953年11月1日深夜，鱼雷快艇31大队1中队指导员朱洪禧和副中队长铁江海率领6艘鱼雷快艇，在护卫艇大队的掩护下，从舟山定海悄悄起航，神不知鬼不觉地进入了待机点高岛锚地。

为了迷惑敌人，寻求有利的战机，鱼雷快艇的水兵们在十分艰苦的条件下连续隐蔽待机13个昼夜。

13日午夜，岸上指挥所的雷达屏幕上突然出现了1艘敌舰，宛如出洞觅食的野兽，在茫茫夜海中显得格外诡秘。从它的外形判断，这是 1 艘“太”字号护卫驱逐舰。

快艇大队副大队长纪智良拿起电话：“铁江海吗，敌舰已经从大陈岛出动，正径直朝着东北方向的渔山列岛开去，你们立即做好战斗准备。”这一声命令，抖落了艇员们艰苦待机 13 个昼夜的疲劳，大家以十分敏捷的速度奔向各自的战斗岗位，恨不得一下子把敌舰打到海底！

14 日凌晨 1 时许，纪智良向 1 中队下达了出击的命令，并特意叮嘱铁江海，“一定要抓住战机，确保在敌舰到达渔山列岛之前干掉它！”

“遵命，请等着我们的好消息吧！”铁江海大手一扬，4 艘快艇箭一般地驰出港湾。

海面上，朱洪禧和铁江海所在的 155 艇一马当先，156、157、158 艇成单纵队紧紧相随。大海在沉睡中被搅醒，平静的海面腾起朵朵浪花。

战艇在岸上雷达引导下追寻目标。为了尽早抓住敌舰，铁江海一个劲地让艇队加快速度。航速增加到 18 节，又增加到 23 节……

快艇如离弦之箭，疾驶在辽阔的海面上。这时，海浪逐渐大了起来，由于鱼雷艇小而且速度快，一会儿被推上波峰，一会儿又掉进浪谷，被快艇冲击起来的浪花溅满整个甲板，打在脸上冰凉发痛，但水兵们全然不顾这些，双眼瞪得滚圆，死死地盯住前方。

1 时 28 分，站在艇首的枪炮兵王景春报告：“右前方发现灯光！”大家凝神望去，果然在右前方出现了一闪一闪的灯光，是敌舰！这时，岸上指挥所也发来了通报：“灯光处就是‘太’字号敌舰，位置在你右舷 30 度。”

铁江海立即向艇队发出命令：“修正航向，加速前进，准备战斗！”

不一会儿，艇队离敌舰只有六七海里的距离了，敌舰的舰桥、铁锚和雷达都已经看得清清楚楚。

“‘太平’号！是国民党的‘太平’号军舰!”水兵们惊喜地喊了起来。朱洪禧拿起望远镜仔细看了看，一点不错，正是敌人的“太平”号舰。

“太平”号原是美国海军“戴克尔”号护卫驱逐舰，1946 年“赠送”给国民党海军。该舰排水量为 1430 吨，设计航速为 21.5 节，有官兵 200 余人，装备有 76 毫米火炮 4 门，40 毫米高射机关炮 4 门，20 毫米高射机关炮 10 门，还有两组 48 发火箭炮，是国民党海军的主力舰之一。

如果能干掉这个庞然大物，那真是太过瘾了！

大敌当前，必须慎重求战，稳扎稳打。朱洪禧与铁江海商量决定：再靠近一些打，力求一击成功。

1 时 35 分许，艇队已经接近到离敌舰约 4 海里的位置，敌舰仍不紧不慢地向东航行，看来，敌舰还未发现我鱼雷快艇哩。

朱洪禧提议道：“老铁，是时候了。”

“好，打!”铁江海向各艇发出了命令：“按第一作战方案，开始攻击!”

155艇首先出战。“预备，放!”随着艇长一声令下，艇身猛地一震，两条乌龙般的鱼雷呼啸而出，直奔目标。

紧接着，157艇、156艇和158艇也相继发射了鱼雷。

艇队刚掉头退出发射位置，突然从后方传来“轰”的一声巨响，水兵们扭头看去，只见敌舰驾驶台前升起了一股高高的烟柱。

“打中了！打中了!”大家欢呼跳跃，个个热泪盈眶，激动不已。

“太平”号上，敌人被这巨大的爆炸声震得晕头转向，以为遭到了解放军飞机的攻击，惊慌失措地向空中乱放着枪炮，压根也没想到重创他们的是名不见经传的鱼雷快艇。

“哈哈！敌人想报复却找不到对象，真有趣!”

“不，这是敌舰在放礼炮向我们祝贺呢!”

欢笑声中，水兵们满载着无比的喜悦胜利返航。

这时，被击中的“太平”舰已丧失了机动能力，随着潮水慢慢向西漂去。

大约过了两个钟头，敌人派出的3艘军舰赶来救援，拖着死猪般的“太平”号急匆匆地向老巢大陈岛驶去。

但是，“太平”号却好像赖着不肯走似的，弄得拖带它的护卫舰越行越慢。原来，遭到重创的“太平”号已开始急剧下沉了。

护卫舰上的敌人见势不妙，慌忙砍断拖带的缆链。顿时，失去拖带的“太平”号的舰尾高高翘了起来，舰头深深栽进海里，紧接着，驾驶台不见了，舰桥也不见了。7时24分，连它那高高的桅杆也消失在茫茫大海之中。

击沉“太平”号的胜利，极大地震撼着国民党反动派。

台湾当局在24小时内接连两次召开紧急会议，讨论如何应付这一局势。蒋介石还派代表与美国政府紧急磋商，要求给予更多的军事援助。

国民党报纸惊呼：“‘太平’舰成为第二次世界大战后，在海战之中被击沉的第一艘驱逐舰以上之战斗舰艇，亦为世界海战史上第一艘被鱼雷快艇击沉的主力舰只。”

消息传到大洋彼岸，华盛顿当局对此深感不安，哀叹“太平”号军舰的被击沉，“证明共产党中国已拥有很大的海军力量”。

北京，中南海。毛泽东正读着华东军区上报的一份战况报告：经过半年多的较量，我军已经取得了浙东沿海的制空权和制海权……

读到这里，毛泽东的脸上露出了胜利的微笑。

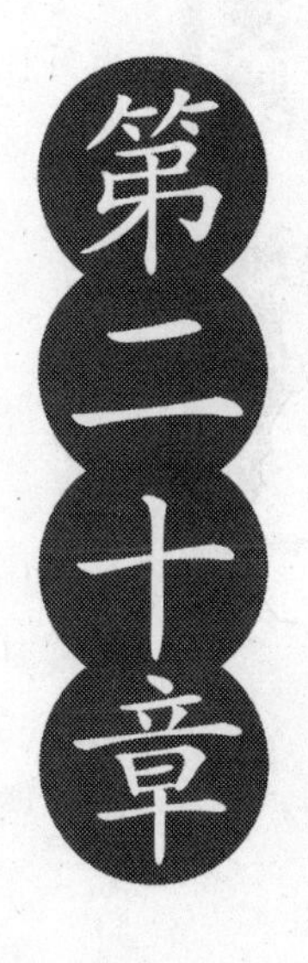

万炮震金门

一九五三年七月朝鲜停战协定签字后，美国政府为阻挠中国人民解放台湾，实现其长期霸占我国领土台湾的企图，加紧与台湾国民党当局策划签订所谓『共同防御条约』。同时，台湾国民党当局在金门、马祖等岛屿不断加修工事，增强军事实力，并经常派遣小股匪特对我进行袭扰，嚷嚷着要『反攻大陆』。

一门门大炮褪下了炮衣。

巨大的炮口徐徐昂起。

炮手们各就各位，指挥员高声下达了命令——

“目标，大金门古宁头国民党军炮兵阵地，放!”

“轰！轰！轰!”一枚枚炮弹呼啸着飞出阵地，越过海峡，击向目标。

霎那间，金门岛上响起了惊天动地的爆炸声，古宁头敌阵地上硝烟弥漫，血肉横飞。

伴随着隆隆炮声，惊惶失措的呼叫声随之而来：“共军的炮弹像下大雨一样，我们被打得没有一点办法，赶快增援！赶快增援……”

我军指战员们从报话机里听着金门之敌的呼救声，无不拍手称快：“打得好！打得好!”

这一幕，发生在1954年9月3日下午。

1 中央军委下令实施惩罚性炮击

1953年7月朝鲜停战协定签字后，美国政府为阻挠中国人民解放台湾，实现其长期霸占我国领土台湾的企图，加紧与台湾国民党当局策划签订所谓“共同防御条约”。同时，台湾国民党当局在金门、马祖等岛屿不断加修工事，增强军事实力，并经常派遣小股匪特对我进行袭扰，嚷嚷着要“反攻大陆”。

美蒋的这些“小动作”，引起了中共中央主席毛泽东的极大关注。他在1954年7月的北戴河会议上说：“现在北边朝鲜停战了，南面印度支那的局势也缓和了，是考虑台湾海峡斗争的时候了!”

毛泽东还指出：“美帝国主义者很傲慢，凡是可以不讲理的地方就一定不讲理，要是讲道理的话，那是被逼得不得已了。”

因此，毛泽东下决心逼它一逼，打击美国政府的侵略政策，严惩台湾当局的卖国行径，制止国民党军对东南沿海地区的袭扰。

经过慎重考虑，毛泽东作出决定，在以陆海空三军联合攻打浙东南之大陈列岛的同时，集中福建前线的炮兵部队，对金门诸岛国民党军实施较大规模的惩罚性炮击，以炮火表明中国人民解放台湾的决心和力量。

从1954年7月起，党中央、中央军委对台湾问题的关注频频见诸于报端：

首先是中共中央机关报《人民日报》接二连三地发表针对台湾的社论：7月16日，发表题为《不能容忍蒋匪帮的侵略罪行和海盗罪行》的社论，严厉谴责国民党军袭击外国商船，破坏公海航行自由的罪行；7月23日，发表《一定要解放台湾》的社论，宣布中国人民决心挫败美国侵略、颠覆、分裂新中国的阴谋，解放祖国领土台湾；7月24日，发表题为《人民解放军的光荣任务》的社论，再次提出一定要解放台湾。

紧接着，共和国最高层在公开场合一再表明对台湾问题的态度：

8月1日，人民解放军总司令朱德在建军27周年纪念大会上发表讲话，号召全军指战员加强军政训练，经常保持战斗准备，为解放台湾而奋斗；

8月11日，政务院总理兼外交部长周恩来在中央人民政府委员会第33次会议上指出，解放台湾是中国的内政，决不允许外国干涉，号召“全国人民要为完成解放台湾，保卫世界和平的光荣任务而奋斗到底”；

8月22日，中国人民政治协商会议第一届全国委员会第58次会议一致通过《中华人民共和国各民主党派各人民团体为解放台湾联合宣言》，号召全国人民全力以赴完成解放台湾这一光荣的历史任务。

这一条条异乎寻常的信息，预示着一场震动世界的炮击作战即将在中国的东南沿海展开。

2 万炮齐轰金门之敌

1954年9月3日14时10分，随着厦门前线指挥部一声令下，由近200门火炮组成的5个炮兵群，对准大小金门、大担、二担岛上的国民党军阵地，以及大、小金门间海域的国民党海军舰艇猛烈开炮。

霎时间，金门诸岛阵地上地动山摇，硝烟四起，国民党守军被这突如其来的炮声吓得魂不附体，纷纷抱头鼠窜。

我炮兵神威大发，越战越勇。

担任炮击大、小金门间海域国民党军舰任务的第一炮兵群，在以奇袭火力于4分钟内完成试射后，迅速转为全群效力射，一发发炮弹打得海面上波涛翻腾，水柱冲天。国民党军海军还没弄清是怎么回事，一艘炮艇已被炮火击中。当敌舰仓皇逃窜时，我炮手迅速以火力追踪射击，当即击伤驱逐舰、炮艇各两艘。随后，该炮兵群集中火力向未能及时逃走的国民党军“兴安”

号等两艘运输船轰击，一举将其击沉。

16时许，惊天动地的炮声停息下来。在历时1小时50分钟的炮击中，共击沉国民党军炮艇1艘、运输船两艘，击伤驱逐舰两艘、炮艇两艘，击毁活动码头1座，压制和摧毁国民党军炮兵阵地9处、观察所1处、连指挥部1处，毙伤国民党军100余人。

我军对大金门等岛屿的第二次大规模炮击是在9月22日。当天17时15分起，由130门火炮组成的4个炮兵群，集中火力向小金门西宅敌第8军军部、小金门下湖第34师师部、大金门中保地区敌202团团部等指挥机关、军事设施和炮兵观察所实施急袭。这次炮击持续了1小时又15分钟，据观察，发射的炮弹约有90%命中了目标。

在厦门前线炮兵部队的猛烈炮击下，大、小金门等岛屿之国民党军惊恐万分，累累若丧家之犬，拼命向台湾当局乞援。

台湾国民党军头目及美军"顾问"相继前往金门，对其部队进行"慰问"和壮胆打气，同时向岛上紧急增调步兵和炮兵，部署实施报复行动。

自9月4日起，国民党军的地面炮兵对我进行了疯狂的报复性炮击。我军炮兵部队发扬大无畏的英雄气概，针锋相对地进行了反敌报复炮战。

一天上午，炮14团侦察股长胡华林发现小金门林村西北树林后面小土丘上出现许多敌人，有人手拿小旗来回走动，并有4个像是大炮的黑点。经反复观察，判定敌人是在构筑炮阵地。

"看来敌人要有所动作，咱们先下手为强!"团长杨庭槐当即命令3营9连实施压制射击。

早已做好准备的9连迅速开了火，随着一阵震天动地的怒吼，敌阵地顿时腾起一团团浓烟。准确、猛烈的炮火，击毁105榴炮4门，敌人这个榴炮连还没来得及偷袭我阵地，便彻底报销了。

在9连实施炮击时，杨团长又命令2连向小金门后宅敌炮兵进行压制射击，保障9连完成任务。激烈的炮战中，2连副连长李清池不幸牺牲，全连指战员忍着悲痛，奋勇作战。1炮装填手王影南为提高发射速度，丢掉送弹棍用拳头推弹上膛，一口气装了40多发炮弹，终于压制住敌炮的反击，保证了9连全歼敌105榴炮连的胜利。

从9月4日至11月20日，厦门前线炮兵部队先后进行反敌报复炮击36次，由于对大、小金门国民党军的军事目标侦察细致，情报准确，炮击迅速灵活，共歼灭国民党军105榴炮连两个，摧毁观察所1处，军用仓库5座(其中油料仓库1座)，毙伤国民党军800多人。连同"九·三"和"九·二二"两次大规模炮击，这场炮击作战共计毙伤国民党守军1000余人，歼灭敌105榴炮连两个，摧毁敌师团指挥机关3处、连指挥部1处、观察所6

处、军用仓（油）库5座、活动码头1座，压制和摧毁敌炮兵阵地9处，击沉、击伤各种舰艇和运输船7艘，取得了炮击作战的重大胜利。

3 以弱战强射“天狼”

金门国民党军在遭到我地面炮兵严重打击后，不甘心失败，企图利用空中优势来挽回其窘境。

从9月4日起，大批敌机不断窜入福建沿海地区上空，进行轮番轰炸扫射和侦察袭扰活动，使人民生命和财产受到严重威胁。

由于我空军尚未入闽，从朝鲜战场调来增防的3个高炮师，只到了先头第611团，加上原驻厦门的高炮521团及几个步兵师的高炮营，厦门前线的防空火力还比较薄弱。

面对国民党空军的嚣张气焰，我高射炮兵部队同仇敌忾，组成绵密的火网坚决予以反击。他们抱定宗旨：“多击落敌机，保护地面炮兵和群众不受空中威胁!”各部队还纷纷开展了“痛打蒋军飞机”的立功活动。

于是，在地面炮击的同时，厦门前线又展开了一场以弱战强的对空大搏杀。

当时有关媒介的报道记载了敌机逞凶肆虐及我军对空作战的情况：

9月4日7时45分，敌4架F-47型战斗机飞至厦门上空，向市区投弹轰炸。我高射炮部队奋起还击，击落、击伤敌机各1架。

9月7日4时至7时25分，敌出动F-47型、PB-4Y型、B-25型飞机共两批42架次，窜入厦门岛等地区，投弹50余枚，炸死炸伤居民多人，被我高炮部队击落4架，击伤20架。

9月8日8时20分，72架F-47型飞机先后窜至厦门附近上空轰炸扫射，被我高炮部队击落、击伤各两架。

9月10日11时30分，敌F-47型飞机2批6架，窜入厦门上空投弹6枚，被厦门防空部队击中1架。

9月23日，敌机11批42架次大规模窜犯厦门地区，并以5批18架次袭击厦门附近大嶝岛。我高炮部队猛烈射击，先后击落F-47型及PB-4Y型飞机3架，击伤F-47型及PB-4Y型飞机6架……

据不完全统计，从9月4日至30日，国民党空军共出动F-47、F-51、F-84、B-25等各型飞机331批779架次。我高射炮部队英勇作战，先后对空作战55次，击落国民党空军各型战斗机12架、击伤40余架，沉重地打击了空中强盗的嚣张气焰。

在同国民党空军飞机的激战中，高炮第521团2连指战员打得特别顽强。这个连的阵地位于前沿突出部，除了空中的敌机不时进行轰炸扫射外，从金门岛上和海面敌舰上打来的炮弹也纷纷落在阵地附近，指战员们不怕流血牺牲，英勇顽强地与敌激战。

一次，阵地突然遭到敌人袭击，炮弹在掩体附近爆炸，有一发落到掩体右侧。危急时刻，指挥仪班10名测手奋不顾身地用身体保护仪器安全，5名测手负了伤，仍然坚持战斗。就这样，全连指战员与近200架次的敌机激战9昼夜，取得了击落敌机4架、击伤8架的辉煌战绩，战后被华东军区授予“二等功臣连”称号。第521团4连在战斗中遭到敌地面炮火和敌机轰击，伤亡10余人，两门高炮被炸。在遭受严重损失的情况下，4连的炮手们利用仅剩的两门高炮继续勇猛战斗，终于击伤1架敌机。

曾在朝鲜战场上多次击落美军战斗机的高炮第611团指战员，在厦门前线同样打得十分出色。11月1日中午，国民党空军出动F-47型战斗机4批15架次，从金门岛方向窜入福建同安县马巷一带上空进行轰炸袭扰。高炮611团立即以猛烈炮火进行射击，一场激烈的对空搏杀之后，1架敌机被击落，7架敌机被击伤。

没等大伙儿歇口气，指挥员王怀义从望远镜中发现，又有一架敌机从低空偷袭过来。他马上命令准备作战。

转眼之间，这架敌机已经肆无忌惮地扑了过来，机翼上“银空猎犬”四个字清晰可见。

“该死的‘银空猎犬’，见鬼去吧!”王怀义气愤地骂了一句，大声下令：“瞄准敌机，开火!”

“嗒嗒嗒……”王怀义的话音刚落，一串炮弹已射了出去。

敌机一拉机头，躲了过去。驾驶这架飞机的是国民党空军上校大队长陈康，他既然有“银空猎犬”的称号，自然不是等闲之辈。但他今天不走运，遇上了专门“打狗”的好手。

“嗒嗒嗒……”炮手们见一击不中，紧接着又打出一串炮弹。

这一招速度极快，陈康还未来得及采取应变措施，便中了一弹，机翼被打了个窟窿。

陈康吃了一惊，急忙来了个“S”形不规则飞行，企图躲避来自地面的炮火。这是他的护身法宝，凭着这一手，他曾经多次成功地避过敌方的攻击。

可这一次不灵了。我高射炮兵熟练地操纵着高炮，测距，瞄准，射击，一发发炮弹火龙般扑了过去。

陈康正在自鸣得意，突然机身一震，“不好，飞机尾部中弹了。”他恼羞成怒，驾着受伤的战机垂死挣扎，边逃边扔下了几颗凝固汽油弹。

“轰！轰！轰！”炮阵地附近被炸得土石飞迸，硝烟弥漫。

“疯狗，你逃不了！”高射炮手们怒火中烧，紧紧盯住敌机，迅速扭动转轮，调整方向和角度，对准其机腹又打出了一串串炮弹。

“银空猎犬”再次被击中，随着一声爆响，立即拖着浓烈的黑烟栽落下来，敌上校飞行员陈康当场毙命。

横行霸道的“银空猎犬”，在英勇的人民炮兵面前终于成了一条死狗。

在厦门前线防空火力不足的情况下，福建军区首长还巧施“空城计”，让担任福州城防的高炮第503团，在福州与莲河、大嶝岛一带巡回作战，有效地迷惑了敌人，取得了较好的战果。

在人民解放军高射炮部队英勇顽强的打击下，不可一世的国民党空军终于付出了惨重的代价，他们意识到再也不能在福建沿海上空肆意横行，因此对厦门地区的袭扰也有所收敛。

连美国国防部也一再警告驻台军事顾问团“美国的军舰、飞机千万不能到厦门”地区去。

而金门诸岛的国民党军却不高兴了，因为他们惧怕我地面炮兵的打击，所以频频向台湾当局要求派飞机为其壮胆。台湾的飞机不敢出来，不是苦了他们了！

一时间，国民党空军也被弄得左右为难，他们乘机以“我们不是铁打的，我们要休息”为理由，索性消极避战了。

4 艾森豪威尔的哀叹

1954年的炮击金门之战，虽然未能阻止美蒋签订“共同防御条约”，但它以庄严的炮声，向全世界表明了中国人民一定要解放台湾的坚强决心，表明了中国政府坚决反对外国干涉中国内政的严正立场，大长了中国人民的志气，大灭了反动势力的威风，赢得了国际进步舆论的同情和支持。因此，这次炮击作战在军事上和政治上都取得了重大胜利。

这次炮击作战，沉重地打击了台湾国民党当局的卖国行径，同时对他们总是向我东南沿海地区进行袭扰也是个惩罚，起到了一定的震慑作用。炮击作战开始后，台湾当局慌作一团，蒋介石一再召开紧急会议研究对策，处境十分狼狈；金门诸岛的国民党军更是一夕数惊，惶惶不可终日。

这次炮击作战，对热衷于干涉中国内政的美国政府也是个严重警告。当炮击金门的消息传到美国时，总统艾森豪威尔受到很大震动，一时摸不清中共的真正意图，不知道这是解放台湾的前奏，还是为了阻止美蒋签约，为此大伤脑筋。在炮击作战中，有两名美军中校在国民党军阵地上被击毙，引起美国朝野一片哗然。艾森豪威尔后来回忆道：这是我执政最初 18 个月中遇到的最严重的问题之一。

这次炮击作战，还进一步加深了台湾当局与美国政府之间固有的矛盾，在签订“共同防御条约”问题上，美蒋之间勾心斗角，尔虞我诈，狗咬狗的争吵接连不断。

福建前线的炮声，吸引了国民党军的注意力，为人民解放军收复浙江东南沿海岛屿创造了有利条件。

第二十一章 张网捕飞贼

浙江军区和浙江省公安厅根据各地情况反映和已掌握的内部情报分析，认为这伙空降特务有可能逃到仙居、临海、天台、磐安、缙云等县的结合部隐匿，遂指示临海、丽水和金华军分区及当地公安机关，采取内线侦察和发动群众相结合的方针，发动驻区部队、公安武装和民兵，在特务可能出没之处展开全面搜剿。

1951年8月26日，国民党“国防部游击委员会”举办的第一期“游击干部训练班”在台湾淡水开学，数十名特务在此接受严格的空降训练。蒋介石集团对这帮飞贼颇为重视，指望他们能成为“反攻大陆”的马前卒。

同年10月9日晚上，第一批空降特务“竹步山组”、“天台山一组”共9名武装特务，乘坐C-46军用运输机从台湾桃园机场起飞，于次日凌晨分别降落在浙江宁海、临海两县境内。

飞蛾扑火般的空降特务刚刚着地，还没来得及打开电台与其主子联络，便纷纷就歼。

“飞蛾”继续玩火，一批又一批地扑了过来。然而，等待它们的是自取灭亡的可耻下场。

从1951年10月至1954年6月，华东军民在福建、浙江和安徽等地围歼捕获空降特务11股47人，有力地粉碎了敌人的阴谋活动。这里介绍的是其中几个片断。

1 清晨，电波中传递着一份紧急报告

曙光初照，东方天边升起了朵朵红云，轻纱般的薄雾悄悄地向四周散去，瓦蓝瓦蓝的天空中，喜欢早起的云雀迎着温暖的阳光快乐地翱翔着……好一个金秋的早晨。

正在这时，浙江省台州军分区值班室里突然响起了一阵急促的电话铃声，值班人员拿起听筒，里面传来来自仙居武装部的紧急报告：

据群众反映，一股空降特务于今天凌晨在仙居县城北乡大庙前村附近山上着陆，乡干部在现场发现4只降落伞，特务不知去向。我们已组织县独立营及公安部队3个排的兵力和城关区4个乡的民兵进行搜捕……

值班员看了一下日历，这天是1951年10月17日。

很快，浙江省委、浙江军区和省公安厅也收到了这一紧急报告，随即指示抓紧搜剿，尽快将其歼灭。

在台州地委、专署和军分区的统一部署下，仙居及其邻近县份的领导组织军民进山进行全面搜索，同时严密封锁要道路口，昼夜站岗放哨，盘查过

往行人，严密控制涉嫌人员和地富反坏分子，布下了捕歼空降特务的天罗地网。

然而，这伙空降特务异常狡猾。仙居县委组织的搜山队伍，在特务降落点周围一二十公里的重点区域内仔细搜索了半个多月，连特务的影子也没发现。但从搜到的发报机、手榴弹、望远镜、军用水壶、手电筒和饼干等物品可以看出，这伙空降特务逃得十分狼狈，连最起码的随身用品都丢弃了，其惊恐之状可以想见。

浙江军区和浙江省公安厅根据各地情况反映和已掌握的内部情报分析，认为这伙空降特务有可能逃到仙居、临海、天台、磐安、缙云等县的结合部隐匿，遂指示临海、丽水和金华军分区及当地公安机关，采取内线侦察和发动群众相结合的方针，发动驻区部队、公安武装和民兵，在特务可能出没之处展开全面搜剿。

在抓紧搜剿的同时，台州专署公安处对 10 月中旬在临海县双港区抓获的空降特务“天台山一组”报务员傅荣本进行了突击审讯，基本上掌握了这股空降特务的情况。

傅荣本在供词中交代，据他在台湾时所知，这次在仙居境内空降的特务系“天台山二组”（又称“磐安大磐山芍药坪组”）。该组由 4 人组成，组长蒋连钧，化名陆奇，磐安县人；情报员许昌法，化名金道宗，天台县人；联络员许良标，化名许文柯，天台县人；报务员于士国，化名于永清，辽宁岫岩县人。

台州专署公安处立即将这伙空降特务的来历通报各地。仙居县公安局顺藤摸瓜，派员与天台县、磐安县取得联系，在当地公安干警配合下分别前往特务的老家，调查了解其政治历史、特点和社会关系等情况，分析排查特务的躲藏点。在此基础上，磐安、天台、仙居等县积极组织精干力量，日夜进行侦查和搜索。

在广大军民的严密搜剿下，隐藏在阴暗角落里的“天台山二组”4 名武装特务很快就暴露在光天化日之下。

12 月 5 日，当蒋连钧、许良标和于士国 3 名空降特务刚刚潜入磐安县四叶乡横岩下只有两户人家的山村，就被当地群众发现。当晚，四叶乡政府根据群众举报，迅速组织民兵前往围剿。

特务们闻讯仓皇逃窜，民兵奋勇追杀。战斗中，许良标、于士国被当场击毙，但特务组长蒋连钧却借着浓重的夜色逃出重围，失去了踪迹。

蒋连钧究竟藏在哪里？原来，那天晚上蒋连钧从四叶乡横岩下逃跑后，深感自己犹如过街老鼠，只得在深山密林中东躲西藏，后来想到了方前乡农林村的施法积，遂偷偷前往施家求助。施法积便将其藏进山里一个隐秘之处，还经常为其送饭。

磐安县委了解这一情况后，即派公安干警前往施的家中，指出其窝藏特务之罪的性质，敦促其弃暗投明，立功赎罪。经过政策攻心，施法积表示愿意协助抓捕蒋连钧。

12月19日晚上，施法积来到蒋连钧躲藏之处，对蒋说："这些日子你一个人闷在山里实在太辛苦，现在外面部队和民兵查得不那么紧了，所以今天我特地杀了一头猪，又买了几瓶酒，明天早上你下山一趟，我们痛痛快快地吃上一顿。"

蒋连钧躲在山里，虽然有施法积提供食物，但有一顿没一顿的，早已饿得发慌。如今听到施法积请他下山喝酒吃肉，又听说外面搜查的风头已过，当即欣然应允，巴不得早些天亮才好。

第二天一大早，蒋连钧急不可待地下了山。当他走到施法积家门口时，突然"砰砰"两声枪响，早已埋伏在此的公安战士向他开了火，第一发子弹从他耳边擦过，第二发子弹打中了蒋连钧的左臂。

蒋连钧突遭枪击，知道大事不妙，顾不得正在流血的左臂，边逃窜边拔出手枪还了两枪。

"狗东西，你逃不了！"另一名公安战士一扣扳机，"嗒嗒嗒"地扫出一梭子子弹，那家伙仰天倒下，双脚一蹬，死了。

"天台山二组"4名空降特务，组长蒋连钧、联络员许良标、报务员于士国3人已被击毙，只剩下情报员许昌法仍在逍遥法外。广大军民加紧侦查搜索，决心早日将许昌法捉拿归案。

1951年12月27日早晨，缙云县陈庄乡乡长曹夏斌带着两位侦查人员前往马路村检查来往行人。

来到王朝木饭庄时，曹乡长问道："老板娘，这里有客人住吗？"

"有是有，可是才两个人，唉，天寒地冻的，生意清淡啊。"老板娘叹了口气。

曹乡长又问："你知道他们从哪里来？干什么的？"

"听他们说是从磐安来的，一个是老头，据说是经营药材的货商，另一个年纪轻一点，是个学徒。"说到这儿，老板娘探头朝楼上望了望，放低了声音："但我总觉得有些不对劲，尤其是那个年轻一点的人，鬼头鬼脑的，说起话来不大像个生意人。"

"哦！他们现在还在房间里吗？"这一情况立即引起了侦查人员的注意。

"大概还在楼上睡觉，他们整天关着门。"

"那好，快带我们上楼去看看。"曹乡长和两位侦查人员拔出手枪，跟着老板娘轻轻地上了楼。

打开房门，那两个“卖药材”的刚刚起床，一见门外来人，不由得一怔，老者急忙上前挡在门口：“诸位有什么事？”

曹乡长拨开老者，带着众人进了屋内：“你们从哪里来？到这里干什么？”

“我们是从磐安来卖药材的。”老者抢先回答，并且补充了一句：“他是我徒弟。”

侦查人员打量了一下那个站在一旁默默无语的学徒，觉得此人神情举止确实不像卖药材的，于是突然朝着他问道：“你当学徒有多长时间了？”

那学徒没想到侦查人员会有此一问，结结巴巴地答道：“有……大概有一两年了吧。”

侦查人员一听，心中更加怀疑：“这人连自己当学徒的时间都搞不清楚，看来一定是个假货。”于是从口袋里掏出一张照片对照起来。

那学徒见侦查人员拿着照片对照，顿时紧张起来：“同志，没事了吧？我要下楼吃早饭去了。”说着就快步往门口走去。

“许昌法！你给我站住！”侦查人员突然厉声喝道。

那学徒浑身一震，脚步不由自主地停了下来，但随即又恢复了镇静，装出一副迷惘的样子：“同志，你刚才喊谁呀？’，

“喊的就是你，许昌法！”

那学徒嘻嘻一笑：“我说这位同志，你是不是搞错啦？我可不叫许昌法啊。我姓金……”

“对，你还姓金，叫金道宗！这是你的化名，是不是？”

那学徒听了又是一震：“我……我不叫金道宗……”

“别装蒜了！”侦查人员斩钉截铁地说：“别以为你留了满腮胡子，我们就认不出你，就可以蒙混过去了。可是，我们不但认出了你，而且知道你是天台城关友明村人。”

“噢！你们说的是他呀。”那学徒“恍然大悟”似的说道，“但是我听说他早已逃到台湾去了，还听说他后来被人打死了。你们还找他干吗？”

“不错，他是逃到台湾去了，但他并没有死，而且还当了国民党的武装特务。今年 10 月 17 日夜里，台湾当局用飞机把他送回来了，在仙居城北乡大庙前村跳伞降落，同他一起来的蒋连钧、许良标、于士国已被击毙了，他虽然侥幸逃脱，但也穷途末路，无处藏身，在磐安县大盘山区躲不下去了，昨天又窜到缙云县陈庄乡，住进了这个饭庄。”说到这里，侦查人员扬了扬手中的照片：“我们已对他追踪多时了，这个人就是你许昌法，或者叫金道宗，还想抵赖吗?!”

侦查人员一口气揭出了他的老底。许昌法越听越紧张，越听越胆寒，越

听越沮丧，没想到大陆共产党对他了如指掌，更没想到蒋连钧等3个同伴这么快就送了命，看来自己已是网中之鱼，瓮中之鳖，狡辩也是枉然，只好承认就是许昌法，乖乖地举起了双手。

至此，“天台山二组”4名空降特务全部被歼。

1955年3月12日，许昌法被浙江省高级人民法院判处死刑，结束了可耻的特务生涯。

2 敌特洪昌照举枪自杀

就在1951年10月17日凌晨仙居县发现空降特务的同时，临海县也发现了一股空降特务。

这天凌晨1时左右，临海县大田区洛河乡双桥村的村民们都已进入了甜蜜的梦乡。忽然，天空中传来一阵隆隆的飞机马达声，在寂静的夜晚显得格外刺耳，不少村民被惊醒。不一会儿，该村农会会员余金云听到“扑”的一响，不知什么东西掉在了自家屋顶上。他赶紧出门察看，明亮的月光下，只见屋顶上挂着一个很大的黑乎乎的东西，又看到屋前空地上站着一个不认识的人！

猛然一见眼前这情景，余金云不由得吓了一跳，壮着胆子大声发问：“你是谁？这东西是干什么的？”

那人连忙“嘘”了一声，压着嗓子说道：“你不要做声，我问你，此地有没有共产党？”

“这人答非所问，却是何意？”余金云略一思索，回道：“现在没有共产党。”接着又追问了一句：“你究竟是干什么的？”

那人轻声说道：“我是从台湾来的，想到白云山去，请你给我带个路。”说罢，从衣袋里摸出几块银元递了过来。

余金云一听，心里顿起疑窦。他想起昨天村长传达说，本月10号有一股国民党武装特务在双港区龙泉乡太平臼降落，眼前这人说什么是从台湾来的，莫非又有特务空降？对了，刚才掉在屋顶上那个黑乎乎的东西大概就是降落伞，这家伙一定就是国民党空降特务。

想到这里，余金云就走过去佯做接银元的样子，待靠近那人时，突然伸出两只粗大的胳膊，使劲一抱，将其紧紧地抱住。

那人大惊失色，手掰脚蹬，企图挣脱两条铁箍似臂膀。

余金云哪敢松懈，拼命抱住不放，同时大声高呼：“快来人啊，快来抓飞机上下来的特务!"呼喊声惊醒了余的妻子高大芽和父母亲，他们急忙从屋里冲了出来，帮助余金云制伏了这个特务。

这时，民兵丁小奶、余三潮也闻声赶了过来，和余金云一起将特务押送到村民兵室。

经审讯得知，这个空降特务姓费名瀛，化名费威仁，安徽省滁县人，是少尉实习报务员。

费瀛还供认，这次在临海洛河乡双桥村空降的叫"括苍山工作组"，一共 4 人，另外 3 人分别是组长洪昌照、组员牟兆祥和洪台成。

民兵队长余秀学一听还有 3 个空降特务，便一面派人立即向上级报告，一面带领几十个民兵连夜展开搜索。

但 3 个特务溜得很快，民兵们搜到天亮，一个也没见着，只是搜到了特务丢弃的降落伞、收发报机、手枪、银元等物。

台州地委、专署和军分区得到有关空降特务的紧急报告后，立即发出了《关于加强防空严密捕歼敌机空降匪特的联合指令》，要求采取有力措施，迅速、彻底地捕歼这批空降特务。据此，临海县委积极配合台州军分区部队和公安武装，组织军民迅速奔赴空特降落点附近的重点山区，以及可能潜逃隐藏的重点村庄、地段追剿围捕；同时在大田、城西、双港、大石、筱溪 5 个区的 22 个乡全面开展搜捕行动，组织民兵站岗放哨，昼夜巡逻，盘查可疑行人，封锁要道路口，监控地富反坏分子，堵住特务可能接触的渠道。

在广大军民的严密搜剿下，特务组长洪昌照首先就歼。

10 月 17 日凌晨，洪昌照带着洪台成、牟兆祥和费瀛 3 名特务在双桥村降落，刚一着地便被高度警惕的村民发觉，报务员费瀛当场被捉，这一幕几乎把他吓得半死，深感此行危机四伏，茫茫大地难以藏身。惊慌失措之下，洪昌照只得穿山林走小道，露宿荒坟野地，犹如丧家之犬一般到处乱窜。

10 月 19 日早晨，前洋村民吴大友前往水长坑庙里去烧草灰，刚进庙门，忽见里面有个人影一闪，定睛一瞅，没人。他心中暗暗纳闷："不对呀，刚才明明看见有个人一晃而过，怎么转眼就没了？难道是菩萨显灵？不可能。"好奇心驱使他往里面寻找起来，转到后面时，突然从墙旮旯站出一个人来，急匆匆地向外走去。

吴大友心中一动："此人神色慌张，鬼鬼祟祟，行迹十分可疑，让我问他一问。"于是大声喊道："喂！停一下，你从哪里来，在这里干什么?"

原来此人正是四处逃窜的空降特务组长洪昌照，昨天夜里刚刚溜到这座僻静的庙里，没想到一大早就被人撞见，心里直喊倒霉。听到吴大友盘问，便信口胡诌道："我是从海门镇来买番薯粉面的，路上不小心摔了一跤，把脚扭伤了，所以在这庙内宿了一夜。"

“那你有没有通行证?”

“通行证?有,有。”洪昌照装模作样地在口袋里掏了几下,然后眉头一皱:“咦,明明放在这个口袋里的,怎么不见了呢?真是怪事!噢,可能是昨天摔跤时弄丢了。”

吴大友冷冷一笑:“真的是丢了?”

“当然是真的丢了。再说,我们买卖人只做生意不做坏事,有没有通行证都一样。”

“那可不一样。没有通行证是不能乱走的,你跟我到村委会去吧。”

洪昌照脸上的肌肉抽搐了一下,正想发作,但又忍了回去,从身上摸出3块银元,笑嘻嘻地说道:“咱们在这小庙相遇,也是有缘,这点小意思就送给你作个纪念吧。”言下之意,是要吴大友放他走。

吴大友没有伸手去接银元,单刀直入地问道:“你是不是前天空降下来的特务?”

洪昌照一听身份已被识破,顿时凶相毕露,猛地从腰间拔出手枪,指着吴大友威胁说:“不许声张,否则要你的命!”

面对黑洞洞的枪口,吴大友不免有些紧张,他定了定神,应变道:“何必那么凶呢?我才不管这个闲事呢。”说完,装作回头烧灰的样子,当走近庙门口时,他一个箭步冲了出去,放开喉咙喊了起来:“快来人呀,抓空降特务呀!抓空降特务呀!”

洪昌照慌忙开了一枪,不管有没有打着,拔腿就逃。

正在地里干活的几十个农民听到喊声和枪声,立即手持锄头、钉耙,飞快地向逃窜的特务追来;巡逻放哨的10多个民兵闻讯后,也迅速展开围追。大家边追边高喊:“缴枪不杀!举起手来!”

洪昌照被这阵势吓得魂飞天外,拼命向东北方向逃命。

民兵们紧追不舍,冲在前面的塘里村民兵高启法、高启铮,在距离洪昌照近百米处果断开枪,当即击中洪昌照的小腿与腹部。

受了伤的洪昌照继续挣扎着逃窜。当他逃至西林河边时,突然间停下了,原来是被宽阔的河水挡住了去路。这时,后面的民兵和群众也紧紧围了过来。

在进退两难,走投无路的情况下,洪昌照彻底绝望了,他咬了咬牙,举起手枪朝自己口中打出了最后一发子弹。随着一声沉闷的枪声,洪昌照倒地而亡。

在洪昌照开枪自杀的当天晚上,漏网的另一名特务牟兆祥也落入了法网。

4名空降特务,一毙两俘,还有1人仍在逃窜。据费、牟二人供认,在逃的那个特务名叫洪台成，化名洪省三，又名洪可得、洪可全，绰号“小脚”，临海沙浦乡望洋店村人，解放前曾当过国民党乡长。从侦察掌握的有关情况分析，洪台成可能已潜入其老家隐藏。

我侦察员芦建华、洪如松立即前往望洋店村，配合当地民兵张网设伏。只要洪台成一露头，立即将其捉拿归案。

然而，不知是什么人走漏了风声，还是洪台成这只过街老鼠嗅出了捕捉的味儿，一连几天就是没露面。

原来，狡猾的洪台成在望洋店村附近转了几圈，最后放弃了回村的打算，偷偷地潜进了下塘园村他叔公应汉俊家里，自以为神不知鬼不觉。但他压根儿也没想到，当晚就被发现了。

至此，空降于临海大田区洛河乡双桥村的这股特务全部被歼，前后历时9天。

3 民兵和群众布下了天罗地网

1951年11月16日，凌晨1点钟左右。

皓月当空，群星闪烁，峰峦连绵的戴云山区笼罩在一片朦胧的夜色之中。

明媚的月光下，福建大田县三区万湖乡东埔村一民兵正在村口放哨。忽然，天空出现1架黑鸟似的飞机，盘旋几圈后又飞走了。民兵寻思，莫非是敌机又来侦察什么情况？再抬头一瞧，只见空中缓缓掉下5个黑乎乎的东西，便跟踪过去查看。

黑乎乎的东西越来越大，最后落到了地面，民兵吃了一惊：“不好，原来是空降特务！”正要回头，却被一个特务抓住，逼他带路。

那个民兵随机应变，装着害怕的样子答应带路。当他领着特务走到一座山上时，乘对方不备，猛地就地一滚，脱离了魔掌，并立即赶回村里民兵中队部报告了敌情。

刚好区见习武装干事伍友超在该村工作，一听有空降特务，当即下令集合民兵，同时派人火速赶往区里报告。一场搜捕空降特务的战斗就此展开。

伍友超带着二三十个民兵很快来到特务降落地点，分成几个搜索小组，乘着月光，一步步地向前搜索。

天渐渐地亮了，村里不少群众也拿着锄头、扁担参加了搜索，包围圈上的人越来越多。

民兵分队副队长詹华场搜得很仔细，突然，他发现了一行新的足印，便循迹跟踪过去。当他来到半山腰一处草丛时，眼前两个人影一隐而没，当即大声喝道："谁？快出来！"

"叭！叭！"隐藏在草丛里的特务见已被民兵发现，便向詹华场开了枪。

"大家快过来，特务在这里……"身负重伤的詹华场，忍着剧烈的疼痛，高声呼唤着战友。

民兵们闻声追了过来，与特务展开对射。但由于只有4支土枪，一时奈何不了负隅顽抗的特务。

正在这时，大田县独立营1个排经过两小时急行军及时赶到，附近乡村的民兵和群众也赶了过来。与特务对峙的民兵随即向特务发起了政治攻势："解放军大部队来啦！你们逃不了啦！赶快投降吧！""冲啊！大伙儿一起捉特务呀！"

特务们惊恐万状，拼命开枪抵抗。但一会儿便没了枪声，大家冲过去一看，只见山坡上躺着3个血肉模糊的特务，显然已经断气。再一搜查，在现场发现5顶降落伞、2部小型电台，以及连城、漳平、安溪等6个县的军用详图、伪造的这6个县公安局的印章等物。

这批空降特务共有5人，3人已被击毙，另外2人逃到哪里去了？

在永安军分区的统一部署下，大田县以及邻近几个县立即行动起来，发动广大民兵和群众严密封锁交通要道，并在边沿交界地带设立关卡，盘查可疑行人，布下了搜剿逃窜特务的天罗地网。

再说那天早晨，空降特务组长邱中洪见搜剿的人越来越多，便让李金堂、李金水、黄子龙3人留下做替死鬼，自己带着孙必达滚下山去，侥幸逃出重围。没料到沿途到处都在设卡盘查，邱中洪为了缩小目标，决定分头逃窜。

特务组长邱中洪不敢靠近村庄，只好在杳无人烟的深山中东奔西窜，两天下来饥肠辘辘，饿得实在忍不住了，便硬着头皮往有住户的地方找东西吃。

11月17日深夜12时许，他在万湖村附近一座山上发现一间孤零零的房子，挨近一看，是户人家，心想这么偏僻的地方不会有危险，便放心大胆奔了过去，嘭嘭嘭地敲起门来。

这时，民兵连德来正在家中睡觉，听到急促的敲门声，心想，半夜三更的谁来找我，说不定是正在逃窜的空降特务。于是，他跟母亲轻声说了几句。

连母听了，便朝门外问道："谁呀？这么晚了还来敲门？"

"老大娘，我是远道来的，在这山上迷了路，饿得走不动了，想在你家

讨点东西吃。”

连德来示意母亲去开门，自己悄悄出了后门，隐身暗处观察动静。

邱中洪进了门，两只贼眼四下里一扫，“老大娘，就你一个人在家呀?”

“可不就是一个人吗？儿子下山跟人家学手艺去了，剩下我这老婆子孤零零地在这山上，很怕人的，刚才你嘭嘭嘭一阵敲门，真把我吓坏了，这会儿心里还嘣嘣直跳呢。”

邱中洪听了心中暗暗高兴：“是啊是啊，单身一人在此，是挺害怕的，要是遇上强盗什么的，可不好办哪!”

“阿弥陀佛，菩萨保佑，千万不要遇上什么强盗。”德来妈显出一脸惊慌的样子。

“嘿嘿嘿嘿!”邱中洪发出一阵狞笑：“老婆子，实话对你说吧，我是从台湾飞来的强盗，本领高强，杀人无数，只要你乖乖地听我使唤，我便不会伤你，不然的话”，他从腰间掏出手枪，啪地放在桌上，“可别怪我不客气!”

“啊呀老总，你看我家里穷得叮当响，哪有什么东西好抢？你有话好说么，千万别动枪呀。”德来妈见特务突然亮出了枪，一副凶神恶煞的模样，心里真的害怕起来，但想到儿子的叮嘱，便打起精神设法拖住这个恶徒。

躲在暗中的连德来见那人露出了狰狞面目，确信正是逃窜的空降特务，又见母亲正按事先的约定与特务周旋，便立即下山前往乡政府报告敌情去了。

“那好，你快给我弄点吃的，再烧一桶热水，我要痛痛快快地洗个澡。”说完，邱中洪大大咧咧地往凳上一坐，跷起二郎腿，摸出一支皱巴巴的香烟，吞云吐雾地抽了起来。

德来妈没言语，默默地动手烧水煮饭，但故意慢慢吞吞地拖延时间。待到把饭做好，垂涎欲滴的饿鬼正要动手吃时，突然“咣咣”两声，前后门被打开，区见习武装干事伍友超带着民兵冲了进来，将邱中洪团团围住：“不许动！举起手来!”

面对民兵们威严的枪口，特务组长邱中洪顿时面色煞白，冷汗直流，一下子瘫倒在地。

几天后，另一名漏网特务孙必达也被生擒活捉。

4 陈时畴气绝身亡

1953年12月14日，永嘉县岩坦区黄南乡黄山村村民王老七和两名村干部到大寺基山上采集藤皮。傍晚时分，王老七在一座古庙附近发现有一个新搭的茅草棚，就好奇地走过去瞧瞧，只见棚内有5个陌生人，还有电台和枪支等。

王老七感到蹊跷："这些人是干什么的？为什么住在这人迹罕至的山上？"

棚内的人更是惊骇："这老头来干吗？恐怕要坏事！"他们慌忙将王老七"迎"进棚内，悄悄地拔出匕首……

正在这时，山下传来"王老七，王老七，你在哪里？"的呼唤声，棚内的人一惊，连忙收回匕首，换上笑脸，并且朝王老七手里塞去一沓钱："我们是解放军部队的侦察员，在此执行任务，你下山后千万不要透露这里的情况。"

王老七见这伙人神色慌张，形迹可疑，手上都带着金戒指和手表，心里已明白了八九分，便不动声色地将钱揣入怀内，转身就走。

到了山下，王老七立即把刚才发现的情况告诉了两位村干部，村干部连夜组织民兵上山搜寻。

当民兵们来到茅草棚时，里面的人早已溜走了。经过搜查，在现场和古庙里发现了发报机、对空联络机、降落伞，以及一些生活用品等。

不用说，这又是一股国民党空降特务！

永嘉县公安局通过审讯犯有窝藏罪的住庙老妇王乃花，初步弄清了这股特务的情况——

原来，这股空降特务叫做国民党"大陈防卫司令部二处敌后巡回组"，编号为第40组，组长陈时畴，组员有陈启盈、徐振楷、陈亨林、周公吉。他们受台湾和美国情报机关派遣，携带电台、对空联络机等装备，于1953年11月11日晚上9时30分在浙江永嘉县上空降落，着陆于大寺基山。其任务是搜集浙南地区的党政军情报，发展"游击武装"，建立"游击基地"。

陈时畴等人先是躲在山上的古庙里，后来又在附近一个山窝里搭了间小茅草棚。以此为基点，他们四处活动，发展组织，建立情报网，并且向其顶头上司、设于大陈岛的美蒋特务机关"西方企业公司大陈分公司"发出了一份份情报。

正当陈时畴等人频频活动，自以为得意的时候，没料到那天傍晚突然被村民王老七撞见，坏了"好事"，于是这伙惊弓之鸟顾不得收拾"行李"，慌慌张张地逃走了。

"这伙特务逃到哪里去了？"我侦察人员追问道。

王乃花摇摇头，不知道。

敌情很快上报到温州专署、温州军分区和浙江省公安厅。根据上级指示，永嘉县委组织军民在军分区部队的配合下，全面开展搜索抓捕空降特务的斗争。并决定派出侦察人员前往特务可能逃窜的方向进行追踪侦察，同时查清陈时畴等特务的社会关系，发动群众举报可疑情况和有关线索，成立机动队，一旦发现敌情，迅速出动围歼。

再说陈时畴带着4个特务从大寺基山小茅棚逃跑后，经过长途奔命，于12月19日躲进了永嘉县碧莲镇附近东山的一个山洞里。

这里离“3号”特务徐振楷的老家不远，他的堂弟徐宝象就住在附近。徐振楷向陈时畴献计，花钱收买了徐宝象，同时发展徐宝象加入特务组织，代号为“8号”。

徐宝象不仅自己入了伙，还将他的哥哥徐宝坚也拉下水，成了代号为“7号”的特务。他还在自家的牛棚里挖了一个地洞，将5个特务接了过来，藏进洞里。

从此，陈时畴等特务像老鼠一样藏匿在徐宝象家的地洞里，整天干着见不得人的勾当。

没多久，他们的电台发生了故障，与上司失去了联系，活动经费也将告罄。这帮鼠辈急得犹如热锅上的蚂蚁，惶惶不可终日。陈时畴决定派陈启盈、周公吉偷渡去大陈岛向上司申领电台和活动经费。

1954年3月，周公吉携带电台、现金及“大陈分公司”老板的指示，偷渡潜回徐宝象家中。陈启盈害怕回大陆，设法留在了岛上。

周公吉在地洞里向陈时畴汇报了“大陈分公司”老板的指示：目前大陈方面急需了解浙南地区共党的重要军事设施和布防情况，以及该地区党政军负责人的姓名、籍贯、家属住址等资料，务必尽快调查清楚，用电台报来……

陈时畴即令报务员陈亨林向大陈岛发报：“老五周公吉已经返回，第四〇组将继续未竟之事业。”

事有凑巧，掩护周公吉偷渡的徐洪树等3人在驾船返回大陈岛途中被渔民抓获，经审讯，徐洪树供出了陈时畴等人的藏匿地点。

永嘉县委决定立即抓捕徐宝象，弄清情况。

一天，徐宝象接到通知，要他到县政府帮助抄写资料。当他应召前往时，立刻被抓了起来。

在审讯室里，徐宝象不得不老实交代：陈时畴、周公吉、陈亨林、徐振楷4人都隐藏在他家的地洞里，每天早上或中午使用电台收发报；他负责提供饮食，并且替特务放哨。

再说徐宝象走后，陈时畴心神不安，为了防止意外，便带着几个特务悄悄地离开了徐家。

陈时畴这条狐狸真够狡猾的，刚刚露出尾巴却又溜了。看来，有必要将已有悔过意愿的徐宝象秘密放回，让其寻找特务踪迹。

这一着果然奏效。6月3日，徐宝象主动报告，他在碧莲镇附近找到了徐振楷，并从其口中打听到其他几个特务的去向：陈时畴、陈亨林已逃往乐清县大荆山方向去了，周公吉逃往永嘉沙头峙口老家。

根据公安人员的要求，徐宝象将徐振楷接回家里，继续“藏”于地洞之中。

6月20日晚上，永嘉县公安局张金生局长带领6名战士直扑徐宝象家，将刚刚从地洞中钻出，准备洗去身上尘土的徐振楷抓获。

接着，张金生局长又率领十几名战士前往沙头峙口，包围了周公吉的家。正当张金生对周母进行政策教育、动员其劝子缴械投降时，周公吉突然从谷仓后面的破板壁里蹿出，开枪击中了张金生，年仅31岁的张金生局长终因伤势过重，不幸牺牲。

特务周公吉旧账未还，又欠新债！我指战员义愤填膺，当即将这条恶狼击毙。

再说特务组长陈时畴、报务员陈亨林从徐宝象家溜走后，经张溪、经岭头等地，窜到乐清县大荆蔡家山，然后躲进了陈亨林的家里。

这两个家伙不甘寂寞，决定铤而走险，通过金钱诱惑，将陈亨林的哥哥陈亨钊、妹夫吴庭寿等人招至帐下，为其搜集情报。

身为乡民兵指导员的吴庭寿利欲熏心，竟心甘情愿地为特务卖命，多次搜集提供乐清县沿海的军事力量分布及武器配备等情报，还将他参加县里有关会议所了解的情况全部告诉了特务。

陈时畴得意洋洋：塞翁失马，焉知非福？当初不从徐宝象家撤走，哪能有此收获？遂用电台将一份份情报发往大陈岛“老板”之处，满心指望日后得到主子奖赏。

俗话说得好，利以昏智。陈时畴等特务为了邀功请赏，哪管末日将临。正当他们得意忘形之时，其狐狸尾巴也就露了出来。陈时畴向大陈岛发的电报，一份份地被我有关部门截获，经过技术监测，发现发报的方位在乐清县大荆蔡家山的四个自然村之内，再经缜密侦察，确定电报是从陈亨林的家中发出的。

根据特务发往大陈岛的情报内容，顺藤摸瓜，又发现陈亨林的妹夫、乡民兵指导员吴庭寿有重大犯罪嫌疑。

一张捕捉特务的大网悄悄地撒开了。

这天上午，吴庭寿接到乡里通知：区政府召集各乡民兵负责人研究工作，要他立即前去开会。吴庭寿十分高兴，认为又可以乘机窃取一些情报了。结果，等待他的却是一副冰凉的手铐。

根据吴庭寿的交代，公安机关在解放军1个连的配合下直奔陈亨林家。陈亨林见罪行暴露，又无路可逃，只得缴械投降。

但特务组长陈时畴却负隅顽抗，开枪拒捕，打伤了侦察排副排长。

战士们一见火了，对准陈时畴连开数枪，这家伙像一只受了伤的野兽，嚎叫着摔倒在地，不久气绝身亡。

至此，“大陈防卫司令部二处敌后巡回组”5名空降特务，除陈启盈先期逃回大陈岛外，其余4人或毙命或被俘，他们带来的美制电台3部、对空联络机1部、密码八九本、长短枪9支，以及活动经费、药品等，均被缴获。

国民党当局利用空降特务在大陆沿海地区进行破坏捣乱的阴谋遭到了惨败，他们在海上和陆地窜犯袭扰达不到目的，在空中同样没能达到。

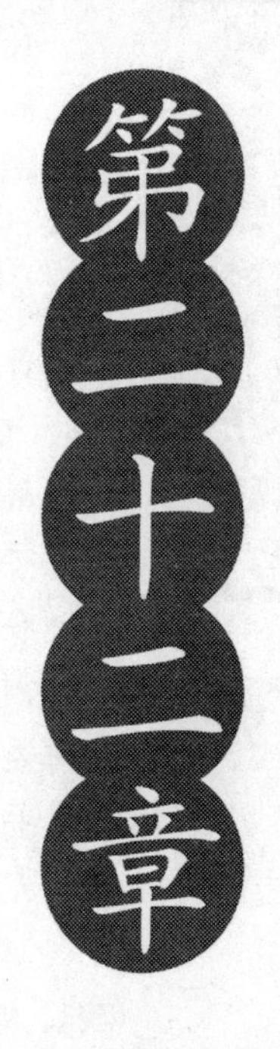

第二十二章 席卷一江山

墙上的布幕被拉开，一幅硕大的浙东沿海军用地图呈现在将军们面前，几个蓝色的防御圈和一些红色的进攻箭头使室内的气氛变得凝重起来。刚刚被中央军委任命为华东军区参谋长兼浙东前指司令员的张爱萍首先宣布：『现在开会，今天会议的议题是遵照中央军委和华东军区指示，攻占蒋军据守的浙东沿海岛屿。请大家畅所欲言，各抒高见。』

1 毛泽东说："形势变了，准备打大陈岛！"

浙江宁波。

这是 1954 年 8 月 31 日。夏末的太阳仍有着炎热的威力，天空挂着一串串棉絮般的白云，如奔马，如群羊，又如战争中升起的蘑菇状硝烟。

清早，大街小巷里三三两两背着书包的学生，急匆匆地赶往学校，在放了一个暑假之后，他们又开始了新学期的学习。

在宁波中学的校园里，师生们聚在一起，进行庄严的升旗仪式。

离宁波中学不远处，有一个院落，院内有一幢浅黄色的二层楼房，还停着几辆旧式美国轿车和军用吉普车，门口有哨兵站立。森严的戒备，说明这里不是普通人可以涉足的地方。

的确如此，这幢楼房是华东军区浙东前线指挥部所在地。

此刻，与楼外的"静"截然不同的是，在二楼会议室里，却是笑声朗朗，气氛热烈。华东军区陆、海、空三军高级将领云集在此，共同商讨解放大陈岛的有关问题。这次战役行动，是根据 1953 年 10 月，在杭州召开的中央军委会议精神决定的。

在杭州会议上，朱德提出"清理门户"——解放东南沿海那些仍被国民党军占领岛屿的建议，得到了包括毛泽东、彭德怀在内的与会者的一致赞同。中央军委决定"清理门户"从浙江沿海国民党守军指挥中心大陈岛开始。此后不久，毛泽东主席在北京怀仁堂告诉前去参加会议的陈毅："形势变了，准备打大陈，先解决浙江沿海敌占岛屿，估计美帝不会有大的干涉，你们就准备吧!"

1954 年 1 月，华东军区根据中央军委的指示，提出了陆海空三军联合攻打大陈岛的战役计划。经中央军委批准后，开始进行战役准备。这些来自华东战区不同军种的将领们所要定夺的，正是大陈战役的具体方案。

墙上的布幕被拉开，一幅硕大的浙东沿海军用地图呈现在将军们面前，几个蓝色的防御圈和一些红色的进攻箭头使室内的气氛变得凝重起来。刚刚被中央军委任命为华东军区参谋长兼浙东前指司令员的张爱萍首先宣布："现在开会，今天会议的议题是遵照中央军委和华东军区指示，攻占蒋军据守的浙东沿海岛屿。请大家畅所欲言，各抒高见。"

此时，华东军区海军司令员陶勇望了一眼身边的华东空军司令员聂凤智，悄悄说："嗯，老兄有何见教?"

聂凤智笑眯眯地又接上一支烟，喷云吐雾起来。这位在朝鲜战争中任中朝联合空军司令员的“将中秀才”，烟瘾大得惊人，每天要抽掉4至5包香烟，大家都开玩笑，说聂凤智每天只用一根火柴，点着烟后就一支接一支地抽下去。

听到陶勇的问话，聂凤智用手一指张爱萍说：“喏，高见都在他的脑袋里，苦心经营3年，志在一朝得手嘛!”

为攻占浙东沿海岛屿，张爱萍确实准备的时间不短了。实际上，早在1952年，时任华东军区司令员的陈毅就让他着手考虑解放闽浙沿海岛屿的问题了。

今天，有军中“儒将”之称的张爱萍是有备而来。但是，根据国民党军占据大陈诸岛的实际情况，收复一江山将是一次陆海空三军诸军兵种联合协同的战役行动。这不仅是新中国诞生以来的第一次，而且也是我军历史上所从未经历过的作战样式。对这些从陆军起家的开国将领而言，这既是一个全新的课题，又是一次严峻的挑战。

在登陆作战中，一切均以保证登陆部队的成功登陆为准绳。也就是说，诸兵种协同动作的目的，是为了保证陆军在敌占岛屿的顺利登陆，破坏敌人反登陆防御配系，击退敌人可能的反登陆行动。这样，就要求周密、细致、正确地组织陆海空三军在战役中的协同，这是一个庞大而复杂的系统工程。

对此，张爱萍已有足够的认识。他开门见山地说：“今天在座的各位都是来自不同军种、不同兵种的专家，请大家从自己的军兵种优势的角度，发表一番打好这次战役的高见。各位尽可以知无不言，言无不尽。”

会议室里气氛立即活跃起来，聂凤智夹烟的手指在会议桌上画了一个圆，声音响亮地说：“这次三军一同作战，空军的作用十分重要，以往的经验也证实了这一点。所以，我们华东空军的任务还是很重的。我们空军保证做到：以陆军的需要为需要，以陆军的胜利为胜利！适时准确地完成空中火力准备，牢牢掌握制空权。”

华东军区海军司令员陶勇自然不甘落后，他知道渡海登陆作战中海军所担负的责任，他感到肩头的担子沉甸甸的，他的讲话如同他的性格——简单明了，干脆利落。他表态：“聂司令所言极是，这一点我们海军也保证做到，牢牢抓住制海权，保证准时把登陆部队送上岛去!”

“好!”张爱萍赞许地朝他点了点头。

浙江军区代司令员林维先是前指的后勤部长，他说：“后勤方面大家尽管放心，你们需要什么，我们提供给什么。需要多少，提供多少。”

有了三军将领的决心，这仗就不怕打不赢。张爱萍及时把会议引入下一个议题——先从哪里动手。

实际上，张爱萍的头脑中早已勾画出了一个战役轮廓。近一年来，他亲自带领参谋人员登飞机，乘军舰，按海陆空三军作战的要求，对浙东沿海进行了艰苦细致的考察，对每个港湾、滩涂、山头以至海水流速、潮汐变化等都做了研究，并组织海军、空军对大陈岛等全部蒋占岛屿进行了海上、空中侦察，全面掌握了战区地形和敌情。

凡事预则立，不预则废。

中国海、空军都很年轻，面对国民党有优势的海军和一直在台湾海峡游弋的美国第7舰队，张爱萍是不会掉以轻心的。

“蒋经国不是把一江山称为‘反攻大陆的大门’吗？那我们就规规矩矩地从大门进去！”张爱萍一字一板地说道，令全场将军们一怔。

“从这扇大门进去，给敌人当头一棒，让他知道新中国建立5年后，人民解放军已具有强大实力，从而收到撼敌全局之效果，造成国民党政治上、心理上的巨大震动，给美蒋阴谋久占我沿海岛屿的企图以沉重打击。”

“你是说打一江山？”有人问。

“对！”张爱萍走到地图前，左手一指地图右下方：“大陈岛不是蒋介石在浙江沿海的防御中心吗？那好，解放浙江沿海敌占岛屿，关键在于攻取大陈岛。这就如同打蛇打七寸一样。”

张爱萍径直道出自己的想法：“我考虑，攻占大陈岛必须首取一江山岛。一江山处于我前沿基地至大陈航线的中间，为必经之路。若绕过一江山迂回到大陈登陆，势必遭敌拦截，舍近求远，兵家大忌。再则，一江山蒋军兵力仅1100人，离我头门山岛只有5海里，且中间有大小茶花诸岛，可设炮兵阵地，只要周密部署，取胜是有把握的。我攻占一江山后，大陈岛直接暴露在我炮火威胁之中，不仅为我进攻大陈解除了后顾之忧，而且也有了可靠的依托。当我攻占了一江山之后，大陈的国民党军迫于我巨大的军事压力，有可能不战而退。”

这时有人说了一声：“这是个英明主张！”

张爱萍坦然一笑，补充道：“杀鸡有时也要用宰牛刀，何况这是把新刀，我们从来没用过。”

将军们笑起来。新中国第一次由陆海空三军联合协同的现代化的战役行动，在将军们的谈笑风生中，变得具体而清晰。

2 俞大维企图把一江山岛变成“生物通不过的堡垒”

国民党退守台湾后，利用海军优势，在浙江沿海占据了南从鳌江口，北至三门湾110海里的诸多岛屿，形成了以台州列岛的上、下大陈岛为中心的防御和进攻岛链。蒋介石以一江山、披山、渔山、南麂山等岛屿为外围的海岛体系，称之为“大陈防区”，成立了“大陈地区防卫司令部”，并在这里部署了1个步兵师和6个突击大队，共10000多人。

而距大陈仅10海里、距大陆13海里的一江山岛，是上、下大陈岛的门户，时任台湾“国防部长”的俞大维坦称：“一江山是大陈的门户，一江不保，大陈难守，大陈不保，台湾垂危。”

1953年8月，蒋介石亲自挑选了原国民党67军中将军长刘廉一任大陈防御总指挥，并把新整编的全副美式装备的第46师从台湾调到大陈，扩充大陈的军事实力。一江山岛事关整个大陈防区的命运，刘廉一举荐荣膺当年“国军战斗英雄”称号的上校王生明，调往一江山岛任“地区司令部”司令。

从我方掌握的情报看，一江山岛的地理条件并不适合于渡海登陆作战，该岛近岸水深7—8米，流速2节，船只在这样的水流中靠岸十分不易；岛上遍地是岩石，岛岸大部分是高达10—40米、坡度45—70度的悬崖峭壁。岛岸的几个突出部正面狭窄，登陆困难。岙部滩头虽便于登陆，但已被国民党军火力严密控制。

北江岛的203、190高地和南江岛的180、160高地为整个一江山岛的制高点，可以鸟瞰、控制全岛。

一江山岛面积总共不到1.5平方公里，国民党守军对这弹丸之地的设防却极为重视。一江山由南江、北江两个小岛组成。岛上无居民。俞大维亲自部署岛上防御，构成了以主峰为主体的3层火力配系。每百米正面就有两门大炮，两挺机枪。全岛154个坚固防御工事密密麻麻，明堡、暗堡星罗棋布，石墙、交通沟纵横交错，铁丝网、爆炸物、障碍物不计其数。俞大维要求一江山岛的防御要成为“生物通不过的堡垒”，共军无法登上一兵一卒。

该岛守军是突击第4大队、突击第2大队第4中队及炮兵第1中队，共约1100余人。其具体部署是：“一江山地区司令部”率突击第4大队、炮兵第1中队位于北江，司令部设在203高地南侧；突击第2大队第4中队位于南江。两岛独立防守，互相依托，重点是北江。

从1949年国民党军撤至一江山开始，国民党守军经过长期设防，岛上已经形成了比较完整的防御体系。

难怪一江山“地区司令部”司令王生明宣称，一江山岛是一艘“美国制造的不沉战舰”。

从地理上看，无论是浙江省的大陈岛、一江山岛，还是福建省的金门、马祖等岛屿，都距离台湾本土十分遥远；从军事上讲，据守这些岛屿是十分困难的。那么为什么蒋介石非要死守着不肯轻易放弃呢？蒋介石自有他的考虑。在他的心目中，保存大陈、金门等浙闽沿海岛屿，在法律上标志着国民党仍有效地控制着一部分隶属于浙江省、福建省的领土，这就意味着国民党并没有完全沦为只能管辖台湾一省的地方当局。在政治上，它象征着反共的决心和意志，可以用来鼓舞士气，维系台湾岛内的稳定。在战略上，可以作为反攻大陆的"踏脚板"。因此，蒋介石一再声称："对任何大陆沿海的岛屿，都将不惜任何代价予以坚守，直至战斗到最后一刻。"

不过对蒋介石而言，1954 年 12 月，倒的确有一件令他感到欣慰的事，这就是台湾与美国签订了《共同防御条约》。

12 月 2 日，台北阳明蒋介石官邸。

蒋介石躺坐在安乐椅中，双目微闭，头随着安乐椅子的摇动而轻轻地一点一点。椅子很舒适，但他的脸色并不好看。浙江、福建沿海持续不断的战事搅得他心神不宁。

门开了，蒋经国走了进来，见父亲正闭目养神，便躬身站在一旁等着蒋介石醒来。

实际上，蒋介石听脚步就知道是蒋经国，他闭着眼问："有什么事呀？"

蒋经国赶紧从桌上拿起茶杯，递到蒋介石手上，说："上午，叶公超同美国国务卿杜勒斯在华盛顿签订了美国和中华民国的共同防御条约。"

蒋介石睁开眼睛问："条约还是那样写的吗？美国人有没有改变条文？"

"基本上是双方讨论的内容，没做什么变动。"蒋经国回答。

蒋介石停止了安乐椅的摇动，直起身子说："条约是签了，不过美国人一向反复无常，重要的是他们能不能兑现。你马上通知下面，签订条约的消息和条约的内容立即见报，一来给美国施加压力，二来稳定民心军心！"

"我这就去办。"蒋经国退了出去。

蒋介石的心情比刚才好了一些，他知道有了《共同防御条约》，不管美国能否兑现，或者能够兑现多少，都对大陆准备解放台湾的计划是个牵制。

美台《共同防御条约》宣称美国和台湾当局双方有"为自卫而抵御外来武装攻击的共同决心"，台湾方面如遭攻击，美国要立即采取行动。条约同时还规定，美国有在"台湾、澎湖及其附近部署美国陆、海、空军之权利"。这实际上是把中国的内政国际化的条约，也使美国军事介入台湾海峡的行动合法化。

对于这样一个干涉中国内政的条约，中国政府表示了强烈谴责。12 月 8 日，中华人民共和国国务院总理兼外交部长周恩来代表中国政府发表声明，指出：

> 台湾是中国的领土，蒋介石是中国人民的公敌。解放台湾，消灭蒋介石卖国集团，完全是中国的主权和内政，决不容许他国干

涉。任何战争威胁都不能动摇中国人民解放台湾的决心，只能增强中国人民的愤慨。蒋介石卖国集团没有任何权利同任何国家签订任何条约。美蒋“共同防御条约”根本是非法的、无效的。它是一个出卖中国主权和领土的条约，中国人民坚决反对。如果美国政府不从台湾、澎湖和台湾海峡撤走它的一切武装力量，仍然坚持干涉中国内政，美国政府必须承担由此产生的一切严重后果。

毛泽东与中央军委决定，解放一江山的战役行动，不因台美《共同防御条约》的签订而改变，战役准备照常进行。

毛泽东决定在这份协约签订后不久发兵，还有另外一层含意：一方面检验美国为台湾究竟肯付出多少；另一方面提醒蒋介石，即使有这么个条约，解放军还是想打就打，别以为这个条约是万灵符。

3 苏联军事顾问气呼呼地走了

转眼间，1955 年的元旦就要到了。全国各行各业的人们都在为迎接新的一年而忙碌着。收复一江山岛的作战准备也到了“收关”阶段。浙东前指召开了战役前的最后一次作战会议，张爱萍首先宣布了经过中央军委和华东军区批准的作战计划：三军联合渡海攻占一江山岛的作战行动分两个阶段实施。

第一阶段以空军第 3、12、29 歼击师、第 20 轰炸师、第 11 强击师为主，再加海军航空兵部分兵力，及海军第 6 舰队、鱼雷艇 31 大队和陆军部分远程大炮，首先夺取战区的制空、制海权，削弱敌海、空力量，掩护参战三军进行临战训练，同时创造孤立、围困、封锁大陈岛国民党军的战场条件。

第二阶段为实施渡海登陆作战阶段。以步兵第 60 师 178 团第 1、2 营，第 180 团 2 营及伴随炮兵群为主力，第 178 团 3 营为辅助兵力，隐蔽进入头门山、高岛一带的进攻出发海域，尔后在海、空军和炮兵的支援下，对南、北江两个小岛同时实施登陆突击。主要突击方向是北江岛的西部和西北部，辅助突击方向是北江岛的东北部和南江岛的西部。并决定，登陆突击选择在白天的满潮时进行。

张爱萍在作战会议上，同指挥部的将军们特别探讨了具体战法。张爱萍指着一江山地区的防御要图强调指出：“这次登陆作战，登陆地段只能选在登陆条件较差、难度较大的岛岸突出部，以避开岙部滩头地段国民党军严密的火力封锁，这样，既可出其不意，又能利用地形，直接而又迅速地登上岛岸各主要阵地，割裂对方的防御体系，以求各个歼灭。美军1950年9月在朝鲜仁川地区登陆，就是一个很典型的战例。

“这次作战是我军首次举行三军联合渡海登陆作战，缺乏经验，我们必须从我军的实际情况出发，创造特定条件下的特有战法。夜间登陆突击难度大，而白天部队能够准确掌握登陆点，减少因登陆地段狭窄、陡峭而造成的混乱，有利于三军协同配合。另外考虑到潮汐对渡海的影响，所以我们应在白天满潮时进行登陆突击。有的同志担心白天渡海登陆违反常规，不易隐蔽，易遭敌空、海军袭击，由于我们在第一阶段已夺取了制空、制海权，所以可以打消这一顾虑。”

但是，参加会议的苏联“老大哥”对此持否定意见。

50年代，苏联政府派遣一批军事人员帮助中国进行正规化建设。这天应邀参加会议的苏联顾问，中将军衔，据说曾在卫国战争时期指挥1个师，对渡江登陆作战颇有研究。果然，他一开口便引经据典，大谈一番西西里岛和诺曼底登陆作战的经验之后，得出结论：一江山岛联合渡海登陆作战，必须采取夜间航渡、拂晓登陆的战法，否则，必败无疑。

“老大哥”虽是顾问，但其意见往往带有很强的权威性和强制性。不过，同样是从枪林弹雨的沙场中走过来的中国将军们，从来就有一种不唯书本、不唯上的气概，他们既有自己的主张，又不缺少坚持自己主张的勇气。

当苏联顾问一番面红耳赤的演说结束后，会议出现了一个短暂的“冷场”。张爱萍看了看在座的聂凤智和陶勇的表情，两个人均对此不以为然。不过从面子上讲，表态总还是要表一下的。

“我谈点看法。”陶勇主动请缨。这位华东军区海军司令员一向以性格直爽，快人快语著称。他说：“既然是研究一江山岛作战问题，就应该从我军和作战对象的实际情况出发，而不能盲目搬用苏军和欧洲的经验。西西里岛登陆战役，是美英盟军于1943年七八月间，在意大利西西里岛进行的一次大规模登陆作战。当时仅空降部队就动用了两个师，还使用了大量的登陆舰和水陆两用汽车，使登陆速度大大提高。而一江山岛作战无论从规模还是装备上，都不能与西西里登陆相提并论。诺曼底半岛登陆战则是第二次世界大战后期，美英军队在法国西北部进行的一次大规模的登陆战役，前后历时一个半月，美英共投入45个师的兵力，而德国防守该地区的兵力也约有15个师。这与一江山这个近海小岛的敌我实情相差太远。所以不能类比。我认为，如果照搬‘诺曼底’或‘西西里岛’的经验，不仅行不通，还会吃大亏。中国的仗，只能采用符合中国实情的战法来解决。作为军人，如果只会照本宣科，他肯定不会成为一名优秀的指挥员，即使打了胜仗也属侥幸。”

陶勇的见解，博得了与会者的一阵掌声。此时，“老大哥”的脸“刷”

的一下红了。他看了看主持会议的张爱萍，希望能从他那里得到支援。张爱萍无言地笑了笑，摊开双手，做了个无可奈何的动作。

苏联首席顾问的脸再也“挂”不住了，他咕哝了几句谁也听不懂的俄语后，夹起公文包，气呼呼地冲出门去。

张爱萍笑道：“走了也好，我们可以自己解决自己的问题了！”

将军们笑了起来。

倒不是中国将军们有意与“老大哥”过不去，因为他们深知，中国有中国的国情，战争取胜的真谛，是主观指挥与客观实际相符合。“老大哥”并不了解一江山岛的特点和中国军队的实情，而只是一味地照搬过去或一般外军登陆战役的“条文”，这当然不可能得到中国将军们的认可。

会议最后决定，攻占一江山岛的战斗定在 1955 年 1 月 18 日，中午开始航渡，下午 4 时 30 分满潮时登陆，黄昏前结束战斗。

4 王生明绝望地抓起话筒

1955 年 1 月 17 日，张爱萍同浙东前指参谋长王德在前往头门山岛指挥所途经临海时，接到了总参谋部的电报，大意是：一江山作战对与美蒋的斗争影响很大，要有必胜的把握才行，只许成功，不许失败。如考虑到一江山地区冬季天气条件没有充分保障，登陆进攻发起的日期可以推迟，到天气条件确有把握时再发起。

张爱萍同王德经过反复商量后认为，部队准备充分，并已展开，另外根据气象分析，18 日也应该是个好天气，打好这一仗已经有了把握，如果推迟攻击，很可能失去良机，影响士气，也可能暴露企图，增加今后作战的困难。

为此，张爱萍一到头门山指挥所，就要通了副总参谋长陈赓的电话。张爱萍在电话中向陈赓说明了战役准备的情况以及自己的意见，建议按原计划发起渡海登陆作战。

陈赓迅速将情况报告中央军委。当天下午，彭德怀根据毛泽东的意图，电告张爱萍：“同意按原计划实施。”

可就在战斗打响的前夜，老天故意安排了一个富有悬念的小插曲。

17 日黄昏，浙东沿海突然刮起了六七级大风，暴雨如注。设在头门山岛上的一江山登陆作战指挥所的帐篷，被风刮倒了好几次，这样的天气，是绝对不适于发起渡海登陆作战的。

张爱萍顾不上吃饭，当即指示前指司令部作战处，向空军了解气象变化情况。空军前指气象科经与上海气象台电话会商后断定，这是短暂的局部天气，不会影响明天的战役行动。

但张爱萍还是有些放心不下，因为这关系到攻击能否按时发起，关系到解放军战史上首次三军合成作战的胜利。他亲自拿起电话询问空军前指气象科长徐杰："气象预报是否准确?"

徐杰回答："这阵风是西北方向来的气流，很快就会过去，明日必是风平浪静。"

"我要的是一万，不能有万一，你敢保证?"

"我以脑袋担保!"徐杰语气十分肯定。

1月18日，当朝霞泛上东海海面的时候，一江山海区果然是个难得的好天气，不但地面无风，而且天上无云，海面风平浪静，如一方硕大的蓝色镜面。张爱萍悬了一夜的心终于放了下来。

清晨4点11分，空军第一批歼击机升空，他们的任务主要是掩护集结于头门山、高岛等地的登陆部队完成起航准备。海军执行战斗掩护的军舰开始实施海面巡逻警戒。

张爱萍身着戎装，腰佩54式手枪；神情十分威严。

时间在一分一分、一秒一秒地过去。张爱萍盯着手表指针。他十分清楚，这是他戎马一生又一个关键时刻。

时针指向上午8时整。张爱萍抬起头来，放大嗓门，对着话筒发出命令："时间到，按预定计划开始向一江山岛发起渡海登陆攻击!"

3枚绿色信号弹呼啸着划破长空，攻击开始实施第一次火力准备。由空军3个图-2型轰炸机大队和两个伊尔-10型强击机大队组成的混合机队，在歼击机的掩护下，从浙东沿海各机场起飞，准时飞抵一江山岛上空，对国民党军目标进行了猛烈的轰炸。与此同时，另1个轰炸机大队和1个强击机大队，飞抵大陈岛上空，对"大陈防卫司令部"、敌炮兵阵地和无线电、雷达和通信设施等进行了猛烈的轰炸。顿时，一江山岛和大陈岛上浓烟滚滚，一片火海。

8时15分，空军又对北江岛的西山嘴、海门礁、黄岩礁、向阳礁和乐清礁等前沿阵地进行了清障轰炸。

9时许，地面支援炮兵群的50多门大口径火炮，按计划开始对岛上国民党守军前沿支撑点的碉堡、炮兵阵地及水际滩头集团工事进行猛烈的破坏和压制射击。一群群炮弹呼啸着飞过海峡，一发发炮弹准确地飞向一江山岛上的目标区。在很短的时间内，成千吨的炸弹、炮弹在国民党守军阵地上爆炸，岛上的落弹量达到每平方公里5000多枚。在如此密集的炮弹覆盖下，国民党军多年苦心经营的防御工事和火力配系大部被摧毁。大陈岛指挥中心与台湾间的通讯联络中断。

张爱萍用电话向炮兵祝贺："炮兵打得好！"

战后被俘的国民党突击4大队大队长王辅弼说："自从你们开始轰炸，我们的指挥系统就被全部打乱，无法与各部队取得联系。"

12时15分，担任登陆任务的第一、二梯队的70余艘登陆艇，满载5000多名指战员在海、空军的掩护下，先后从高岛、雀儿岙和头门山岛起锚，分3路以大队的双纵队防空队形向一江山岛全速开进。

天上，一架架战机交替着不断飞掠而过；岛上，一发发炮弹接二连三地隆隆炸响；海上，有由大型护卫舰、炮舰、船载M-13火箭炮群组成的护航舰队，分别在登陆艇的前头和两侧掩护组成了一道水上铜墙铁壁。这是一幅现代化立体战争的壮观画面，无论是谁，只要亲眼所见，都会终生难忘。

当登陆部队的船只驶至距一江山岛只剩3000米，准备以艇波的战斗队形抢滩上岸时，大陈岛上国民党军远程炮兵突然进行拦阻射击。一发发炮弹在船队周围炸起道道白色水柱，有的船只被击伤。

头门山指挥所里，张爱萍通过望远镜看得清清楚楚，他一把抓起电话："给我接白岩山海岸炮兵！"电话很快要通了。张爱萍喊道："是白岩山海岸炮兵群吗，我是浙东前指司令员张爱萍，听着，用最猛烈的炮火，目标大陈岛敌炮兵阵地，给我狠狠地打！"

海军的岸炮群立刻开始怒吼起来，同时升空的航空兵火力也对敌岛上的炮兵目标实施压制。仅5分钟时间，敌人的炮兵就不"做声"了。

战斗发起后，浙东前指空军共出动战机168架次，在战区上空穿梭般地来回巡逻警戒；海面上又以两艘驱逐舰、4艘巡逻船、20艘鱼雷快艇组成的混合舰队，封锁了大陈岛与一江山岛之间的海上通路，并以密集的火力网将其赴援舰队阻于数海里之外。慑于我海、空军的强大威力，驻大陈岛的国民党海、空军一直未敢妄动，整个航渡十分顺利。

13时22分，登陆船队指挥艇的旗杆上升起了一面绿色的旗帜，这是准备登陆的信号。顿时，登陆部队全部散开队形，以艇波形式，各自向预定登陆点迅速靠近。

13时30分，登陆作战的第二次火力准备开始。浙东前指空军3个轰炸机大队又1个中队，再次对南北一江山岛各主要阵地实施猛烈轰炸。

海军战斗掩护队、炮艇直接火力支援队、船载伴随炮兵群，均按时进入射击位置。船载M-13火箭炮群两次对203、190高地及海门礁、黄岩礁实施覆盖式齐发。我海军第6舰队和战舰大队分别进至离一江山岛岸200至400余米处的水域进行射击。暴风雨般的炮弹，铺天盖地地倾泻在敌人的阵地上，使岛上守敌一线工事70%被摧毁，为登陆部队的顺利登陆创造了有利条件。

14时20分，第一梯队开始登陆。

第一梯队营进至距岸150米处，营指挥员发出了炮火转移信号。

此时，国民党军趁我炮火转移之机，依托未被摧毁的坚固火力点，向登陆部队开火射击，登陆船队直冲岸滩。为缩短登陆时间，许多战士在船只还未靠上滩头时就跳入冰冷的海水中，呐喊着向岸上冲去。

14时29分，步兵第178团2营第一波队的5、6连4艘登陆艇，终于首先抵近预定登陆点，分别在乐清礁、北山湾地段一举登上一江山岛。

第二波队7连随5连之后登陆，8连在6连右翼突击登陆，营指挥所也在5连后上陆。

14时33分，步兵178团1营第一波队的1、2、3连分别在黄岩礁、海门礁、山嘴村登陆。

14时37分，步兵第180团2营第一波队的5、7连也在胜利村西侧、田岙湾地段相继登陆。

第二波队6、8连也分别随第一波队之后顺利登陆。

一位经历了一江山战斗的国民党老兵，这样追述了当时我军突击登陆的场面：

> 共军于拂晓即开始以机群、舰炮及岸炮轮番炸射一江山岛上我军碉堡、阵地、水际及滩头防御设施。一江山岛已全部笼罩在弹幕下，硝烟弥漫，火光闪烁。至中午，岛上我军阵地、工事、通信遭受严重破坏。各部队间，已失却联络掌握。午后，共军以小型登陆舟艇为主体的登陆船团，分由南田至海门一带港湾驶出，在大型作战舰艇掩护下，向我一江山海岸抢滩登陆。我忠勇守军，虽予猛烈阻击，但共军借其人海战术，冒死攀登上岸……

经过31分钟的鏖战，第一梯队的3个营都分别按预定计划登陆并夺占了滩头阵地。

15点，岛上升起了3颗绿色信号弹。这是登陆部队发出的成功抢占滩头的信号。

与此同时，浙东前指登陆指挥所在司令员黄朝天的率领下，也在黄岩礁登陆。随第一艇波在乐清礁最先登陆的第60师参谋长王坤，用报话机向指挥所张爱萍报告：“滩头阵地已经占领！”

头门山指挥所里，张爱萍手持话筒喊道：“登陆突击果断、勇猛，打得好！希望你们再接再厉，巩固滩头阵地后，大胆实施穿插、分割、包围，尽快夺取敌纵深核心阵地。”

登陆部队上陆后在向纵深发展的过程中，遭到敌人的顽强抵抗，战场形势变得扑朔迷离，攻守双方呈现胶着状态。我登陆部队在攻占第一道堑壕时，由于受岛上地形限制，一些分队的战斗队形被分割，加之事先不可能全部掌握岛上守军所有火力点的分布情况，指战员们遇到了守敌大量的反射火器和隐蔽火力的压制，伤亡增多。

对此，登陆指挥所马上命令各部队乘守岛敌军因一线阵地丢失较慌乱之际，采取灵活的小群战术，主动协同，向纵深内预定方向勇猛穿插。

15 时 10 分，第 178 团 1 营攻击 190 高地，国民党守军以暗堡火力反击，1 营伤亡较大。

经过激战，1 营攻下了 190 高地。尔后除了 4 连部分兵力向付家村发展进攻策应 2 营 6 连外，主力随即在中心村、山中村、云桥地区转入防御。

15 时 5 分，第 178 团 2 营以勇猛果敢的动作一举攻占望村，乘胜向 203 高地猛插，并包围了 203 高地。203 高地是一江山岛的主阵地，一江山防卫司令部就设在这里。

在整个登陆战斗过程中，国民党大陈防卫司令刘廉一和驻大陈岛的美国军事顾问华尔登上校、麦克雷上校，一直在大陈岛观察战情。刘廉一曾几次命令大陈港出动舰艇反击，但均被解放军浙东前指航空兵和海军巡逻警戒舰队压制被迫返回锚地。

此刻，刘廉一看到被王生明称为“美国制造的不沉战舰”危在旦夕，急忙亲自通过无线电命令王生明：“死守阵地，为党国成仁。”

一江山岛国民党守军地下指挥所里，王生明从听筒听到刘廉一那急切的命令，知道一切都完了，满脸是汗的他静静地坐下，一声不吭。通过观察孔，他已经看到了正在向指挥所搜索的解放军战士，50 米、40 米，只剩下 20 米了。王生明绝望地抓起话筒，直接用明语向刘廉一喊道：“战况急剧恶化，现在敌军已迫近在身后，我已回天乏术，我手里给自己留着一颗手榴弹……”话还未说完，只听“轰”的一声，手榴弹响了。

群龙无首，其余的国民党守军都乖乖地举起双手。敌突击第 4 大队长王辅弼穿着一条单裤，满脸灰尘，头上扎着绷带，手里拿着自己的图章，低着头向冲进来的战士们说：“我是王辅弼，突击第 4 大队的大队长，我向你们投降，请不要打死我。”

17 时 55 分，登陆战斗基本结束。我登岛部队在登陆战斗中，共歼灭国民党守军 519 名，俘虏 567 人，击沉蒋舰 3 艘，击伤 4 艘，缴获各种口径火炮 26 门，轻重机枪 87 挺，各种长短枪 348 支，六〇火箭筒 27 支，炮弹 8900 发，子弹 11 万发，还有其他军用物资一批。

我登陆部队也为此付出了牺牲 393 名官兵的代价。

5 蒋经国执行“金刚计划”

一江山岛的失守，使美蒋大为震惊。同时也使一个多月前刚刚签定的美台《共同防御条约》受到一次实际检验。条约中有这样的条文：“采取行动对付来自中共大陆的共同危险。”

然而，人民解放军一举攻克一江山岛，给了美国和台湾当局这样的警示：不论你们签订什么条约，结成什么样的同盟，都无法阻挡人民解放军的行动；人民解放军不仅可以打陆战，也可以进行陆海空多军种联合条件下的复杂作战。

值得一提的是，由于美国方面在签订《共同防御条约》时，一直担心蒋介石为实现其重返大陆的梦想，主动采取针对中国大陆的军事行动，会把美国拖入中国的内战中去，从而削弱美国在欧洲和世界其他地区与苏联抗衡的力量，所以不愿意承担协助蒋介石防守除台湾和澎湖地区以外其他岛屿的义务。这就使条约在适用范围问题上与台湾存在严重分歧。最后经多次谈判协商，终以“本条约所指‘领土’仅限于台湾与澎湖”，“并将适用于经共同协商所决定的其他领土”等含糊其辞的文字达成谅解。而蒋介石对此一直感到不满。

一江山失守，蒋介石对“美国朋友”更是大失所望，五角大楼的决策者们则完全是“美国的利益至上”，尽管华盛顿一再表示支持援助台湾，但那只是出于美国在亚太地区战略利益的一种考虑，把台湾当做其在远东地区的一个战略据点而作出的一种权宜之计。

但光失望无济于事，因为眼前的事实是一江山岛收复后，解放军只要使用105榴弹炮即可控制整个大陈岛。一江山之战使蒋介石感到解放军的海空力量已今非昔比了，下一步的进攻目标明白无误地将是大陈岛。蒋介石一方面命令国民党军坚守大陈，一方面硬着头皮竭力设法争取美国的支持。

1955年1月19日，蒋介石派台湾“国防部长”俞大维拜访美国驻台湾大使兰金。俞大维告诉兰金：“大陈地区正在面临极端严重的形势，它可能引起一连串相互报复行动，并导致事态扩大，直至把台湾本身也卷入冲突之中。我代表蒋介石总统要求美国发表正式声明，命令第7舰队介入大陈地区的战斗，给当地国民党军以适当的空中支持。”

当天，兰金把台湾方面的求援信息传回华盛顿。美国总统艾森豪威尔和国务卿杜勒斯在白宫办公室里，用放大镜仔细察看了大陈岛的具体位置，发现它距大陆海岸只有几英里，而距台湾却有200英里以上，易攻难守。两人达成共识，决定美国奉行不卷入中国沿海岛屿战事的策略。但为了摆出承诺《共同防御条约》的姿态，又为了保全台湾和澎湖，及为美国的冷战战略服务，1月19日，艾森豪威尔和杜勒斯在五角大楼总统餐厅的工作午餐桌上定下了如下方针：

1. 鼓励国民党放弃大陈和除金门以外的其他沿海岛屿。

2. 美国提供海空掩护以利于有秩序地保证国民党军撤离大陈。

3. 鉴于中国共产党人的侵略行为和他们宣称的夺取台湾的意图，当前，美国表明协助国民党保卫金门岛。在目前情况下，金门岛将被视为保卫"福摩萨"（台湾）最主要的任务。美国也将在联合国坚持中止中国共产党人在福摩萨海峡的侵略活动。

显然，按照以上方针，美国方面想要达到这样两个目标：一是只能掩护国民党撤出大陈岛，为此不惜暂时非正式地承诺对金门、马祖的防务义务。二是通过联合国安理会调解以便在沿海岛屿地区实现停火。这期间美国又联合英国和新西兰，向联合国提交了《停止在中国大陆沿海某些岛屿地区敌对行动》的提案。美国国务卿杜勒斯还通过外交途径，要求苏联外交部长莫洛托夫从中劝说，希望中共的军队在国民党军队撤离大陈时不要发动攻击。

开始，蒋介石对美方劝其撤出大陈岛的建议深为不满。蒋介石认为："丢失大陈无疑是对国民党军的严重打击，并将提高中共的威信，等于在鼓动中共进一步进攻金门和其他沿海岛屿。这是万万不可的。"于是，在美国方面表示了不想派大批美国军舰去保卫大陈的态度之后，蒋介石亲自出马，向美驻台大使兰金再次要求派出美第7舰队防卫大陈，并为国民党提供必要的后勤支持。

针对这一局势，1月24日，周恩来总理代表中国政府宣告："中国人民的主权和内政，决不允许他人干涉，中华人民共和国政府绝不同意和蒋介石集团停火，中国人民一定要解放台湾。"

浙东前指也根据中共中央、中央军委解放大陈岛等浙东沿海岛屿的既定作战方针，正式下达了准备攻占大陈岛的命令。

这期间，人民海军鱼雷艇部队又击伤了国民党海军炮舰"宝应"号等舰艇，陆军炮兵部队也不断用猛烈的炮火袭击大陈岛。

慑于解放军的强大立体攻势，蒋介石为避免大陈再成为"一江山第二"，只好接受了由美国第7舰队司令蒲立德转达的艾森豪威尔的建议，以艾森豪威尔私下保证美国将金门、马祖正式列为防护范围为条件，同意从大陈岛撤军。

1月24日，蒋介石在台北亲自主持召开国防会议，决定：将大陈岛及北麂山等岛屿的国民党军全部撤至台湾。会上下发了蒋介石和幕僚们拟订的将大陈全岛30000多军民悉数撤往台湾的"金刚计划"。蒋介石让时任台湾三军总政治部主任的蒋经国全权负责该计划的执行。临行前他再三交待蒋经国："要设法稳定士气，安定民心。"

1955年1月25日，蒋经国乘军舰抵达大陈岛。

大陈全岛共有居民14416人，面积12平方公里。国民党在岛上设立了"行政督察专员公署"，接管全岛地方行政事务，由后来担任台湾司法部调查局局长多年的沈之岳任专员。

1月26日，沈之岳奉蒋经国之命，组织其专员公署发布公告，要求岛上民众撤往台湾。公告规定：自2月2日止，民众都应到所在县政府登记，以便准备交通工具。

由于布告宣布的疏散理由十分吓人，如"最激烈的战斗即将到来"，"这是为确保生命所做的措施"等等，岛上百姓都惊慌失措，不走就得死啊！哪个不怕？大家都担心大陈岛这么多居民，还有这么多国民党军人，船只肯定成问题。所以都纷纷捆好行李，准备物资，争取早撤。只有极少数年纪大、身体有病、走不了的人仍坐着不动。

后来，当人们得知蒋经国也在大陈时，恐慌情绪才稍有平静，人们心里都明白，人民解放军一时还不会打过来，否则蒋总统怎会让儿子来白白送死？

一天晚饭后，蒋经国用浓重的浙江口音对一同前来的总政治部美籍顾问杨帝译中校和《中央日报》记者刘毅夫说："我们到街上去望望！"

"什么叫望望？"刘毅夫听不懂。

蒋经国笑了笑："这是我们家乡话，望望就是看看。"

一走出专员公署，只见门外早已站满了老少民众，约有100余人，人们的脸上流露出焦虑不安的神态。岛上的人们被国民党的宣传弄得心神不定。一方面他们舍不得离开世代相守的家园去那个遥远的台湾岛，但另一方面为了"确保性命"，又不能不这么选择。实际上，对绝大多数人而言，他们还谈不上是政治认识，只不过是一种求生存的本能而已。

在蒋经国所走过的路上，看到许多人家都捆好了行李，有的连床铺都拆了。蒋经国却暗忖：看来"悉数疏散"已基本有底，台湾需要人，现在就是怕民众不肯弃家赴台。

自接受执行"金刚计划"来大陈后，蒋经国最关心的是以美国第7舰队为主的撤退舰团能否按期到来。这是撤退的关键，而"美国朋友"时常自己利益至上的脾气他是领教过的，如果美国人突然变卦，后果不堪设想。

2月3日一大早，台湾还未发来船团的消息。蒋经国盥洗完毕后问刘毅夫："船团有消息吗？"这些天，蒋经国每天一早第一件事就是询问船团的消息。

蒋经国在大陈下榻的是渔师庙住所。2月8日是台美约定的大陈大撤退的日子，可2月6日晚上，解放军一直炮击大陈，蒋经国只得搬到了附近的猫耳洞里。

这个猫耳洞是大陈防区司令部考虑到蒋经国的安全，专门派人挖的。虽是猫耳洞，但里面的条件却很好，生活设施一应俱全。不过蒋经国也着实地睡不安稳，他和衣而卧，听着洞外不断炸响的炮声，作为总政治部主任、总统的儿子，他的心情十分沉重。午夜时分，他禁不住坐起身来，独自言语："我们反共复国，是件大事，为了百年大计，一时的忍痛，是不能避免的。"

此时，蒋经国睡意全无，他点燃了一支烟，慢慢抽着，烟雾迷蒙了他的双眼。

约零点时分，机要参谋忽然进来报告："主任，台北电报到了，运送撤退民众的船团，已从基隆起航。"

蒋经国接过电报一看，心里的石头才落了地。是啊，这么多军民的撤退，关键要有船。而且第7舰队的参与，才能使撤退增添几分成功的把握。想不到久盼的音讯竟在这个风雨扰人的夜晚来临。

第二天，阴雨连绵，春寒料峭。蒋经国依然一大早就起了床，这是他在苏联养成的习惯。蒋经国洗盥完毕。虽然昨夜一夜未睡，但他的气色却异常好。他告诉刘毅夫："到外边去望望，应该看得到船队了。"

春雨未停，满天低云。刘毅夫走出渔师庙，上了附近海边一个小山头，往东一看，嗨，真来了，率先的是一艘美国海军的扫雷舰，再仔细一看，还依稀可见舰身的号码是124号。根据台北的电报，刘毅夫知道这是舰队的一艘联络舰。刘毅夫看到在屏风山外边海域，有更多数不清的战舰，像鲨鱼群似的往大陈海域涌来。

"接运的美国船团到了。"刘毅夫跑回渔师庙，向蒋经国报告。

蒋经国微笑着点点头，但一句话也没有说。

早饭后，蒋经国乘坐着美式吉姆吉普车去凤尾山巡视。凤尾山是大陈岛的最高峰，一位姓彭的团长陪着蒋经国爬上山坝。

一路上，国民党守军有的仍在挖战壕、修碉堡，有的在往山下搬运库存的枪支弹药。山上、山下散发着阵阵树木烧焦的烟味。远处不时传来忽紧忽慢的枪炮声，海面上雾气沉沉。

蒋经国看到海面上美军舰只越来越多，随着一阵巨大的轰鸣声传来，4架美制F-86式战斗机喷着乳白色的气体，从低空掠过……

2月6日，台湾当局发表声明称："撤退大陈岛的守军，同时撤退岛上平民。集中力量防守台湾。"

美国驻台湾海军司令普雷德也宣布："美国将提供海空掩护，协助国民党军有秩序地撤退以大陈为中心的台州列岛。"

为了不使这次大溃退动摇军心，台湾当局反复将其与二次世界大战中的盟军在敦刻尔克实施的大撤退相提并论。

2月7日，台北。蒋介石为撤退大陈岛军民发表了《告海内外同胞书》的广播讲话，他说："大陈补给线长达250海里，耗费太大，撤守大陈，可增加金门、马祖的防务，配合新战略，避免无谓损失。"

2月8日，大陈岛的大撤退开始，台湾"国防部长"俞大维，海军总司令梁序昭，国防部第3厅副厅长蒋纬国等同时登岛指挥撤退。

上午7时，蒋经国登上"太昭"号军舰，环绕上、下大陈岛巡视了一遍。蒋经国站在"太昭"号甲板上，眺望大陈山水，心中怆然，不禁联想起6年前和父亲一起告别溪口，悄然离开故乡的情形。

两小时后，蒋经国返回大陈，从"太昭"舰上带下一面青天白日旗，在大陈行政督察专员公署前，亲自主持举行了一个升旗仪式。当青天白日旗缓缓升上杆头的时候，蒋经国强作镇静，勉励大家："不要难过，不要失望，我们是要下决心打回来的。"然而，他心里明白，这只不过是一种自欺欺人的自我安慰。

中午时分，解放军浙东前指所属部队炮兵开始向大陈、北麂山、渔山、披山等岛屿发起轰击，以此作为"送行"。在此之前，彭德怀电告张爱萍："此事牵涉到国际关系，让他们撤退算了。"

1955年2月8日下午，蒋经国一行秘密登上"太昭"号军舰离开大陈。

大陈防区司令刘廉一也和蒋经国一同撤离。起锚时，刘廉一凄然地对蒋经国说："什么都完了，主任，我有愧党国!"

蒋经国却始终没有表情，眼里已全是茫茫大海。

在以后的8天半时间内，国民党大陈守军在美国第7舰队15艘各型舰艇的掩护下，分批将岛上共37777名军民撤逃到台湾。上、下大陈岛及附近几个岛屿上的几十个村庄被焚为灰烬。

2月13日，人民解放军浙东前指所属部队先后进驻大陈岛、北麂山、渔山、披山诸岛。

2月22日，国民党军被迫放弃盘踞浙江沿海的最后一个岛屿——南麂山岛。至此，浙江东南沿海岛屿宣告全部解放。

人们在一次又一次欢庆胜利的时候，没有忘记中国人民解放军第三野战军在新中国成立前后几年的征战中所建立的巨大功勋。三野同一野、二野、四野一样英勇善战。三野威震华东的壮举，将永远载入史册！她们为巩固新生的人民共和国而不懈斗争的许多佳话，将长久地留在人民的心里！